D0965264

HUSH

Ce que vous ne dites pas peut vous tuer

Kate White

HUSH
Ce que vous ne dites pas peut vous tuer

Traduit de l'américain par Armelle Santamans

•MARABOUT•

Publié pour la première fois aux États-Unis en 2010 sous le titre *Hush*
par HarperCollins Publishers, 10 East 53rd Street, New York, NY 10022.

Traduction de l'américain par Armelle Santamans.

La douleur la réveilla, la contraignant à ouvrir les yeux. Elle se trouvait dans une totale obscurité avec un épouvantable mal de tête, comme si quelqu'un venait de lui assener un violent coup de chaise sur la nuque. Il y avait aussi ce curieux goût, dans sa bouche : un goût métallique. Présumant qu'elle avait dû se mordre l'intérieur de la joue, elle essaya de découvrir où se situait la plaie du bout de la langue, mais celle-ci refusa de bouger, comme engourdie.

Où suis-je ? se demanda-t-elle. La panique commença à poindre et le rythme de son cœur s'accorda aux saccades douloureuses qui lui fendaient le crâne. Elle essaya de faire un mouvement, mais elle était paralysée.

Elle se força à inspirer profondément. Il s'agit d'un cauchemar se dit-elle, un cauchemar qui me donne l'impression d'être éveillée. Mais je dors et je vais me réveiller. Sans cesser de se concentrer sur sa respiration, elle perçut une odeur de renfermé, comparable à celle dégagée par des vêtements humides, presque moisis. Non, tout cela n'était pas un rêve. Elle tenta encore de se déplacer. Son bras ne répondit pas, mais elle parvint à tourner un peu la tête.

Un bruit s'insinua dans l'obscurité. Un grondement sourd et lancinant qu'elle ne put identifier. Son cœur se mit à battre un peu plus vite. Il s'agit d'un moteur, finit-elle par deviner.

Enfin, elle comprit où elle se trouvait. Mais pourquoi ? Était-elle tombée ? À moins que quelqu'un l'ait *assommée* ? Ses pensées étaient si confuses qu'elles allaient et venaient comme les longues herbes d'un lac, ballottées par le courant. Elle en saisit une et s'employa à progresser, pas à pas, à partir de ce début de raisonnement. Son dernier souvenir était d'avoir cherché à atteindre la lampe de poche. Mais, manifestement, celle-ci avait dû s'éteindre. Depuis combien de temps était-elle ici et pourquoi était-elle seule ? Soudain, tout lui revint en bloc. Face à l'angoissante vérité, elle éclata en sanglots.

Il fallait qu'elle s'en aille. Elle se dit que le grondement qu'elle entendait encore devait provenir du congélateur qu'elle avait aperçu un peu plus tôt. Cela signifiait donc que l'électricité fonctionnait à nouveau. Elle s'obligea à bouger la tête à plusieurs reprises et ordonna au reste de ses membres de se mettre en branle. Ses jambes étaient de plomb, comme deux barils métalliques remplis à ras bord, mais elle réussit à lever le bras droit. Elle agita la main, l'ouvrant et la refermant plusieurs fois.

À cet instant, elle entendit un autre bruit à l'étage supérieur. Des pas. Puis une porte qui s'ouvrait. La terreur se répandit dans tout son corps, comme un liquide brûlant.

Cette fois, le meurtrier venait pour elle.

1

— Toi, tu me caches quelque chose, n'est-ce pas ?

— Qu'est-ce que tu veux dire par là ? demanda Lake qui, prise au dépourvu par cette question, reposa son verre de vin sur la table en redressant légèrement la tête.

— Tu as un peu l'air d'un chat qui vient d'avaler un canari.

Elle savait très bien que Molly faisait allusion à quelque chose dont elle-même n'avait pris conscience que quelques jours auparavant : le chagrin et le sentiment de culpabilité qui l'avaient si cruellement envahie durant quatre mois commençaient enfin à se dissiper. Elle se sentait plus légère, moins oppressée. Subitement, elle avait de nouveau envie de vivre. Un peu plus tôt, tandis qu'elle parcourait la Neuvième Avenue d'un pas pressé afin de rejoindre Molly pour le déjeuner, elle avait même ressenti un brusque accès de joie qu'elle avait attribué à ce lumineux ciel d'été, à son travail et au fait que, quelque part, quelque chose de neuf et de beau l'attendait peut-être.

— Ne me dis pas que tu as rencontré quelqu'un ? poursuivit Molly.

— Grands dieux, non ! répondit Lake. J'ai seulement l'impression que mon ciel s'est un peu éclairci.

Elle sourit avant d'ajouter :

— Il se peut même que j'arrive à te surprendre aujourd'hui en me montrant un peu moins morose que d'habitude.

— Rappelle-toi seulement que, ces jours-ci, tu risques d'avoir des hauts et des bas, dit Molly en agitant sa longue chevelure rousse. J'ai appris durant l'année qui a suivi mon divorce que l'on peut se sentir pleine d'énergie à un moment donné et totalement déprimée la seconde d'après. Et, dans ce cas, on en prend pour quatre jours sous la couette.

— Je n'attends pas de miracles, dit Lake. J'en ai juste assez de me morfondre comme un personnage de mauvaise série télévisée. Je sais bien qu'en qualité de mère célibataire de quarante-quatre ans, tout ne sera pas rose, mais j'ai bien l'intention d'aborder la situation comme une nouvelle aventure, plutôt que comme une malédiction. Et le fait d'adorer la mission que m'a confiée ce nouveau client m'aide énormément. Cette clinique fait du bon boulot.

— Alors, où en est ce divorce ? Est-ce que les choses avancent dans le bon sens ?

— Mon avocat joue un peu au cache-cache téléphonique avec celui de Jack, mais il estime pouvoir arriver à un accord avant que les enfants rentrent de leur camp de vacances. Une fois cet accord conclu, je serai en mesure de passer à autre chose.

— Mais alors, pourquoi ne pas essayer de rencontrer quelqu'un ? Ça te ferait tellement de bien !

— À vrai dire, les candidats ne se bousculent pas au portillon.

— L'unique raison de cette situation, c'est que tu ne leur facilites pas vraiment la tâche, remarqua Molly. Quand vas-tu enfin faire tomber tes remparts ? Tu es un véritable canon, Lake.

Voilà qui m'aide beaucoup, songea Lake. Molly la considérait vraiment comme un chat sauvage allant se réfugier sous la première porte cochère, dès que quelqu'un approchait. Elle en venait à regretter d'en avoir autant dit à Molly sur ce qu'elle avait vécu lorsqu'elle était plus jeune.

— De toute façon, je ne crois pas être encore tout à fait prête pour une nouvelle romance.

— Et ce docteur ? insista Molly dont les yeux verts s'illuminèrent.

— *Qui* ?

— Ce type du centre de traitement de la stérilité – celui dont tu disais qu'il te faisait des avances.

— Oh ! Keaton, dit Lake.

En prononçant son nom, elle revit son visage : ses yeux bleu ardoise, ses cheveux bruns qui rebiquaient légèrement sur le front, et aussi cette bouche charnue. Tout cela composait un ensemble très éloigné de l'image traditionnelle du docteur.

— Ce type draguerait un portemanteau, affirma-t-elle. Je ne suis pas certaine que ce soit un candidat très sérieux.

— En tout dragueur sommeille un candidat sérieux. Pourquoi ne pas répondre à ses avances et voir où cela te mène ?

— Tu as de ces expressions, Molly. Tu les inventes ou quoi ? demanda Lake en souriant.

— Quand il n'y a rien d'adéquat dans le dictionnaire, j'y suis bien obligée.

— De toute façon, il habite à LA. Ces consultations pour la clinique n'iront pas au-delà de quelques semaines. Et si on regardait le menu ?

Durant le déjeuner, Lake fit de son mieux pour orienter la conversation vers un terrain qui ne l'obligerait pas à parler d'elle et bombarda son amie de questions sur ses derniers exploits de styliste de mode. Pourtant, elle était touchée de la sollicitude de Molly. Lorsque, après sa séparation, Lake s'était progressivement éloignée de ses deux meilleures amies – trop honteuse pour les regarder en face –, Molly était restée à ses côtés en se proposant à la fois comme coach et confidente. Lake avait fini par capituler et en était venue à apprécier ses attentions. Mais, parfois, celles-ci allaient trop loin. Peut-être parce que Molly n'était, à l'origine, qu'une relation professionnelle et qu'il était donc bizarre de lui confier ce nouveau rôle. Mais surtout, profondément, Lake avait toujours eu un tempérament plutôt solitaire.

— Aujourd'hui je suis censée recevoir des nouvelles d'un nouveau job, dit Molly alors que leurs cafés arrivaient. Ça t'ennuie si je consulte ma messagerie électronique ?

Lake profita de cette interruption de leur conversation pour vérifier son BlackBerry. Son avocat, Robert Hotchkiss, l'avait appelée. *Enfin*, se dit-elle. Mais, alors qu'elle écoutait le message qu'il lui avait laissé, une vague d'angoisse la submergea. Il voulait la voir immédiatement. Et sa voix n'avait rien d'enjoué.

— Écoute, je ferais mieux de sauter tout de suite dans un taxi pour aller là-bas, dit Lake après avoir mis son amie au courant. Il y a manifestement du nouveau.

Elle appela Hotchkiss aussitôt après avoir embrassé Molly et être sortie du restaurant. Elle ne put pas lui parler, mais sa secrétaire lui confirma qu'il était très impatient de s'entretenir avec elle – non, elle ne savait pas pourquoi – et qu'elle pouvait passer à son cabinet dès que possible. Quoi *encore*, pensa-t-elle en s'affalant sur la banquette arrière du taxi. Jack envisageait-il de revenir sur sa promesse de leur laisser l'appartement ? Voilà près d'un an qu'elle supportait ses humiliations et ses brutalités, et elle enrageait à l'idée qu'il pût avoir un autre tour dans sa manche.

Lorsqu'elle arriva devant la porte du cabinet de Hotchkiss, situé dans le quartier de Midtown, à Manhattan, sa colère avait enflé. La réceptionniste – une femme d'un certain âge dont les cheveux blonds cendrés n'étaient pas sans rappeler le pelage d'un caniche nain – lui indiqua aussitôt la porte du bureau de l'avocat, sans même prendre la peine de l'annoncer.

Quand Lake pénétra dans le bureau, Hotchkiss se leva de son fauteuil et fit le tour de son immense table de travail pour l'accueillir. Il devait avoir une soixantaine d'années. Son visage était un peu rougeaud et son ventre débordait largement de sa ceinture de marque, tel un sac de sable.

— Veuillez excuser le désordre, Lake, dit-il en indiquant de la main les piles de chemises marron sous lesquelles disparaissait son bureau. Je traite actuellement un cas très épineux.

— Vous savez, avec deux enfants en primaire, aucun désordre ne me fait plus peur.

Elle trouva son propre commentaire stupide. Elle désirait surtout passer aux choses sérieuses et crier : « Quel coup fourré a *encore* trouvé Jack ? »

— Je ne saurais que vous conseiller de ne pas vous laisser dépasser, ajouta Hotchkiss. Veuillez vous asseoir. Je vous suis reconnaissant d'être venue aussi rapidement.

— Y a-t-il du nouveau ? demanda-t-elle en tâchant de contrôler sa voix.

— Oui… et j'ai bien peur que ce ne soit pas très bon.

— Quoi *encore* ? laissa-t-elle échapper.

— Jack vient de déposer une demande de garde, souffla Hotchkiss. Il réclame désormais la garde exclusive de vos enfants, plutôt que la garde conjointe.

— *Quoi ? !* s'exclama Lake, complètement abasourdie par cette annonce.

Malgré toute la mesquinerie dont avait fait preuve son ex-mari jusqu'à présent, elle n'aurait jamais imaginé qu'il irait jusque-là.

— Mais ça n'a aucun sens ! Il est si occupé par son travail ces temps-ci… Il n'a même pas le temps de s'occuper du poisson rouge, alors prendre soin de deux enfants…

— Il s'agit probablement d'un stratagème ayant un but financier. Il a peut-être fini par comprendre que vous alliez recevoir la moitié du patrimoine et ça ne lui plaît pas. Dans ce cas, sa demande pourrait viser à vous convaincre d'accepter moins.

Sous le coup de l'angoisse et de la colère, l'estomac de Lake commença à se nouer. Les enfants n'étaient plus des bébés – Will avait neuf ans et Amy onze ans –, mais l'idée de perdre leur garde lui donnait la nausée. Elle avait déjà énormément de mal à les confier à Jack pour le week-end.

— Et… sa demande risque-t-elle d'être entendue ? demanda Lake d'une voix blanche.

— Je ne pense pas. D'après le dossier dont je dispose, vous avez été jusqu'ici une mère exemplaire. Mais nous devons rester très prudents et protéger nos arrières. Dites-m'en plus sur votre travail. Quels sont vos horaires ?

— Du fait du divorce, je n'ai plus qu'un nouveau client à ce jour. Une clinique de traitement de la stérilité. Je ne travaille même pas quarante heures par semaine.

Les sourcils de l'avocat se froncèrent en signe d'incompréhension et elle comprit qu'il avait oublié comment elle gagnait sa vie.

— Vous savez, j'ai un job de consultante, clarifia-t-elle. Je propose des stratégies marketing… à des clients actifs dans les secteurs de la santé et de l'esthétique.

— Ah oui, oui, bien sûr. Excusez-moi, j'avais oublié les détails. Eh bien, tout cela me paraît excellent. Vous avez ralenti votre activité. Ainsi, personne ne peut vous accuser d'être une accro du boulot et de confier l'éducation de vos enfants à un bataillon de nounous jamaïquaines.

— Non, effectivement, personne ne pourrait affirmer une telle chose.

Puis, hésitante, elle ajouta :

— Avant de créer ma propre entreprise, il y a deux ans, j'étais salariée… dans une société de cosmétiques de luxe. Les horaires n'étaient pas épouvantables, mais il m'arrivait de ne rentrer à la maison que vers 18 heures 30. Et il fallait parfois que je parte en déplacement.

Elle sentit la sueur couler le long de sa nuque. Elle était sacrément fière de son job, à cette époque-là. Jack oserait-il lui en faire grief ? Au début de leur mariage, il s'était montré si encourageant, surtout après la naissance de Will, quand l'équation maternité-travail était devenue plus complexe à résoudre. « Tu ne peux pas *ne pas* travailler, Lake, lui avait-il affirmé alors. Tu es si douée pour ce boulot. » Elle avait du mal à croire que l'homme qu'elle avait épousé quatorze ans auparavant ait pu devenir aussi vindicatif.

— Beaucoup de déplacements ? demanda Hotchkiss.

— Eh bien, pas toutes les semaines, répondit-elle. Pas même tous les mois. Mais je devais me rendre à LA, disons, deux fois par an. Et à Londres aussi, occasionnellement.

Il prit quelques notes. La consternation se lisait sur son visage rubicond, comme si elle lui avait annoncé qu'elle sortait tout juste d'une cure de désintoxication pour dépendance à la cocaïne.

— Mais, ça n'est tout de même pas abusif, protesta-t-elle timidement. Comment cela pourrait-il…

— Ça ne devrait pas présenter de problème, la rassura Hotchkiss en secouant la tête. Mais il est essentiel d'anticiper pour ne pas être pris de court. Passez-vous beaucoup de temps avec les enfants ?

— Oui, bien sûr. Nous avons une nounou, mais seulement à temps partiel. En ce moment, elle est en congé puisque les enfants sont en camp de vacances.

— Quand ils reviendront, il faudra que vous en fassiez votre priorité numéro un. À partir de la rentrée, emmenez-les vous-même à l'école. N'ayez pas recours à la nounou.

— Je le fais déjà de toute façon, remarqua-t-elle.

Jamais elle n'aurait cru devoir un jour se défendre de la sorte.

L'avocat porta son gros index à sa bouche pendant un moment, en signe de concentration.

— Par conséquent, vous avez un peu de temps libre cet été ? dit-il. Êtes-vous déjà allée dans les Catskills, au nord de l'État ? Vous gardez la résidence secondaire, n'est-ce pas ?

— Oui, c'est bien cela. Je conserve notre maison de Roxbury, lui confirma-t-elle en se demandant où il voulait en venir. Jack n'y accordait plus aucun intérêt depuis déjà quelque temps. Il voulait trouver quelque chose dans les Hamptons. Mais je ne suis pas encore allée là-bas cet été puisque les enfants sont en camp. Je suis restée à Manhattan.

Il lui offrit un sourire un peu coincé, comme s'il attendait qu'elle ajoute quelque chose.

— Et vous voyez quelqu'un en ce moment ? finit-il par lui demander.

C'était donc *là* qu'il voulait en venir. Dans sa fébrilité, elle fut un instant tentée par le sarcasme et faillit lui répondre que, à quarante-quatre ans, elle venait de découvrir le frisson d'être une *cougar*, une femme mûre dotée d'un penchant pour les jeunes hommes. Mais Hotchkiss n'aurait sans doute pas goûté son humour. D'ailleurs, il n'avait probablement jamais entendu le mot *cougar* employé dans ce sens.

— Non, personne, se contenta-t-elle de répondre.

L'avocat poussa un soupir de soulagement.

— Je suis heureux de l'apprendre. Théoriquement, vous pourriez tout à fait sortir avec un homme – ou même avoir des relations sexuelles avec quelqu'un –, du moment que cette situation n'a aucun effet négatif sur les enfants. Mais, dans le cadre d'une bataille pour la garde des enfants, mieux vaut ne donner aucune impression inadéquate. Ce n'est pas le moment de présenter un nouveau partenaire aux enfants. En fait, ce que vous avez de mieux à faire dans l'immédiat, c'est de voir du monde en société et de reporter les entrevues amoureuses à plus tard.

Elle ne pouvait pas vraiment prétendre devoir annuler une foule de rendez-vous galants ; elle était furieuse pourtant en pensant que c'était encore une chose dont Jack la privait.

— Comment allons-nous contre-attaquer ? demanda-t-elle d'une voix angoissée.

Elle venait de prendre conscience qu'ils allaient passer d'une demande de divorce par consentement mutuel à une procédure pour faute âprement contestée. Et les enfants en feraient forcément les frais.

— Le tribunal va désigner un psychiatre qui fera une évaluation, probablement d'ici un mois. Mais si l'objectif est strictement financier, comme je le soupçonne, l'avocat de Jack n'ira pas jusque-là.

— Je dois rencontrer Jack au camp de vacances samedi prochain… pour la journée des parents. Que dois-je faire ?

Elle aurait adoré qu'il lui réponde « Écorchez-le vif », mais Hotchkiss agita les mains en secouant la tête.

— Pas un mot au sujet de tout cela. Et restez courtoise, *surtout* devant les enfants.

Ses pensées se bousculaient et elle savait que d'autres questions allaient bientôt se poser, mais elle vit que son avocat jetait un coup d'œil à sa montre. Visiblement, il s'était arrangé pour lui faire une place dans son emploi du temps de l'après-midi.

— Je sais que c'est un horrible coup bas, dit-il, mais je suis optimiste. L'essentiel est de ne rien faire qui sorte de l'ordinaire. Votre vie doit rester aussi routinière que possible.

Puis il ajouta, en souriant :

— Évitez pour le moment de braquer une banque, par exemple. La pire des choses serait de donner à Jack un motif pour obtenir la garde temporaire des enfants. Si vous perdez du terrain, vous aurez du mal à le reconquérir. Je ne veux pas vous alarmer, conclut-il en la raccompagnant jusqu'à la porte, mais il est même possible que Jack vous fasse suivre afin de rassembler des preuves.

— *Suivre* ! s'indigna-t-elle. Je ne peux l'imaginer.

La fureur envahit tout son corps, lui enflammant les joues. C'était Jack qui était parti. Il n'avait aucun droit de lui demander des comptes.

— D'ailleurs, nous pourrions nous-mêmes envisager de recourir à ce genre de procédés, au vu de ce que vous m'avez raconté lors de nos précédents entretiens. Je vous demande d'y réfléchir.

Lorsqu'elle avait accepté de divorcer de Jack afin qu'il puisse s'engager dans une vie plus tapageuse, elle avait dit à Hotchkiss qu'elle pensait qu'il fréquentait peut-être quelqu'un. Mais, au-delà de sa totale indifférence à son égard, elle n'en avait jamais eu la preuve et avait fini par douter du bien-fondé de ses soupçons. La dernière phrase de l'avocat venait de remettre cette éventualité à l'ordre du jour. Jack avait-il l'intention de fonder une nouvelle famille avec une épouse convenant mieux à son image de requin des affaires ? Dans ce contexte, les enfants faisaient-ils partie du tableau ? Était-ce la raison pour laquelle il avait engagé cette bataille concernant la garde des enfants ? Mais s'il croyait qu'elle allait se contenter de baisser les bras et lui remettre les enfants, à lui et à sa nouvelle fiancée, il se fichait le doigt dans l'œil jusqu'au coude !

Quand elle s'installa dans le taxi qui devait la ramener chez elle, Lake faillit s'effondrer d'épuisement. Deux heures plus tôt, elle commençait à peine à reprendre goût à la vie et n'avait plus peur de craquer devant ses enfants ou ses clients. Elle avait même formé quelques projets d'avenir. Et maintenant, elle avait l'impression d'être revenue à la case départ.

Tandis que son taxi s'orientait vers le nord, elle se fit le reproche de ne pas avoir anticipé le stratagème de son mari. Mais comment aurait-elle pu le faire ? Dernièrement, l'attention de Jack semblait si éloignée de son ancienne vie, d'elle-même et des enfants… Donc, ce ne pouvait être qu'une histoire d'argent. Durant leur mariage, elle l'avait soutenu, émotionnellement et financièrement, quand il avait créé son entreprise informatique. Elle avait alors passé des week-ends entiers toute seule avec les petits, pendant qu'il se consacrait à son travail. Elle lui avait même soufflé quelques idées de stratégies marketing. Pourquoi voudrait-il tenter de la priver de la moitié de leur patrimoine ?

Lake aurait voulu être déjà chez elle. Elle habitait un vieil appartement biscornu situé dans le haut de West End Avenue, qu'ils avaient acheté pour une bouchée de pain des années auparavant, à la tante de Jack qui venait de perdre son mari. Jack aurait pu chercher à le conserver après leur séparation, mais dans un élan de générosité tout à fait surprenant, il avait insisté pour qu'elle le gardât, afin qu'elle-même et les enfants puissent continuer à y vivre. Ce n'est que plus tard qu'elle avait compris qu'il voulait en réalité trouver un appartement plus chic et plus cossu, en rapport avec sa nouvelle vie. *Célibataire : quarante-six ans, superbe et enfin libre.*

Par la suite, l'appartement avait représenté pour elle un refuge et elle était impatiente de pouvoir y passer une soirée tranquille. Mais lorsqu'en fin d'après-midi, elle finit par en pousser la porte d'entrée, elle le trouva étouffant et oppressant. Le chat, Smokey, arriva aussitôt pour la saluer et elle enfouit distraitement ses doigts dans son pelage épais et noir. Quand elle eut allumé l'air conditionné et qu'elle se fut versé un verre de vin, le téléphone sonna.

— Tout va bien ?

C'était Molly. Lake lui fit une mise à jour rapide de la situation.

— Quel abruti ! s'exclama Molly. Tu es sûre que tu ne veux pas sortir ? Tu n'es pas obligée de mener une vie monacale. Tu sais, Lake, ça pourrait te faire du bien de relâcher un peu la pression.

— Merci, mais je voudrais faire quelques recherches sur Internet à propos de la garde d'enfants. Il faut que je sache jusqu'où tout cela peut aller.

— Quelle est la prochaine étape ?

— Une évaluation par un psy. Jusque-là, je dois me contenter d'attendre… et d'avoir un comportement irréprochable.

— Ne me dis pas que toute aventure sentimentale est proscrite.

— Il semble qu'une femme ne puisse perdre la garde de ses enfants simplement parce qu'elle a eu quelques rendez-vous galants – même s'ils ont été concluants –, mais mon avocat m'a conseillé de conserver un profil bas et de vivre comme une nonne, du moins quand les enfants sont avec moi, expliqua-t-elle avant de regarder sa montre. Je ferais mieux de raccrocher. Il faut que j'envoie un fax aux enfants ce soir.

Le camp de vacances que Lake avait choisi autorisait les parents à envoyer des messages par télécopie qui étaient distribués après le repas. Elle essayait de leur écrire chaque jour et adorait ces instants où elle leur concoctait de nouvelles histoires, mais, ce soir, elle n'avait pas vu le temps passer. À l'attention d'Amy, elle gribouilla quelques lignes à propos de Smokey qui avait consacré la matinée à courir après un mouton trouvé sous un lit. Pour Will, elle recopia une énigme dans un livre qu'elle avait acheté à cet effet.

Une fois que les fax furent partis, elle s'attarda dans son petit bureau, afin de voir ce qu'Internet disait des batailles juridiques pour la garde d'enfants. Ce qu'elle y trouva ne la rassura pas. Les mères perdaient rarement la garde de leur progéniture, mais rien n'était acquis. À l'occasion, les juges se montraient imprévisibles. Lake trouva même quelques récits de mamans exemplaires qui avaient perdu le combat et appris, des années plus tard, que le juge avait été corrompu.

L'ancien Jack n'aurait jamais fait une chose pareille, mais elle se demandait si le nouveau hésiterait. Il lui paraissait désormais si étranger, si égocentrique et si avide. Elle avait aujourd'hui l'impression d'avoir affaire à un animal sauvage qui pouvait lui donner un coup de croc à tout moment.

Elle s'abstint de dîner (le verre de vin qu'elle s'était servi était à peu près tout ce que son estomac pouvait tolérer) et se déshabilla pour aller se coucher. Tandis que, d'un geste distrait, elle se nettoyait le visage au-dessus du lavabo, elle surprit son reflet dans le miroir. Son père, décédé depuis bien longtemps, lui avait dit un jour qu'avec sa chevelure d'un brun profond et ses yeux gris-vert, elle lui évoquait un lac. Elle n'aurait jamais parlé d'elle-même comme d'un canon, ainsi que l'avait fait Molly, mais elle savait qu'elle avait de l'allure pour son âge et aurait dû s'en satisfaire. Pourtant, elle avait du mal à oublier le visage qu'elle avait si longtemps vu dans le miroir, avec cette tache de naissance violacée qui lui barrait l'intégralité de la joue gauche. Elle avait dû attendre ses quinze ans pour quitter sa maison située en plein centre de la Pennsylvanie, et s'envoler vers Philadelphie où elle avait reçu un traitement au laser qui avait effacé la moindre trace de ce mauvais souvenir.

Après s'être passé un gant de toilette sur la nuque, elle posa les mains sur ses seins. À moins de tenir compte des techniciens impassibles des centres de radiologie qui les avaient écrasés contre des plaques en métal froid, il y avait presque un an que personne ne les avait effleurés.

Lake faisait remonter la fin de son mariage à cette nuit de l'automne dernier, durant laquelle elle avait cherché le contact de Jack sous les draps, impatiente de faire l'amour : il avait repoussé sa main de son épaule. Ce rejet avait été extrêmement douloureux.

Elle savait pourtant parfaitement que les choses avaient commencé à se gâter six mois plus tôt, quand l'entreprise de Jack avait pris un incroyable essor. Il travaillait encore plus qu'auparavant, mais il sortait également beaucoup plus, pour rencontrer des clients, au golf ou ailleurs, vantant constamment les mérites de *vivre sur un grand pied.* Elle avait alors oscillé entre l'irritation et la conscience qu'il fallait le laisser vivre. Il avait jusqu'alors été tellement sous pression, il méritait bien de se faire plaisir.

Avant cette fameuse nuit où il l'avait éconduite (la première d'une longue série), elle n'avait jamais paniqué. Mais à partir de là, elle s'était mise à fouiller ses poches et à vérifier son courrier électronique, soupçonnant la présence d'une autre femme. Elle n'avait rien découvert. Elle avait alors acheté de la lingerie affriolante, mais s'était sentie tout à fait ridicule devant sa totale indifférence. Finalement, elle avait tenté de lui parler, mais il avait prétendu qu'il était tout simplement fatigué – ne *voyait*-elle pas combien il était sous pression ? Et, subitement, ce fut *elle* qui constitua le problème. Il se mit à l'accuser de manquer de spontanéité et de fantaisie. Où est ta *passion* ? lui demandait-il, comme si elle s'était rendue coupable d'un péché quelconque. Quelle ironie, songea-t-elle alors, en repensant à toutes ces nuits d'abstinence.

Son départ avait été aussi brutal qu'une évasion de prison. Il n'avait emporté que ses vêtements, quelques papiers et ce stupide engin pour raffermir les abdominaux. Elle avait à ce moment-là ressenti un sentiment de honte qu'elle n'avait plus connu depuis la disparition de sa tache de naissance, tandis qu'une partie d'elle-même bouillait d'une colère noire face à une telle trahison. Il lui était difficile d'imaginer que c'était le même homme qui avait un jour proclamé : « Tu es ma planche de salut, Lake. Tu m'as sauvé. »

Lake enfila sa chemise de nuit et se mit à faire les cent pas dans son appartement. Jack devait se dire qu'il pouvait utiliser quelque chose contre elle. Qu'est-ce que cela pouvait bien être ? Elle alla dans la chambre de Will et caressa ses jouets, luttant pour ne pas fondre en larmes. Au-dessus de l'armoire, il y avait un collage encadré qu'elle avait réalisé pour lui à partir de photos et d'autres souvenirs. Le visage de Jack y apparaissait à deux reprises, avec ce fameux sourire en coin qui l'avait un jour séduite. Ce soir, ce rictus lui semblait avoir quelque chose de satanique. Elle résista à l'envie de briser la vitre afin de faire disparaître son image.

Puis, écœurée par toutes ces ruminations, elle se retira dans sa chambre et se glissa entre les draps. Elle s'attendait à une nuit d'insomnie, mais, épuisée, elle s'endormit en quelques minutes.

Soudain, elle se réveilla – en plein rêve. Elle resta immobile durant quelques secondes à se demander ce qui avait bien pu interrompre son sommeil, avant de comprendre qu'il s'agissait de la sonnerie du téléphone. Sur sa table de nuit, le réveil indiquait 2 heures 57. Elle chercha précipitamment le téléphone à tâtons, pensant qu'un coup de fil aussi tardif ne pouvait concerner que les enfants.

— Allô, dit-elle d'une voix que le sommeil avait rendu rauque.

— C'est bien le domicile de la famille Warren ? s'enquit une voix.

Il lui sembla qu'il s'agissait d'une voix féminine, mais elle n'en était pas sûre car elle était curieusement déformée.

— Oui, qui est à l'appareil ? demanda Lake angoissée (le téléphone indiquait « numéro privé »).

— Vous êtes *madame* Warren ?

— Qui êtes-vous, s'il vous plaît ?

— Vous êtes bien la mère de William Warren ?

Son cœur cessa de battre.

— Est-ce que vous appelez du camp de vacances ? explosa-t-elle. Que s'est-il passé ?

La personne resta silencieuse, mais Lake pouvait entendre sa respiration.

— Je vous en prie, dites-moi ce qui s'est passé !

Mais seule la tonalité lui répondit.

2

Lake repoussa vivement les draps et se précipita dans le salon. Elle se rua vers son sac qu'elle avait laissé sur la table de l'entrée et en renversa le contenu qu'elle fouilla avec fébrilité. Enfin, elle retrouva son BlackBerry et se mit à y chercher le numéro de téléphone d'urgence que lui avait fourni le camp. Cinq sonneries, un « Allô » endormi… La voix rocailleuse de monsieur Morrison, le directeur.

— Je suis la mère de Will Warren, expliqua Lake aussi vite qu'elle le put. Il est dans la chambre 7 – euh, non, 5. Est-ce que vous venez d'appeler ?

— Quoi ? bredouilla l'homme qui manifestement ne comprenait pas.

Lake lui exposa la situation en s'efforçant de garder une voix calme.

— Non, je ne vous ai pas appelée, finit-il par répondre. Mais, laissez-moi deux minutes. Je vais aller tout de suite dans sa chambre. Je vous rappelle aussitôt après.

Sans cesser de parcourir le salon, Lake essaya de se convaincre que tout allait bien. Le directeur du camp aurait *forcément* été au courant. Mais, à mesure que les minutes s'écoulaient, son angoisse enflait. Will aurait-il été *enlevé* ? Se pouvait-il que Jack soit mêlé à cette histoire ?

Un quart d'heure plus tard, son BlackBerry sonna enfin.

— Vous n'avez aucune raison de vous alarmer, lui affirma le directeur. Will dort comme un loir et le surveillant me dit qu'il a passé une soirée tout à fait normale. Votre interlocuteur a dû se tromper de numéro.

Il devait avoir raison, se dit-elle. D'ailleurs, le nom de son fils était Will, pas William, et quelqu'un de suffisamment intime n'aurait jamais fait une telle confusion. Et pourquoi l'un de ses proches aurait-il appelé à une heure pareille ? Ses pensées revinrent vers Jack. Avait-il orchestré cet épisode dans le cadre de leur différend au sujet de la garde des enfants ? Mais que pouvait lui apporter une telle mascarade ? Il lui fallut plus d'une heure pour retrouver le sommeil.

Le lendemain matin, elle se réveilla avec une épouvantable migraine qu'elle attribua à l'angoisse – celle générée par le coup de fil, mais également celle qu'avait suscitée sa conversation avec Hotchkiss. La veille, elle se sentait encore si optimiste, alors qu'elle rejoignait son amie pour le déjeuner. Elle était loin de ces dispositions désormais ! Elle se sentit presque soulagée quand, une heure plus tard, elle prit le bus sur la 86ᵉ Rue, afin de se rendre chez son nouveau client, ce centre de traitement de la stérilité situé sur Park Avenue.

Aujourd'hui, elle avait prévu de boucler ses recherches préliminaires sur le secteur d'activité de la clinique. Lake avait été recommandée pour ce boulot par le docteur Steve Salman, l'un des associés du centre dont la sœur, Sonia, était l'une de ses amies de fac. Les cliniques privées de traitement de la stérilité, comparées aux hôpitaux et aux universités, étaient un peu stigmatisées. On disait volontiers que l'argent y était plus important que les bébés. Lake avait été engagée pour surmonter ce problème et améliorer la position de l'établissement face au nombre croissant de concurrents.

Elle appréciait ce défi. En marketing, l'important était d'identifier ce que le produit ou le client considéré avait d'unique – ce qui en faisait l'intérêt – et de le mettre en valeur. Pour Lake, c'était un peu comme étudier un dessin qui dissimulait un objet. Sa découverte lui donnait toujours un frisson de plaisir. Or, comme la plupart des centres de lutte contre l'infertilité, son client avait concentré ses activités sur la fécondation *in vitro* (FIV), c'est-à-dire le prélèvement d'ovocytes dans l'utérus et leur fécondation par des spermatozoïdes dans un tube à essai ou une boîte de culture, avant de les replacer dans l'utérus. La clinique avait rencontré un succès tout particulier auprès des femmes ayant dépassé la quarantaine. Lake devait trouver le moyen de mettre ce constat en valeur, sans pour autant décourager les femmes plus jeunes. Dans une semaine et demie, elle devait présenter ses premières idées aux deux associés du centre.

Bien qu'elle adorât le travail qu'elle accomplissait pour la clinique, elle avait toujours une légère hésitation lorsqu'elle en franchissait la porte d'entrée. Le hall d'accueil avait été joliment décoré de murs vert vif et d'une moquette épaisse, mais il inspirait toujours à Lake une certaine mélancolie. Même si les femmes qui y patientaient – certaines accompagnées de leur mari ou partenaire, d'autres seules – n'affichaient aucune morosité particulière, Lake percevait combien elles étaient tristes et angoissées derrière leur visage impassible.

Dans une certaine mesure, elle comprenait leur anxiété. Bien qu'elle n'eût jamais elle-même connu de problème de stérilité, la tache de naissance qu'elle avait si longtemps portée avait laissé chez elle un certain désespoir né dans son enfance. À onze ans, elle était déjà une grosse tête à l'école, toujours accaparée par d'infinis projets en art ou en histoire, prétendant que seul le savoir était important, alors qu'au fin fond d'elle-même, elle aurait juste voulu être normale, belle, et ne plus jamais avoir à constater cette lueur de surprise, mêlée de pitié, dans le regard des gens. Un docteur l'avait sauvée avec son laser et elle n'avait pas besoin de l'éclairage d'un psychiatre pour comprendre les raisons qui la poussaient à choisir des clients dans le domaine de la santé.

Depuis deux semaines et demie, elle s'était installée dans la petite salle de réunion située au fond des locaux de la clinique. Aujourd'hui, comme d'habitude, elle emprunta le labyrinthe de couloirs, dépassa les bureaux des docteurs, le local des infirmières, la salle d'examen et le laboratoire d'embryologie qui ressemblait à un vaisseau spatial, avec ses vitres à glissières donnant sur le bloc opératoire où étaient réalisés les transferts d'ovocytes et d'embryons. Alors qu'elle s'apprêtait à commencer son travail et ouvrait déjà un premier dossier sur la table de la salle de réunion, l'une des infirmières, une jeune femme brune d'origine irlandaise qui se prénommait Maggie, passa la tête par la porte ouverte pour la saluer. Il n'y avait guère qu'une douzaine de personnes qui travaillaient dans la clinique et Maggie s'était toujours montrée la plus chaleureuse, elle et le docteur Harry Kline, le psychologue.

À nouveau seule, Lake lut les derniers articles qu'elle avait commencé à recueillir dès qu'elle avait été engagée pour ce travail. Elle avait alors consulté à peu près tout ce qui avait trait à la clinique : les articles de journaux que les docteurs qui y étaient attachés avaient écrits, les coupures de presse la concernant. Souvent, c'était dans ce type de documents qu'elle dénichait des pépites à partir desquelles elle pouvait élaborer son plan marketing.

Le nez dans son dossier, elle essaya de chasser de ses pensées son rendez-vous de la veille avec Hotchkiss, mais il ne cessait de la tarauder. L'étrange coup de fil nocturne revenait aussi continuellement à son esprit. Avant même d'avoir terminé sa lecture, elle rappela le directeur du camp de vacances. Celui-ci avait pris soin de parler avec Will dès le début de la matinée et tout allait bien.

Environ une heure plus tard, Rory, l'assistante du médecin, présenta sa chevelure blonde dans l'encadrement de la porte. Elle devait avoir une trentaine d'années, longue et athlétique. En la voyant, on se disait qu'elle avait dû emmener l'équipe de basketball de son lycée jusqu'au championnat national. Elle était maintenant enceinte de cinq mois et Lake était d'avis que certaines patientes devaient en concevoir un peu d'amertume. Les yeux bleus de Rory étaient soulignés de khôl noir et elle avait relevé ses cheveux en un chignon souple.

— Vous n'auriez pas vu Brie, par hasard ? demanda-t-elle.

— Non, je ne l'ai pas vue répondit Lake.

Brie, l'assistante de direction super-efficace et hyper-susceptible, préférait en général l'ignorer. Lake en attribuait la raison au fait que, jusqu'à son arrivée, c'était Brie qui s'était occupée du marketing de la clinique.

— Le docteur Levin voulait qu'elle vous donne son CV.

— Je crois pourtant que j'ai la biographie de tout le monde, s'étonna Lake en vérifiant dans l'un de ses dossiers.

— Même celle du docteur Keaton ?

— Mais il n'intervient qu'à titre de consultant, n'est-ce pas ? Pourquoi…

— Il a décidé de nous rejoindre, expliqua Rory en souriant. Il quitte la côte ouest pour venir travailler avec nous.

— Oh, je vois… OK, dit Lake, surprise que cette nouvelle la prenne à ce point au dépourvu.

— Quelque chose vous embête, Lake ?

— Non, non. C'est juste que je n'en avais pas encore été informée.

— Brie devrait pourtant vous en avoir parlé. Vous devriez être tenue au courant de ce genre de choses.

— Aucun problème, la rassura Lake qui appréciait que Rory ait perçu l'agressivité passive dont Brie faisait preuve à son égard.

Rory pivota pour s'en aller. Lake se demandait si elle devait lui faire un brin de causette, mais l'assistante donnait souvent l'impression de ne pas vouloir perdre de temps, une fois son problème réglé.

— Je vous trouve très en beauté, tenta néanmoins Lake. Vous avez une sortie de prévue ?

— Mon mari est en déplacement, cette semaine, répondit Rory avec un sourire un peu triste. Mais je tâche malgré tout de faire un effort. C'est si important de ne pas se laisser aller. Surtout quand on a des enfants. J'espère que vous ne m'en voudrez pas de vous le dire, mais vous en êtes un merveilleux exemple. Quand j'aurai votre âge, j'espère bien être aussi magnifique que vous l'êtes.

— Oh, je vous remercie, dit Lake, un peu prise de court.

Elle décida de prendre la remarque de Rory comme un compliment et se remit au travail. Peu avant 11 heures, elle s'aperçut que l'heure de son entretien sur les aspects les plus pointus de la fécondation *in vitro* avec le docteur Sherman, l'un des deux associés de la clinique, approchait. Elle avait déjà eu plusieurs entrevues avec les praticiens de la clinique afin de se familiariser avec leur travail. Alors qu'elle saisissait un bloc-notes et se préparait à gagner le hall d'accueil, le docteur Keaton s'encadra dans la porte. Elle sentit son pouls s'accélérer. Il portait un pantalon bleu marine impeccablement repassé, une chemise bleu lavande immaculée, ornée d'une cravate du même bleu avec des motifs mauves. Il avait fort belle allure – et, à l'évidence, il le savait.

— Ils ne vous ont pas relâchée ? dit-il en souriant. Ça me paraît très cruel par une aussi belle journée.

— Oh, ce n'est pas si terrible, remarqua-t-elle. Félicitations, à propos.

— Oh, oui, je vous remercie. J'ai pris ma décision la nuit dernière, à vrai dire. Et d'ailleurs, ajouta-t-il en pénétrant dans la pièce et en la regardant fixement de ses yeux bleu ardoise, vous n'êtes pas étrangère à mon choix.

Elle fut déstabilisée par ce commentaire inattendu. Ne sachant pas trop ce qu'il voulait dire, elle se contenta d'incliner la tête de côté et de sourire.

— Ah bon ? bredouilla-t-elle.

— Tout à fait. La clinique a une expertise absolument remarquable, mais on ne peut pas en dire autant de sa stratégie marketing. Ils ont pris une décision très *avisée* en vous engageant.

— Merci, lui dit-elle, agacée par la déception immédiate qu'avait suscitée son explication. Tu es ridicule, se tança-t-elle intérieurement. Qu'espérais-tu donc ? Qu'il t'annonce qu'il avait rejoint la clinique pour tes beaux yeux ?

— Ça n'est pas toujours juste, ajouta-t-elle, très professionnelle, mais même une clinique exemplaire du point de vue médical doit jouer le jeu et faire de son mieux pour sortir du lot.

Il se rapprocha et s'appuya contre la table. Son corps long et mince n'était plus qu'à quelques centimètres d'elle. Elle pouvait sentir son eau de toilette musquée. Elle pouvait également apercevoir une minuscule cicatrice au-dessus de son œil gauche, séquelle probable d'un violent coup de crosse de hockey ou quelque chose dans le genre.

— Vous ne me faites pourtant pas l'effet de quelqu'un de très joueur, affirma-t-il avec malice.

Lake était désormais persuadée que ses commentaires avaient un double sens et elle ne savait plus très bien quelle attitude adopter.

— Parfois, c'est inévitable dans le monde des affaires, répondit-elle en se disant qu'il était temps de changer de sujet. Ne pensez-vous pas que LA va vous manquer ?

— Un peu. Mais j'ai fait mes études à Cornell et j'ai toujours désiré revenir à New York.

Il glissa les mains dans les poches arrière de son pantalon et sa chemise se plaqua contre les muscles de son torse.

— Vous savez... toutes les merveilles qu'offre cette ville : des barmen odieux, des métros bondés... l'odeur de la laine humide en hiver.

— Je devrais peut-être transmettre votre idée à ma clientèle de sociétés de cosmétiques. C'est une excellente idée de parfum, remarqua Lake : « Lainage Humide de Manhattan ».

Mon Dieu, c'est nul, pensa-t-elle, mais il éclata de rire, sans que ses yeux quittent le visage de la jeune femme.

— Excellent, ponctua-t-il. Mais, effectivement, LA va un peu me manquer. Le soleil, surtout. Je dois vous dire que la clinique que je quitte est en fait plutôt experte en marketing.

— Quel genre d'actions mène-t-elle ?

— Conférences locales, brochures rutilantes, site Web irréprochable.

— J'adorerais que vous m'en disiez plus.

— Quand ? demanda-t-il aussitôt avec un petit sourire au coin de la bouche.

Il la fixait maintenant droit dans les yeux. Si ça, ce n'était pas du flirt...

— Quand cela vous arrangerait-il ?

Allait-il lui proposer de prendre un café ? Non, ce n'était pas le genre d'homme qui offrait immédiatement de prendre un verre. Pas de précipitation chez ce type-là.

Comme il s'apprêtait à répondre, Brie arriva avec son éternel bloc-notes sous le bras.

— Le docteur Sherman vous attend, Lake, dit-elle d'un ton courtois.

Aujourd'hui, ses lèvres fines qu'elle avait maquillées d'un rose un peu trop vif pour ses cheveux auburn formaient comme une balafre sur son visage.

— Très bien. J'y vais tout de suite.

Lake hésita, attendant que Brie reparte, mais celle-ci ne bougea pas d'un centimètre. Keaton se releva.

— On se verra plus tard, dit-il en souriant à Lake qui vit presque les mots « à suivre » s'inscrire dans son regard.

Elle dut patienter dix minutes devant le bureau du docteur Sherman et elle soupçonna Brie de l'avoir pressée à dessein. Quand la porte s'ouvrit enfin, un jeune couple en sortit. L'homme avait l'air chagriné, presque honteux, et Lake se demanda s'il venait d'apprendre que la stérilité du ménage lui était attribuable.

Sherman devait avoir une soixantaine d'années. Il était plutôt direct et totalement dénué d'humour. Il avait des cheveux d'un gris sale, un nez protubérant et une peau extrêmement pâle, presque translucide. Tandis qu'il discourait avec fougue, Lake prit des notes en essayant de se concentrer, mais son esprit était ailleurs, préoccupé par son entrevue avec Hotchkiss. Et aussi, malgré elle, par l'entretien qu'elle venait d'avoir avec Keaton. Où cela allait-il donc la mener, se demandait-elle. Accepterait-elle de prendre un verre avec lui ?

Toutes sortes de raisons l'incitaient à décliner son offre et à lui tourner le dos, la plus convaincante étant la mise en garde que lui avait faite son avocat. Mais, après tout, elle n'avait aucun besoin de se cloîtrer avant le retour des enfants, n'est-ce pas ? D'ici là, n'avait-elle pas le droit d'en profiter un peu ? Même si Keaton était un coureur, adepte d'une seule nuit – ce dont elle ne doutait pas un instant.

— Les embryons les plus vigoureux survivent jusqu'au cinquième jour d'incubation, entendit-elle Sherman expliquer, et elle s'efforça de retrouver sa concentration. C'est ce que nous appelons le stade du blastocyste. Le transfert d'un blastocyste nous permet de n'implanter dans l'utérus qu'un ou deux des embryons les plus vigoureux. Ce procédé favorise la sélection des embryons, mais, en plus, il réduit les risques de grossesses multiples. Aucun médecin digne de ce nom ne souhaite être à l'origine de la naissance d'octuplés ou d'une situation comparable. Des questions ?

— Euh, je crois que c'est suffisant pour le moment, dit Lake. Grâce aux documents que vous m'avez fournis, j'ai déjà pu me familiariser avec ces procédures.

Sherman semblait aussi heureux que Lake de mettre un terme à leur entretien. Il était évident qu'ils ne deviendraient jamais les meilleurs amis du monde, mais peu importait : ça n'empêcherait pas Lake de faire son job.

En revenant vers la salle de réunion où elle s'était installée, Lake regarda discrètement si elle apercevait Keaton, mais ne le trouva pas. La porte du bureau de Harry Kline était ouverte et elle y passa la tête pour le saluer. Elle avait beaucoup apprécié les différentes conversations qu'ils avaient eues. Comme nombre de psys, il avait cette façon de paraître intrigué par chaque mot qui sortait de la bouche de son interlocuteur. Mais il n'était pas dans son bureau.

— J'ai entendu dire qu'il était parti tôt, lui dit d'une voix douce Emily, l'une des infirmières les plus anciennes de la clinique. Une urgence personnelle.

Lake alla donc reprendre la lecture de ses articles dans la salle de réunion. Au bout d'une heure de prise de notes studieuse, elle se dit qu'il était temps de rentrer chez elle. Tout en allant remettre les documents qu'elle avait consultés dans la bibliothèque, elle regarda une fois encore si elle apercevait Keaton, mais n'eut pas plus de chance. En revanche, elle repéra Steve qui sortait de la salle de réunion et qui paraissait la chercher. Il ressemblait incroyablement à sa sœur, Sonia. Ils étaient moitié belges, moitié pakistanais, et tous deux extrêmement séduisants.

— Ah, vous voilà ! s'écria-t-il. Comment ça se passe ?

— À merveille, Steve, répondit-elle. Je trouve cette mission vraiment très intéressante.

— Je savais que vous étiez la personne qu'il nous fallait. À propos, nous organisons un dîner ce soir, en l'honneur de Mark Keaton. Voudriez-vous vous joindre à nous ?

— Je vous remercie, mais il vaudrait mieux que je ne veille pas trop tard.

Elle avait répondu spontanément et le regretta aussitôt.

— Oh, nous n'envisageons pas d'y passer la nuit, dit-il. Laissez-vous tenter, je pense que ce sera très agréable. Par ailleurs, le docteur Keaton tient à votre présence.

Elle hocha la tête en tâchant de prétendre l'indifférence.

— Après tout, pourquoi pas, accepta-t-elle en souriant. Je vous remercie de votre invitation.

Ils iraient dîner au Balthazar, lui expliqua-t-il. Dans SoHo. Rendez-vous à 20 heures.

En remontant Park Avenue à pied, dix minutes plus tard, Lake avait du mal à contenir son excitation. Elle se voyait déjà assise au côté de Keaton et frissonnait encore du regard qu'il avait posé sur elle. Après une année aussi horrible, je mérite bien une soirée comme celle-là, se dit-elle. Elle n'avait pas oublié l'avertissement de Hotchkiss, mais n'était-ce pas exactement ce qu'il lui avait conseillé ? Voir du monde *en société* ? De plus, les enfants n'étaient pas encore rentrés. Aucun problème donc.

De retour chez elle, elle se prépara un déjeuner léger, envoya un fax aux enfants et s'attaqua à l'inévitable paperasse, la secrétaire à temps partiel qu'elle avait engagée étant en congé à l'occasion de sa lune de miel. Vers 19 heures, elle commença à réfléchir à ce qu'elle allait porter pour le dîner. Elle essaya un pantalon noir et une blouse blanche qu'elle écarta immédiatement. Puis elle envisagea une jupe à fleurs avec un chemisier, qu'elle assortit finalement à une jupe crayon en coton, raisonnablement moulante.

Quand son lit eut disparu sous les vêtements, elle finit par arrêter son choix sur une robe corail à manches courtes, des sandales vieil or et de grandes créoles en or. La robe lui allait à la perfection et s'harmonisait parfaitement avec sa longue chevelure brune. Elle avait également l'avantage de sagement dévoiler un joli décolleté. Elle se sentait un peu coupable, comme lorsque, à seize ans, elle avait chapardé un tube de rouge à lèvres au supermarché. Avant de quitter son appartement, elle attrapa un trench poids plume, ne sachant pas ce que réservait la météo de la soirée.

En descendant West Side Highway, tout en écoutant d'une oreille distraite la musique que diffusait la radio du taxi, elle rejoua la scène qui s'était déroulée entre Keaton et elle dans la salle de réunion. Était-il tout simplement d'un naturel dragueur, ou envisageait-il de pousser les choses un peu plus loin ? La seule pensée de ce que pouvait recouvrir ce *plus loin* la fit rougir.

Alors que le taxi prenait la sortie de Houston Street, elle se souvint de l'autre recommandation de Hotchkiss – concernant une possible filature – et jeta un coup d'œil par la vitre arrière du véhicule. Aucune voiture ne les suivait et sa paranoïa faillit lui arracher un éclat de rire.

Elle fut la dernière convive à arriver au Balthazar. Le seul siège disponible se situait en bout de table, près de Steve et en face du docteur Thomas Levin, l'autre associé de la clinique. Keaton était placé à l'extrémité opposée, à côté de l'épouse de Steve, Hilary. Entre eux étaient attablés Sherman, le docteur Catherine Hoss, l'embryologiste du centre, et son petit ami, Matt Perkins, l'assistant embryologiste qui venait d'être recruté, et sa pimpante femme et, enfin, la gravure de mode que Levin avait épousée, blonde, botoxée et parée de mille breloques. Keaton lui adressa un signe de tête poli en guise de bienvenue et ce fut tout. Dans ce bistrot français confiné, avec ses grands ventilateurs au plafond, elle ne pouvait même pas entendre la conversation qui se tenait à l'autre bout de la table.

Lake inspira profondément pour couper court à son irritation. Elle s'était imaginé qu'elle serait assise aux côtés de Keaton et pourrait lui parler, voire – pourquoi pas ? – sentir ses jambes glisser le long des siennes sous la table. Mais ce ne serait pas pour ce soir. Soudain, elle perdit tout intérêt pour ce dîner en compagnie de gens qu'elle connaissait à peine. Pourquoi donc avait-elle accepté cette invitation ?

Mais Levin s'employa bientôt à lui faire changer d'avis. Dans le cadre de ses fonctions, il paraissait arrogant et parfois brutal, mais ce soir il se montrait charmant et délicat. Il avait à peu près le même âge que Sherman, mais ses traits, presque parfaits, le rendaient beaucoup plus séduisant : une épaisse toison grisonnante, un profil d'aigle et des sourcils broussailleux ajoutaient une touche un peu sulfureuse à son apparence si policée. Il voulait savoir ce qui l'avait amenée à New York, où elle avait étudié le marketing et ce qui, selon elle, donnait aujourd'hui un véritable avantage compétitif à une entreprise. Il écouta ses réponses avec attention. Steve et le fiancé mal dégrossi du docteur Hoss finirent par se joindre à leur conversation. Dans la fraîcheur que diffusaient les ventilateurs sur ses épaules nues, Lake se détendit enfin et se laissa aller contre la banquette de Skaï rouge, tandis qu'ils échangeaient des anecdotes ou s'extasiaient sur l'arôme du grand vin de Bordeaux qu'on leur avait servi.

Quand on leur apporta les hors-d'œuvre, elle jeta un coup d'œil à la dérobée vers l'extrémité de la table où se tenait Keaton. Elle avait cru pouvoir saisir son regard, mais il n'en fut rien. Quelques minutes plus tard, elle tenta à nouveau un regard, sans plus de succès. Elle s'en voulait d'en concevoir une telle déception. N'avait-il donc voulu que jouer avec elle ? Mais alors pourquoi suggérer à Steve de la convier à ce dîner ? Elle remarqua à cet instant que Hilary avait porté toute son attention sur Keaton et s'était mise à dodeliner de la tête comme un moineau devant une mangeoire à oiseaux.

Après le plat principal, plusieurs convives commandèrent du café. Lake laissa encore son regard dériver vers Keaton. Cette fois-ci, à sa grande surprise, il la regarda droit dans les yeux. Il se laissa même aller contre le dossier de sa chaise et planta ses pupilles dans les siennes. Immédiatement, elle sentit le désir envahir la moindre de ses cellules.

Mais où voulait-il donc en venir ? se demanda-t-elle. Elle fit semblant de fouiller dans son sac à main pour se laisser le temps de réfléchir. Finalement, elle se tourna vers Levin.

— Si vous voulez bien m'excuser, lui dit-elle, je dois aller me laver les mains.

Elle savait que c'était idiot, mais elle espérait que Keaton la suivrait.

Malheureusement, Catherine Hoss saisit l'occasion pour se lever de table, elle aussi. *Génial*, pensa Lake. Mais au lieu de se diriger vers les toilettes des dames, l'embryologiste sortit du restaurant. À travers les baies vitrées, Lake la vit extirper un téléphone portable de son sac à main. Elle n'en revenait pas du charme que dégageait cette femme quand elle quittait sa blouse de travail et laissait flotter ses longs cheveux noirs sur ses épaules, au lieu de les maintenir sévèrement en chignon.

Après avoir longé le comptoir en zinc du restaurant, Lake descendit quelques marches vers un salon aux lumières tamisées. Elle pénétra dans les toilettes pour dames et s'employa à remettre une très fine couche de fond de teint sur la trace presque invisible de sa tache de naissance. Dans le miroir, elle constata que ses joues s'étaient empourprées, comme si elle venait de passer la soirée au coin d'un feu de camp. Elle se sentait encore un peu étourdie de la dernière œillade que lui avait lancée Keaton.

Au moment de quitter les toilettes, elle se laissa aller à une courte prière : s'il vous plaît, faites qu'il soit derrière la porte. Elle fut exaucée. Il était là, debout dans le salon en train de vérifier l'écran de son téléphone. Quand il l'aperçut, il lui sourit, comme s'il ne s'agissait que d'une rencontre fortuite. Mon Dieu, songea Lake, ce type connaît décidément toutes les ficelles.

— Alors, comment cela se passe-t-il à votre extrémité de table ? lui demanda-t-il. Vous aviez l'honneur d'être assise aux côtés de l'éminent docteur Thomas Levin, grande star de la fécondation.

Son discours semblait une fois encore avoir plusieurs sens.

— C'est un homme intéressant, remarqua Lake. Est-il à l'origine de votre décision – du fait de sa réputation ?

— Très bonne question. Mais elle fait sans doute partie de celles auxquelles je ne saurais répondre pour le moment.

— Qu'entendez-vous par là ?

— Un léger problème est apparu dans le programme et il se peut que, finalement, cet endroit ne soit pas exactement ce qu'il me faut pour le moment.

— Attendez… vous ne rejoignez plus la clinique ? demanda Lake, totalement déconcertée.

— Vous avez l'air d'en être désolée, remarqua Keaton d'une voix ironique.

— Eh bien, je serais désolée d'apprendre que vous êtes dans une situation difficile.

— Savez-vous ce qui pourrait régler ce problème ? demanda-t-il alors avec un grand sourire.

Elle comprit aussitôt ce qui se préparait.

— Non, répondit-elle calmement.

— Que vous acceptiez de prendre un verre avec moi un peu plus tard. Sans les autres convives.

— J'en serais heureuse, se surprit-elle à dire.

— Pourquoi ne pas aller chez moi ? suggéra-t-il. Ce n'est qu'à deux pâtés de maison d'ici, au 78 Crosby Street. Je partirai le premier et vous pourrez me rejoindre plus tard.

Aller chez lui prendre un verre… Le doute n'était plus vraiment possible quant à ses intentions. Son cœur s'emballa à l'idée de se retrouver seule avec lui et d'affronter la situation qui risquait de s'ensuivre. Si elle ne saisissait pas cette occasion, qui sait quand celle-ci se représenterait ? Quand les enfants seraient de retour à la maison, il serait bien temps d'adopter le profil de nonne que son avocat lui avait conseillé.

— Très bien, répondit-elle donc. Ça me semble parfait.

Il sourit encore et entra dans les toilettes pour homme, sans ajouter un mot.

— Alors Jack, que dis-tu d'une telle *spontanéité* ? songea Lake en remontant l'escalier.

3

Lorsqu'elle regagna la table, un garçon servait le café. Keaton rejoignit son siège alors qu'elle buvait sa première gorgée de cappuccino. Au même moment, elle aperçut Steve qui lançait à sa femme une œillade signifiant *tirons-nous*, mais Hilary fit semblant de ne pas l'avoir remarqué. Soudain, un ange passa.

— Ce fut une excellente soirée, dit alors Keaton à la cantonade. Je vous suis vraiment reconnaissant de m'avoir gratifié d'un tel accueil.

— C'est parce que nous sommes ravis de vous avoir à nos côtés, ponctua le docteur Hoss en relevant le menton.

De sa part, un commentaire aussi positif était assez surprenant. Elle avait une attitude un peu nouveau riche et ne s'embarrassait que rarement de politesses.

— Des amateurs pour un pousse-café ? demanda Levin, dont la question tenait moins de l'invitation que de la notification qu'il était temps de se séparer.

— Il vaudrait mieux que je rentre chez moi, dit Keaton. Vous ne m'en voudrez pas de vous quitter maintenant ? Je dois passer un coup de fil à un patient qui habite la côte ouest.

Tandis qu'il se levait pour saluer la tablée, il jeta un bref coup d'œil à Lake, mais celle-ci remarqua avec horreur que Hilary s'en était aperçue. Lake n'avait surtout pas envie de faire l'objet de commérages. Elle prit donc son temps pour partir, attendant que Levin ait payé l'addition et s'attardant jusqu'à ce qu'il n'y ait plus autour de la table que le docteur Perkins et son épouse.

— Dans quelle direction allez-vous ? lui demanda Perkins quand ils furent sur le trottoir devant le restaurant.

— Vers l'Upper West Side, répondit-elle en priant pour qu'ils habitent dans un faubourg du New Jersey qui les obligerait à emprunter le Holland Tunnel.

— Nous logeons sur Central Park West. Voudriez-vous partager notre taxi ?

— Oh, je vous remercie, mais il faut que je m'arrête dans une épicerie de nuit.

— Laissez-nous au moins vous rapprocher, insista Perkins.

— Non, c'est très gentil à vous, mais c'est plus simple que je prenne un taxi toute seule, persista Lake qui les aurait volontiers décapités. De toute façon, je dois d'abord passer un coup de fil.

La jeune femme fouilla alors dans son sac, faisant semblant d'y chercher son téléphone portable. Elle leur laissa deux minutes d'avance avant de se mettre en route, son trench sous le bras. En consultant sa montre, elle constata que Keaton était parti depuis un bon quart d'heure et un soudain sentiment d'impatience lui fit presser le pas.

Elle tourna au coin du restaurant dans Spring Street. Ce n'est qu'en arrivant en vue de Broadway qu'elle prit conscience qu'elle s'était trompée de chemin. Râlant contre elle-même, elle revint à la hâte vers le restaurant afin de rattraper Crosby Street. À l'instinct, elle traversa la rue et remonta le trottoir de gauche.

Malgré la pénombre qui régnait dans la ruelle, elle constata quelques mètres plus loin qu'elle avait eu raison de suivre son intuition. Le numéro 78 correspondait à un immeuble discret de douze ou treize étages qui avait dû, par le passé, accueillir des ateliers convertis depuis en appartements, lorsque SoHo était devenu un quartier branché. Sa façade était plutôt crasseuse et aurait pu laisser croire que New York se chauffait encore au charbon. Après un petit vestibule, une porte fermée donnait sur un hall d'entrée ordinaire et sans portier. Elle regarda par-dessus son épaule. Quelques personnes déambulaient sur Spring Street, mais Crosby Street était déserte.

En pénétrant dans le vestibule et en voyant le tableau de l'interphone, elle étouffa un juron. Elle n'avait bien entendu pas demandé à Keaton le numéro de son appartement. Or il profitait sans doute d'une sous-location et son nom ne devait pas figurer sur la sonnette. Elle parcourut rapidement les deux rangées de boutons de l'interphone. À son grand soulagement, elle repéra son nom.

— Salut, répondit-il peu après qu'elle eut pressé le bouton. Montez. Penthouse 2, douzième étage.

Le bruit de la porte qui s'ouvrait la fit presque sursauter. Elle en poussa le battant et pénétra dans le hall d'entrée. L'un de ses murs était recouvert de miroirs qui faisaient paraître la pièce plus grande qu'elle était. Elle regarda le reflet qu'ils lui renvoyaient. Ses joues étaient moins empourprées, mais toujours roses. Non, je ne vais pas rebrousser chemin, s'encouragea-t-elle. Elle était nerveuse et l'anticipation de la situation lui tournait un peu la tête. Cela faisait des années qu'elle ne s'était plus sentie séduisante ou attirante. Des années que le désir l'avait abandonnée.

Elle s'attendait à ce qu'il ait mis un peu de musique (s'il vous plaît, pas Barry White, pria-t-elle), mais lorsque Keaton ouvrit la porte de son appartement – souriant et en bras de chemise – celui-ci était parfaitement silencieux.

— Je commençais à craindre que vous ne m'ayez laissé tomber pour une crème brûlée ou un pousse-café, dit-il.

Elle savait bien qu'il la taquinait encore, car ce n'était absolument pas le genre d'homme à se voir préférer une sucrerie, fût-elle divine. Il lui prit son manteau et elle le suivit dans l'appartement.

L'endroit ne ressemblait en rien à l'idée qu'elle s'en était faite : un espace totalement ouvert, avec une hauteur sous plafond d'au moins cinq ou six mètres, dans les tons blanc et beige. Une cage d'escalier menait à une mezzanine encadrée par une immense bibliothèque. Et surtout, le plus spectaculaire : une gigantesque terrasse derrière des baies vitrées à petits carreaux. Grâce à différentes sources lumineuses adroitement tamisées, elle y distinguait une table et des chaises en teck, une paire de chaises longues et plusieurs buissons dans des jarres.

— Cet endroit est fabuleux, admira-t-elle. Je présume que vous le louez, n'est-ce pas ?

En posant son sac à main à l'extrémité du canapé blanc cassé, elle remarqua un couloir qui partait vers la gauche de l'appartement et menait probablement à la chambre à coucher. Son cœur fit un bond dans sa poitrine.

— En fait, je l'ai acheté il y a six mois. Je savais que j'allais revenir à New York, d'une manière ou d'une autre. Qu'aimeriez-vous boire ? J'ai du vin blanc au frais. À moins que vous préfériez un cognac ?

— Un cognac me semble parfait, répondit-elle.

Keaton déposa son trench-coat sur l'un des accoudoirs du canapé et se dirigea vers la cuisine. Dès qu'il lui eut tourné le dos, elle se mit à observer la pièce. Manifestement, celle-ci n'était pas encore complètement meublée, mais elle nota quelques objets époustouflants. L'un des murs, notamment, avait été orné d'une étonnante toile abstraite figurant un homme doté d'une tête oblongue. Juste au-dessous, un bol en bois très ancien avait été posé sur une console vernie. En regardant dans le récipient, elle y aperçut quelques pièces de monnaie et un relevé de carte de crédit. Il contenait aussi la carte de visite d'une femme prénommée Ashley Triffin, apparemment active dans l'événementiel, ainsi qu'un bout de papier sur lequel avait été griffonné le nom de Melanie Turnbull. Bah, je me doutais bien qu'il était du genre *actif*.

— Et voilà, annonça Keaton en revenant avec leurs verres.

Lorsqu'elle lui prit son cognac des mains, elle nota que ses avant-bras étaient bronzés, musclés et couverts de poils clairs, probablement décolorés par le soleil.

— Et si nous allions sur la terrasse ? proposa-t-il.

Il ouvrit l'une des baies vitrées et s'effaça pour la laisser passer. La terrasse était orientée vers le nord et offrait une vue magnifique sur les lumières de Midtown, des toits à perte de vue et quelques réservoirs en bois. Le tout se découpait sur un ciel d'un bleu presque noir. Elle percevait le ronronnement sourd de la circulation qui s'écoulait, douze étages plus bas, de temps à autre entrecoupé par le mugissement d'un klaxon.

— J'ai l'impression de me trouver dans un paysage du *Magicien d'Oz*, souffla-t-elle, tandis qu'une brise légère lui caressait la nuque. Ça semble presque irréel.

— J'ai passé presque tout l'été sur cette terrasse, lui dit-il. Une nuit, je m'y suis même installé dans un sac de couchage, sur l'une des chaises longues.

— Est-ce très raisonnable ? Nous sommes tout de même au cœur de Manhattan.

— On ne peut accéder à la terrasse que par la porte d'entrée de mon appartement. Même si j'imagine que ce serait un jeu d'enfant pour Spider-Man.

Elle sourit et s'avança vers le rebord de la terrasse afin de jeter un coup d'œil vers la rue en contrebas.

— Vous n'êtes pas sujette au vertige, n'est-ce pas ? lui demanda-t-il.

Elle sentit son parfum musqué tandis qu'il s'approchait.

— Non, répondit-elle. Ça, c'est une angoisse dont je ne souffre pas.

— Aaahh, vous en avez d'autres alors ?

— Oh, une petite phobie ridicule. Plutôt insoupçonnable, d'ailleurs.

Elle avait du mal à croire qu'elle s'apprêtait à en faire l'aveu, mais, face à lui, elle se sentait téméraire.

— J'en déduis que votre prénom[1] n'est pas un hasard, alors ? L'eau qui dort dans les profondeurs…

— Je ne sais pas si c'est vraiment très profond, sourit-elle en avalant une gorgée de cognac. J'ai une peur inexpliquée des clowns.

— Des clowns ? s'étonna-t-il en fronçant les sourcils. Cela signifie-t-il que vous n'avez jamais emmené vos enfants au cirque ?

— Exact… Mais comment savez-vous que j'ai des enfants ?

— Je vous ai entendu dire quelque chose à Rory, hier, à propos des joies du deuxième trimestre. Je me suis simplement dit que vous en aviez plusieurs.

---

1. En anglais, *Lake* signifie « lac » (NdT).

— J'en ai deux, en effet. Ils sont actuellement en camp de vacances pour l'été.

— Et un mari ?

L'avait-il conviée à le rejoindre chez lui sans même avoir la réponse à cette question ?

— Nous… nous nous sommes séparés il y a quelques mois, répondit-elle en se retournant vers lui. Vous-même n'avez pas d'enfants, n'est-ce pas ?

— Pas d'enfants. J'ai été marié assez brièvement quand j'avais la trentaine. À un autre médecin. Nous étions tout deux continuellement en déplacement. C'était sans doute perdu d'avance.

— Et met-on autant de temps à s'en remettre qu'on veut bien le dire ? Quand cesse cette impression d'avoir été écrasée par un semi-remorque ?

Elle regretta aussitôt son commentaire. Elle ne voulait surtout pas introduire de pesanteur dans leur relation.

— C'est ce que vous avez ressenti ? demanda Keaton.

— Eh bien, au début… oui, avoua-t-elle en essayant d'adopter un ton léger. Mais cela fera bientôt quatre mois et, ces derniers temps, il m'arrive de me sentir vraiment bien. Heureuse, même.

— Et à quoi attribuez-vous cela ? Est-ce le résultat de vos longues conversations avec l'éminent docteur Levin ?

— Oh, je crois… je crois que cela tient essentiellement au fait d'avoir retrouvé mon indépendance. Ne plus avoir à rendre de compte à personne. Mettre toutes les miettes que je veux dans mon lit.

Elle ne parvenait pas à croire qu'elle avait effectivement prononcé le mot « lit ». Aussi transparente qu'une eau claire, songea-t-elle, et le sang afflua à ses joues.

— Ça me semble encourageant, dit-il en la fixant dans la semi-pénombre qui régnait sur la terrasse. Et vous constaterez bientôt que les choses ne vont pas cesser de s'améliorer.

— C'est bon à savoir, souffla-t-elle.

Voulait-il dire par là que, *ce soir*, les choses allaient aller de mieux en mieux ? Elle eut l'impression que tout son corps allait se mettre à trembler de manière incontrôlée.

Il choisit ce moment pour se pencher vers elle et l'embrasser. D'abord doucement, puis de façon plus fougueuse, comme s'il avait voulu l'envelopper de sa bouche. Un frisson de désir la parcourut soudain, comparable à un coup de fouet. Elle eut presque mal quand il s'éloigna d'elle.

— Dois-je en conclure que si je vous promets de vous fournir un sachet de chips ou quelque chose de tout aussi « émiettable », je parviendrai à vous attirer jusqu'à mon lit ? demanda-t-il.

C'était une ficelle énorme, vraisemblablement testée, sous d'infinies variantes, sur de multiples autres femmes. Mais elle s'en fichait.

— Sans doute, répondit-elle, mais les miettes ne sont pas indispensables.

Il l'embrassa une fois encore, en glissant cette fois sa langue dans sa bouche. Il posa ses mains sur sa taille et l'attira à lui. Elle se laissa aller contre son corps en se demandant s'il sentirait le battement affolé de son cœur.

— Rentrons, lui suggéra-t-il dans un murmure.

Il la conduisit jusqu'à l'intérieur, en s'attardant quelques minutes pour éteindre les lumières de la terrasse et celle de l'appartement, à l'exception d'une seule lampe, dans la pièce principale.

Sa chambre était presque vide, très zen. Il s'immobilisa au milieu de la pièce pour défaire le bouton qui retenait le col de sa robe, avant d'en descendre la fermeture et de la laisser tomber à ses pieds. Elle enjamba le petit monticule de tissu, puis ôta ses sandales.

— Tu es superbe, chuchota-t-il.

Elle n'était pas bien certaine de l'avoir déjà entendu par le passé.

Il lui donna encore un baiser, ses mains reposant sur ses seins, puis il prit son mamelon gauche dans sa bouche, le suçant et en titillant le téton du bout de la langue. Elle gémit de plaisir. Sa main chercha son entrejambe et se mit à le caresser.

Après avoir repoussé le couvre-lit, il la déposa sur les draps frais et enleva doucement ses sous-vêtements. Il défit alors la boucle de sa ceinture et laissa glisser son pantalon au sol.

Sa bouche parcourut encore ses lèvres, intensément, puis ses seins dont il mordilla le mamelon. Un afflux de sang remonta le long des jambes de la jeune femme. Alors qu'elle se tordait de plaisir, il descendit le long de son corps, laissant sa langue s'attarder sur son abdomen, puis plus bas. Elle laissa échapper un gémissement ; il ouvrit alors ses cuisses et sa langue s'insinua en elle. Lentement, il la fit tourner autour de son clitoris et il ne fallut que quelques secondes avant qu'un orgasme la percute.

Roulant sur le côté, il ôta son caleçon gris et avança la main vers la table de nuit. Dans la pénombre, elle le vit en sortir un préservatif qu'il enfila de façon experte. Puis il la pénétra. Son membre puissant l'emplit et il commença à s'agiter en elle de manière exquise, sans quitter son visage des yeux. Elle gémit encore tandis qu'un nouvel orgasme naissait.

Elle s'attendait à ce qu'il intensifie son mouvement, mais, soudain, il se retira et l'attira devant lui, avant de la relever de ses mains. De nouveau, il pénétra en elle, en la maintenant par les hanches, afin d'atteindre les profondeurs de son corps. Elle eut un nouvel orgasme et poussa un cri de pur abandon. Sa poitrine en sueur reposait contre la sienne. Il finit lui aussi par atteindre le plaisir.

Il s'écarta alors et s'effondra sur le lit. Dans l'obscurité, elle distingua qu'il retirait son préservatif. Puis il l'attira à lui et son dos s'encastra dans la courbe formée par son ventre et ses jambes. Au bout de quelques minutes, elle perçut un léger ronflement et, quelques instants plus tard, elle s'endormit aussi.

Vers deux heures et demie du matin, une envie pressante la réveilla. La salle de bains qui jouxtait la chambre à coucher était également très minimaliste et elle y retrouva le parfum musqué qu'il portait. Dès qu'elle se fut recouchée, elle comprit que le sommeil ne reviendrait pas. Soudain, elle se sentit nerveuse, déstabilisée de se trouver dans cette étrange chambre. Elle se glissa hors du lit et chercha à tâtons ses affaires, éparpillées sur le sol. Après avoir remis sa culotte et ses sandales, puis avoir étendu sa robe froissée sur un petit fauteuil, elle se dirigea à pas feutrés vers la porte.

Grâce à la lampe allumée dans la pièce principale, elle repéra sur la table basse son verre où il restait encore un peu de cognac. Elle le prit et en avala une gorgée.

Elle s'apprêtait à s'installer sur le canapé, lorsque ses yeux dérivèrent vers la terrasse plongée dans l'obscurité. Elle passa son trench-coat, ouvrit sans bruit les baies vitrées et se glissa à l'extérieur avec son verre. Les lumières des immeubles voisins étaient presque toutes éteintes, comme les dernières lucioles d'une prairie, à la nuit tombée.

Une fois que ses yeux se furent habitués à l'obscurité, elle se dirigea vers l'une des chaises longues placées dans le coin le plus reculé de la terrasse. Elle s'y allongea, avant de prendre une nouvelle gorgée de cognac et laissa sa tête reposer contre le dossier. Elle était encore étourdie de ce qu'elle venait de vivre – sa première expérience avec un autre homme depuis qu'elle avait rencontré Jack – mais elle n'avait aucun regret. Durant quelques minutes, elle se repassa la scène mentalement. Elle sourit et sentit qu'il s'agissait de contentement.

Ses paupières se firent lourdes et elle les laissa tomber, juste une seconde, pour le plaisir de les sentir closes. Elle comprit pourquoi Keaton avait si souvent campé sur la terrasse, cet été. La présence de la ville à ses pieds avait un effet tout à fait enivrant. L'air était aussi doux qu'un voile de coton sur sa peau. Bientôt ses pensées se dissipèrent et elle plongea dans le sommeil.

Elle se réveilla en sursaut. Il lui fallut bien dix secondes pour savoir où elle se trouvait. Dans l'obscurité, elle ne pouvait voir le cadran de sa montre, mais elle sentait qu'elle avait dû dormir plus d'un quart d'heure. La température avait baissé depuis qu'elle s'était installée là. Elle regarda par-dessus son épaule, vers les baies vitrées. Elle se demanda si Keaton était en train de la chercher, curieux de savoir où elle avait pu disparaître.

Elle s'obligea à se mettre debout. Sa nuque était un peu raide. Ses yeux se portèrent au-delà de la terrasse et elle se sentit subitement mise à nu, comme si quelqu'un était en train de l'observer. Croisant fermement son trench-coat sur sa poitrine, elle baissa la tête et se hâta de regagner l'intérieur de l'appartement. La pendule du micro-onde indiquait 5 heures 13. En réalité, elle venait de passer deux heures sur la terrasse.

Bien qu'elle ne distinguât pas Keaton, elle devina qu'il s'était levé. La porte de la chambre à coucher, qu'elle se souvenait d'avoir à moitié refermée derrière elle, était maintenant grande ouverte.

— Est-ce que tu me cherchais, chuchota-t-elle doucement.

Aucune réponse.

Elle pensa alors qu'il devait être dans la salle de bains dont la porte était entrouverte, laissant passer un filet de lumière. Dans le même temps elle perçut un infime bruit d'eau coulant dans le lavabo. Mais lorsque ses yeux se reposèrent sur le lit, elle distingua le corps de Keaton *à côté d'elle*. Il était étendu sur le dos et les draps avaient été repoussés jusqu'à ses pieds. Elle faillit sursauter quand elle découvrit qu'il y avait aussi quelque chose de sombre et d'assez volumineux près de lui : un chien, pensa-t-elle. Il occupait tout le milieu du lit. Ça n'avait pas de sens, pourtant. Où donc avait pu se cacher cet animal quand elle était arrivée ? Ses pensées se bousculaient.

Elle s'approcha du lit timidement, craignant la réaction du chien. Puis elle comprit que ce qu'elle avait pris pour un animal était en réalité une énorme tache noire sur les draps. Elle jeta un coup d'œil à Keaton. Ses yeux étaient ouverts et ses pupilles avaient roulé sous ses paupières. Sa bouche s'était immobilisée en un horrible rictus. Sur son cou, une longue balafre crachait des flots de sang.

4

Lake voulut hurler mais aucun son ne sortit de sa bouche. Son souffle semblait comme emprisonné dans sa poitrine. Elle savait qu'il fallait qu'elle se rapproche pour vérifier si Keaton respirait encore, mais elle était incapable de faire un mouvement.

Finalement, elle s'obligea à avancer vers le lit, les jambes en coton. Elle observa le visage de Keaton. Grâce à la faible lueur qui émanait de la salle de bains, elle eut la confirmation qu'il avait cessé de vivre. Sa bouche était totalement immobile et ses yeux étaient révulsés dans leurs orbites. Le seul mouvement perceptible était celui du sang qui continuait à suinter des bords de la plaie. Une profonde envie de vomir l'envahit.

Le bruit de l'eau qui coulait parvint jusqu'à sa conscience et elle tourna la tête vers la salle de bains. Quelqu'un s'y cachait-il ? se demanda-t-elle avec horreur. Elle recula brusquement. Sa hanche heurta violemment quelque chose et elle pivota vivement pour voir ce dont il s'agissait. Ce n'était que l'accoudoir du fauteuil où elle avait étendu sa robe. Elle s'en saisit et tituba hors de la chambre aussi vite qu'elle le put.

Appelle la police ! lui hurlait son cerveau. Oui, il fallait qu'elle les prévienne. Mais avant tout elle devait quitter cet appartement. Elle ramassa son sac à main sur le plancher et se rua vers la porte d'entrée qu'elle entrebâilla afin de vérifier s'il y avait quelqu'un sur le palier. Celui-ci était désert et silencieux. Elle s'engouffra alors par la porte qu'instinctivement elle referma derrière elle.

L'ascenseur n'était qu'à quelques mètres et elle appuya frénétiquement sur le bouton d'appel. Elle entendit un grondement sourd lorsqu'il s'ébranla vers son étage ; trop effrayée pour l'attendre, elle se précipita vers une porte munie d'un panneau indiquant « sortie » qu'elle poussa violemment.

La cage d'escalier dans laquelle elle déboucha était faiblement éclairée par une unique ampoule fixée au mur. Elle se pencha par-dessus la rampe pour apercevoir les volées de marches qui s'enroulaient sous ses pieds. L'escalier lui parut sans fin. Elle se retourna encore une fois pour vérifier que personne ne l'avait suivie et commença à dévaler les marches, en laissant sa main glisser le long de la rampe pour se soutenir. Elle avait l'impression d'être deux : l'une terrifiée, qui descendait les marches quatre à quatre, l'autre, plus calme, qui scrutait les étages inférieurs et lui indiquait ce qu'elle devait faire.

Six ou sept étages plus bas, alors qu'elle ralentissait pour reprendre son souffle, elle entendit un bruit. Son corps s'arrêta net et elle tendit l'oreille. Ce n'était que le grondement de l'ascenseur. Elle se remit en marche et finit par atteindre le rez-de-chaussée, complètement hors d'haleine. Elle entrebâilla la porte qui donnait sur le hall d'entrée : il était vide. Dehors, la rue était sombre et déserte. Elle traversa le hall précipitamment, puis le vestibule, et faillit trébucher en arrivant sur le trottoir. Au coin de la rue, sur Spring Street, une camionnette blanche était en train d'effectuer une livraison. Elle s'élança vers elle, mais avant qu'elle ait pu couvrir quelques mètres, le chauffeur remit son moteur en marche et le véhicule s'éloigna.

Lake se retourna pour voir si elle était toujours seule dans la rue. Personne. Il fallait pourtant qu'elle trouve de l'aide et appelle le 911[1]. Elle fouilla frénétiquement dans son sac à main et s'aperçut qu'elle avait toujours sa robe à la main. Elle s'empara de son BlackBerry et fourra le vêtement dans sa besace.

Elle composa les trois chiffres. Mais quand elle entendit une messagerie lui annoncer « 411 », elle comprit que, dans sa

---

1. Le 911 est le numéro d'urgence en vigueur aux États-Unis, comparable au 15 français (NdT).

précipitation, elle avait appelé les renseignements au lieu de la police. Les doigts tremblants, elle coupa la communication et recommença. Juste avant d'appuyer sur le dernier « 1 », elle suspendit son geste. Qu'es-tu en train de faire ? lui hurla une voix intérieure. Les paroles de Hotchkiss lui revinrent en mémoire : *Évitez de braquer une banque.* N'était-ce pas à peu près ce qu'elle venait de faire ? Car l'homme avec lequel elle venait de faire l'amour avait été assassiné alors qu'elle était dans son appartement.

Et l'avocat avait précisé qu'il n'y avait aucun mal à avoir des relations sexuelles, mais il ne pensait sans doute pas à une nuit torride avec un quasi-inconnu – et encore moins à un petit coup rapide avec un client. De toute façon, les flics la croiraient-elle ? Elle réfléchit à l'explication qu'elle pourrait leur fournir : après avoir fait l'amour avec Keaton, elle était sortie sur la terrasse, seule, et s'y était endormie ; alors qu'elle se trouvait dehors, quelqu'un s'était introduit dans l'appartement et avait égorgé son partenaire, sans qu'elle entende le moindre bruit. Même si c'était la stricte vérité, elle semblait parfaitement fantaisiste. Ils la soupçonneraient forcément d'avoir commis le meurtre.

Désespérée, elle se frotta le front pour tenter de se concentrer. Elle décida que le mieux qu'elle pût faire était de rentrer chez elle. Elle y serait en sécurité et, une fois apaisée, elle pourrait réfléchir à la façon de gérer la situation. Après avoir une fois de plus vérifié ses arrières, elle se hâta vers Spring Street. Il y aurait sûrement des taxis en maraude sur Broadway. Soudain, elle s'immobilisa. Quand on découvrirait le corps de Keaton, la police interrogerait probablement tous ceux qui s'étaient trouvés dans ce quartier. Dans ces conditions, ainsi qu'elle avait pu le voir dans les séries télévisées policières, n'allait-elle pas aussi contacter les compagnies de taxis pour déterminer s'ils avaient pris en charge un client douteux, à cette heure-ci de la nuit, dans SoHo ? Un chauffeur de taxi n'aurait aucun mal à se souvenir d'une femme seule, vêtue d'un trench-coat. Par ailleurs, la police finirait par découvrir l'identité des personnes présentes au dîner organisé par la clinique et pourrait ainsi reconstituer le puzzle.

Elle devait donc prendre le métro – et acheter un billet avec de l'argent liquide.

Elle se souvint qu'il y avait une station de métro où passait la ligne C, au coin de Spring Street et de la Sixième Avenue. Elle pourrait ainsi gagner la 86e Rue, au coin de Central Park West. Mais les stations de métro étaient dotées de caméras… Et si les flics visionnaient les vidéos de surveillance afin de voir qui avait pu emprunter ce moyen de transport, dans un certain rayon du crime ? Elle s'engouffra sous le porche sombre d'un immeuble pour se calmer. Elle avait du mal à respirer et son souffle était court. *Calme-toi*, s'ordonna-t-elle. La meilleure des choses à faire, pensa-t-elle, consistait à marcher – longtemps. Et quand elle serait suffisamment loin, elle pourrait prendre un taxi.

La tête baissée, elle se dirigea vers Broadway, puis s'engagea vers le nord. Elle marchait d'un pas rapide, si rapide qu'elle sentit bientôt un point de côté lui tenailler le flanc. Si elle avait pu, elle aurait voulu courir – mais quelqu'un l'aurait forcément remarquée. Elle se faisait l'effet d'être un de ces chiens abandonnés qu'elle voyait parfois la nuit, errer dans la ville sans jamais s'arrêter. À chaque pâté de maison, elle se retournait pour regarder derrière elle, terrifiée à l'idée d'avoir été suivie.

Pendant un certain temps, elle ne croisa personne. Parfois, un camion de livraison la dépassait et elle baissait la tête en rasant les murs. Arrivée à Houston Street, elle tourna vers l'ouest en direction de la Septième Avenue. Quand elle y parvint, elle la traversa et reprit sa course vers le nord. Les gens commençaient à émerger de leurs immeubles pour aller travailler. Pour éviter de rencontrer un regard connu, elle garda les yeux résolument fixés sur le trottoir. À l'est, le jour commençait à percer.

Elle atteignit la 23e Rue juste avant 6 heures et demie. Elle avait aux pieds des ampoules à vif, causées par une aussi longue marche en sandales, et bien qu'elle ne portât que son trench, son dos était trempé de sueur. Un taxi descendait la Septième Avenue et elle le héla avant de lui demander de faire demi-tour vers l'Upper West Side. Quand elle fut installée sur la banquette arrière, des larmes de soulagement vinrent embuer ses yeux.

Elle s'apprêtait à donner au chauffeur l'adresse de son appartement, mais elle se ravisa brutalement. Cette course risquait forcément d'être enregistrée quelque part. Par ailleurs, elle ne pouvait se permettre de croiser le concierge de son immeuble à cette heure matinale. Il faut que j'aille ailleurs, pensa-t-elle, mais *où* ? Le chauffeur la regardait avec insistance dans son rétroviseur.

— Vous comptez me donner une adresse ou quoi ?

— Oui, oui, répondit-elle, avant de lui indiquer celle d'un *dîner* situé à plusieurs centaines de mètres de son appartement, où elle emmenait parfois ses enfants acheter un *bagel* avant d'aller à l'école. Elle y patienterait avant de rentrer chez elle aux alentours de 8 heures, quand le concierge serait occupé à appeler des taxis pour les locataires.

Le bistrot était bondé. Il y avait quelques groupes, mais la plupart des clients étaient attablés seuls, devant un *New York Post* ou un *Daily News*, quand il ne s'agissait pas d'un roman. Elle se dirigea vers le fond de la salle et s'installa à une table, dans un coin. Sans réfléchir, elle commença à défaire les boutons de son trench-coat, avant de se rappeler qu'elle ne portait pas grand-chose en dessous. Cette pensée faillit lui arracher un éclat de rire nerveux. Elle appuya son front contre le bout de ses doigts, pour tenter de se recomposer un visage normal. Il y avait sur la table un reste de ketchup séché dont la vue lui rappela l'horrible tache près de Keaton. D'autres larmes affluèrent. Il l'avait caressée, lui avait fait l'amour. Et maintenant il était mort.

Bien que le café lui donnât habituellement la nausée, elle en commanda un et se força à le boire. Elle avait besoin de caféine pour parvenir à percer l'épais brouillard de terreur qui la cernait et à *réfléchir*. Pour la première fois, elle se demanda pourquoi – pourquoi Keaton était-il mort ? Était-ce le résultat d'un cambriolage qui avait mal tourné ? Elle n'avait vu aucun signe d'effraction et l'appartement ne semblait pas avoir été fouillé. Le meurtrier devait donc être quelqu'un qui le connaissait, en déduisit Lake. Keaton donnait l'impression d'avoir été agressé dans son sommeil. Ce qui signifiait que quelqu'un avait pénétré chez lui dans le seul but de lui couper la gorge. Et si elle était restée à ses côtés dans le lit, elle aussi serait morte, à cette heure. Cette pensée la paniqua. Et les enfants ? Ça aurait détruit leur vie.

Pendant quelques minutes, Lake envisagea d'appeler la police malgré tout. Elle n'aurait pas grand mal à leur expliquer pourquoi elle ne les avait pas appelés plus tôt : prise de panique, elle s'était enfuie, craignant que le meurtrier ne soit toujours dans l'appartement. Et les éléments que découvrirait la police scientifique confirmeraient qu'elle n'avait pas tué Keaton.

Mais serait-ce effectivement le cas ? Et si l'arme du crime se trouvait encore sur place – un couteau de boucher, par exemple – et qu'elle ait été nettoyée pour enlever toute empreinte ? Alors, ils penseraient qu'*elle-même* l'avait essuyée. Il n'était pas très difficile d'imaginer le scénario que les flics échafauderaient : une femme divorcée, récemment *abandonnée*, éventuellement *éméchée*, potentiellement *instable*, couche avec un séduisant docteur ; quand elle lui demande quand ils vont se revoir, il lui fait clairement comprendre qu'il ne l'envisage pas ; la rage et l'alcool la conduisent à s'emparer d'un couteau de boucher et à lui régler son compte pendant qu'il dort. Ils ne l'arrêtaient peut-être pas immédiatement, mais elle constituerait forcément un « suspect potentiel ».

Et Jack en ferait ses choux gras. Il convaincrait n'importe quel juge de lui confier la garde des enfants jusqu'à ce que la situation soit clarifiée. Or, c'était exactement ce contre quoi Hotchkiss l'avait mise en garde. Il avait dit qu'il était presque impossible de regagner la garde des enfants lorsqu'elle avait été temporairement perdue. Par conséquent, même si elle était finalement disculpée, il était tout à fait possible qu'elle ne récupère jamais ses petits.

Donc, elle ne pouvait rien dire à la police. Elle contraignit son esprit à revenir au loft de Keaton pour s'assurer qu'elle n'y avait rien oublié. Bien sûr, il y restait quelques preuves de son passage. À commencer par les sécrétions laissées par leurs ébats dans le lit et ses empreintes sur le verre de cognac. Mais, d'après ce qu'elle savait, la police n'avait pas le droit d'exiger de prélever un échantillon de son ADN ou de prendre ses empreintes, à moins d'avoir des raisons légitimes de la soupçonner. Et quelles raisons pourraient-ils avoir de le faire ? Elle n'avait pas adressé la parole à Keaton durant tout le repas et elle avait quitté le restaurant toute seule.

Elle se demanda si elle pouvait appeler quelqu'un – Molly, par exemple – pour lui demander conseil. Mais cela risquait de placer la personne en question dans une situation délicate.

Surtout, elle devait absolument se rendre à la clinique aujourd'hui, aussi horrible que cela puisse être. Il faudrait qu'elle se comporte normalement et se montre coopérative quand la police débarquerait, ainsi qu'elle ne manquerait pas de le faire.

Elle s'attarda encore une demi-heure dans le petit restaurant. Vers 7 heures et demie, elle s'en alla et emprunta les rues parallèles à pas lents, en direction de West End Avenue et de la 84e Rue. Durant tout le chemin, elle conserva les yeux baissés, de peur de croiser l'une de ses connaissances.

À quelques mètres de son immeuble, elle s'arrêta sous un Abribus pour observer la façade. Par chance, une bruine fine s'était mise à tomber. Elle vit que Ray, le concierge du matin, était occupé à héler un taxi pour un locataire. Comme son entreprise rencontrait assez peu de succès, il dut s'avancer jusqu'au coin de la rue. Le locataire attendait quant à lui sous l'auvent de l'immeuble et scrutait le concierge d'un œil impatient. Fort heureusement, Lake ne le connaissait pas et elle saisit sa chance. Elle passa précipitamment la porte d'entrée et se glissa dans le hall.

Plutôt que de risquer d'attendre l'ascenseur, elle choisit de prendre les escaliers. Quand elle finit par claquer la porte de son appartement derrière elle, elle laissa exploser les sanglots qui lui serraient la gorge depuis des heures.

Dans la cuisine, elle se versa un verre d'eau qu'elle avala d'un trait, puis elle s'assit devant la table et laissa couler ses larmes. Un homme lui avait fait l'amour et avait été assassiné. Et bien qu'elle eût échappé à la mort, elle n'était toujours pas en sécurité. Désormais, tout ce qu'elle avait construit jusqu'alors se trouvait en danger.

Elle alla se doucher, en prenant soin de se frotter le corps – presque jusqu'au sang – avec une luffa, et enfila une chemise blanche et une jupe droite bleu marine pour aller travailler. En se regardant dans le miroir, elle se demanda si les choses se seraient passées différemment, la nuit précédente, au cas où elle n'aurait pas choisi sa robe sans manches. Peut-être alors ne se serait-elle pas sentie aussi sexy, aussi prête à séduire ? Cette pensée lui rappela que la robe en question était toujours au fond de son sac et son estomac se serra. Elle la déposerait, ainsi que le trench-coat, à la teinturerie en allant à la clinique. Au cas où...

Lake arriva au centre médical juste avant 10 heures. Plusieurs femmes patientaient déjà dans la salle d'attente en feuilletant d'un œil distrait des magazines. Après quelques mètres dans les couloirs qui menaient à son bureau, le comportement détendu du personnel lui apprit que personne n'avait encore eu vent de rien. Pour la première fois, elle se souvint de ce que Keaton lui avait dit dans le sous-sol du Balthazar – qu'il était possible qu'il ne rejoigne pas la clinique, finalement. Quelle pouvait en être la raison ?

Une fois qu'elle eut allumé son ordinateur portable dans la salle de réunion, elle se dirigea vers la cuisine pour s'y préparer un thé, tâchant d'agir comme à son accoutumée. La tasse dans laquelle elle versa l'eau chaude tremblait dans sa main.

— Alors, comment était ce dîner ? lui demanda une voix féminine assortie d'une pointe de sarcasme.

Lake se retourna vivement et vit Brie, encadrée dans la porte, les lèvres pincées en un mince sourire écarlate. Elle n'avait manifestement pas été invitée.

— Très agréable, répondit Lake, d'un ton aussi léger que possible. Ça m'a donné l'occasion de passer un peu plus de temps avec le docteur Levin. C'est un homme tout à fait impressionnant.

— C'est en tout cas ce que *nous* pensons, répliqua Brie sèchement.

Lake prit une courte inspiration et se força à sourire.

— Je vais retourner dans la salle de réunion pour prendre quelques notes. Si quelqu'un me cherche...

— Vous attendez quelqu'un ? demanda Brie aussitôt.

— Je... non. Mais l'un des médecins pourrait vouloir s'entretenir avec moi.

Elle se sentit ridicule d'avoir ainsi bégayé et d'avoir cru bon de se justifier. Si elle voulait tenir jusqu'à la fin de la journée, mieux valait qu'elle se calme.

Elle regagna son bureau et s'efforça de relire les notes qu'elle avait déjà prises. En fait, elle s'aperçut qu'elle relisait encore et encore la même ligne… en attendant. À 11 heures, elle reconnut Maggie dans le couloir qui parlait avec quelqu'un que Lake ne pouvait voir.

— Je lui ai laissé au moins dix messages, se plaignait Maggie. Il était censé arriver à 9 heures pour un rendez-vous et le docteur Levin est fou furieux.

Oh, mon Dieu ! pensa Lake. Elle devait parler de Keaton. Il manquait désormais officiellement à l'appel et l'horrible nouvelle ne tarderait pas à être révélée. Elle sentit la nausée monter en elle et craignit de vomir. Elle se hâta vers les toilettes situées à gauche de la cuisine. Une fois la porte verrouillée, elle trempa une serviette en papier dans l'eau froide. Puis, assise sur la cuvette des W-C, elle l'appliqua sur son visage en s'obligeant à respirer profondément.

Quand elle sortit des toilettes, le hall était encore plus silencieux que d'habitude et toutes les portes étaient closes. Soudain, elle entendit un cri, presque un hurlement animal. Elle se retourna brusquement. Ça venait de la salle d'examen située près du hall d'accueil. Lake resta interdite jusqu'à ce que Rory et le docteur Levin sortent de la pièce. Venaient-ils tout juste d'apprendre la nouvelle ? Était-ce Rory qui avait poussé ce cri ? Mais elle aperçut une patiente à leurs côtés. Elle pleurait.

— Rory va vous aider, entendit-elle le docteur Levin prononcer.

— Préférez-vous rester encore un peu dans la salle, madame Kastner ? demanda doucement Rory, tandis que le médecin guidait la jeune femme vers son bureau. Cela vous ferait peut-être du bien de vous reposer un instant ?

— Non, je ne peux plus rien supporter, dit la patiente. Je veux juste rentrer chez moi.

— Je comprends. Mais je vais vous raccompagner. Et je vous apporterai un pot de ma confiture, un peu plus tard. Allons, venez avec moi en chercher un avant de partir.

C'était surréaliste, songea Lake. Des gens s'offraient des pots de confiture alors que Keaton était en train de pourrir dans son lit.

De retour dans la salle de réunion, l'horrible attente recommença. Un technicien du laboratoire passa la tête dans l'encadrement de la porte vers midi, pour l'informer qu'une commande était en cours pour le déjeuner. Voulait-elle y ajouter quelque chose ? Avec plaisir, lui répondit-elle en se forçant à sourire faiblement. Peut-être ne découvriront-ils pas Keaton aujourd'hui, se dit-elle tandis qu'il repartait avec sa commande. Peut-être faudra-t-il que je passe une autre journée d'enfer à attendre.

Mais quarante-cinq minutes plus tard, alors que Lake mordillait vaguement dans un sandwich, Brie débarqua dans la salle de réunion, le visage sombre.

— Veuillez vous rendre dans la grande salle de réunion immédiatement, je vous prie, lui ordonna-t-elle d'une voix tendue. Tous les employés y sont convoqués pour une réunion urgente.

— J'arrive tout de suite, souffla Lake, alors qu'une vague de panique la submergeait.

Voilà, pensa-t-elle. Il faut que j'aie un air normal… et que je paraisse aussi choquée que les autres par ce que nous allons entendre.

Lake fut l'une des dernières personnes à pénétrer dans la salle de réunion. Elle était bondée : médecins, infirmières, techniciens, tous étaient là. Sauf Harry Kline, nota Lake. Il y avait aussi deux hommes qu'elle devina être des inspecteurs de police. L'un des deux était noir, la quarantaine, plutôt costaud, avec de gentils yeux. L'autre était blanc, plus chétif, avec des cheveux poivre et sel. Son regard n'avait pas la moindre trace de gentillesse.

— J'ai une terrible nouvelle à vous apprendre, commença Levin d'une voix grave, dès que le silence se fut installé dans la pièce. Le docteur Keaton a été retrouvé assassiné dans son appartement, aujourd'hui.

Il y eut des exclamations d'horreur dans la salle. Les yeux de Lake rencontrèrent ceux de Steve qui semblait totalement épouvanté. Chelsea, l'une des jeunes laborantines, éclata en sanglots. Puis, les questions fusèrent de toutes parts.

— S'il vous plaît, s'il vous plaît, intervint Levin. Les deux inspecteurs ici présents ont besoin de votre coopération.

— Nous sommes désolés de la perte qui vous frappe, dit le policier au regard glacial. Je suis l'inspecteur Hull et voici l'inspecteur McCarty. Nous sommes ici parce que nous avons besoin de parler avec chacun d'entre vous en privé. Jusqu'à ce que votre tour arrive, continuez ce que vous étiez en train de faire. Et, à ce stade, je vous demande de ne pas discuter de cette affaire entre vous.

Levin reprit alors la parole pour annoncer à l'assemblée que tous les rendez-vous non indispensables de la journée avaient été annulés, mais qu'il était néanmoins impératif d'offrir aux patients qui se présenteraient les meilleurs soins possibles. Il mit un terme à la réunion et tout le monde se dispersa, comme une troupe de zombies.

Une fois revenue dans la petite salle de réunion, Lake ouvrit l'un de ses dossiers en s'efforçant de contrôler le tremblement de ses mains. Elle se prépara mentalement à son entrevue avec les inspecteurs, en essayant de deviner les questions qu'ils lui poseraient. Ils voudraient nécessairement savoir si elle entretenait des relations amicales avec Keaton. Se raccrochant à ce qu'elle pouvait, elle repensa à un article qu'elle avait lu concernant une stratégie marketing dite Principe de Candeur. Celle-ci consistait à *ne pas repousser une situation négative, mais à la transformer en situation positive.* Il faudrait notamment qu'elle évoque son entretien de la veille avec Keaton. De toute façon, mieux valait qu'ils l'apprennent par elle-même que par Brie.

À un moment, Rory entra dans la pièce pour replacer un livre sur les rayonnages. Ses yeux étaient humides et elle enveloppait son gros ventre d'un bras.

— C'est horrible, n'est-ce pas ? dit-elle à Lake. Il n'avait que quarante-cinq ans.

— Je sais, murmura Lake. Qui… qui donc aurait pu vouloir le tuer ?

— Ils nous ont dit de ne pas parler du crime, lui fit remarquer Rory sur un ton de reproche.

— Je sais… C'est juste… commença Lake, sur la défensive, mais Rory lui tourna le dos et quitta la pièce avant qu'elle pût terminer sa phrase.

Lake supposait que les inspecteurs convoquaient les employés les uns après les autres dans la grande salle de réunion et fut donc surprise lorsque, quelques instants plus tard, ils pénétrèrent dans la salle où elle était installée.

— Lake Warren ? demanda McCarty, le plus sympathique.

— Oui, c'est moi.

Elle fit le geste de se lever, mais ils lui firent signe de se rasseoir. Ils s'installèrent dans les fauteuils situés de l'autre côté de la table et McCarty ouvrit un bloc-notes.

— Je comprends que vous ne travaillez ici que depuis quelques semaines, dit-il.

— Euh… oui. Mais je ne suis pas salariée de la clinique. Je travaille en *freelance* en qualité de consultant.

Ses paroles lui semblaient maladroites, comme si elle commençait tout juste à apprendre à parler.

— Connaissiez-vous bien le docteur Keaton ? poursuivit l'inspecteur.

— Non. Non, je ne le connaissais pas bien. Il m'a été présenté il y a environ quinze jours. Mais j'ai eu un rapide entretien avec lui hier.

— De quoi avez-vous parlé ?

— De son arrivée dans la clinique et de son précédent lieu d'exercice.

— Et auparavant ? demanda Hull qui ouvrait la bouche pour la première fois.

— *Auparavant ?* répéta-t-elle, désorientée.

— Le connaissiez-vous auparavant ? précisa-t-il en la fixant.

Son pouls s'accéléra. Pourquoi lui posait-il cette question ?

— Non, répondit-elle d'un ton aussi calme que possible. Comme je vous l'ai dit, je l'ai rencontré quand j'ai commencé à travailler ici.

McCarty griffonna quelques notes sur son bloc et la regarda.

— Parlez-nous du dîner d'hier soir. De quoi avez-vous parlé ensemble ? demanda-t-il.

— Nous n'avons pas parlé. Je veux dire, l'un à l'autre. Nous étions assis aux extrémités opposées de la table.

Quitte ce ton défensif, s'ordonna-t-elle en sentant l'angoisse monter.

— Et après le dîner ?

— Vous voulez dire, est-ce que nous nous sommes parlés ?

— C'est ça.

— Non. Il est parti tôt. Il a dit qu'il devait passer un coup de fil à un patient. J'ai fait partie de ceux qui ont quitté le restaurant en dernier.

Les deux hommes échangèrent un regard, puis Hull la fixa à nouveau.

— Et après, que s'est-il passé ? l'interrogea Hull d'une voix cassante. Parce que vous n'êtes pas rentrée chez vous immédiatement, n'est-ce pas ?

5

Lake eut l'impression qu'on venait de lui injecter une dose d'adrénaline pure dans le corps et elle porta instinctivement la main à sa joue, à l'endroit où s'était un jour trouvée sa tache de naissance. Savaient-ils qu'elle s'était rendue chez Keaton ? Et qu'elle avait passé la nuit avec lui ? Elle se demanda soudain s'il y avait une caméra de surveillance dans le hall d'entrée de l'immeuble du docteur.

Mais s'ils étaient au courant, ils n'auraient pas attendu aussi longtemps avant de l'interroger. Ils devaient juste vouloir la passer sur le grill, se dit-elle finalement. Juste pour voir ce qu'ils pourraient glaner. Ils avaient sans doute opéré de la même façon avec tous ceux qui avaient assisté au dîner.

— Vous voulez savoir si je suis allée quelque part après le dîner, c'est ça ? demanda Lake en s'efforçant d'éliminer toute nervosité dans sa voix, même si l'entreprise lui paraissait vouée à l'échec.

— Est-ce le cas ? aboya Hull.

— Non, répondit-elle. J'ai pris un taxi et je suis rentrée chez moi.

— Quelle direction avez-vous prise ? poursuivit-il.

Mais pourquoi lui posait-il toutes ces questions, se demanda-t-elle avec angoisse.

— Vers l'ouest… puis vers le nord. J'habite dans l'Upper West Side.

— Le docteur Salman affirme vous avoir vue vous diriger vers l'est, du côté de Spring Street, dit Hull. Il vous a dépassée avec sa voiture.

Oh, mon dieu. Est-ce que Steve l'avait aussi aperçue tourner dans Crosby Street ? Était-il possible qu'il l'ait vue entrer dans l'immeuble de Keaton ? Il fallait qu'elle fasse le pari contraire et suppose que les flics n'en savaient rien.

— Eh bien, j'ai un peu maraudé dans le quartier. Je n'arrivais pas à trouver un taxi.

— Mais pourquoi vous êtes-vous orientée vers l'est, si vous habitez Upper West Side ?

Une boule se forma dans sa gorge, mais elle ne pouvait ignorer la question.

— J'ai d'abord regardé sur Broadway, mais je n'y ai pas repéré de taxis, alors je me suis dit que j'allais tenter ma chance un peu plus à l'est. Mais comme je n'ai pas eu plus de succès de ce côté-là, je suis revenue vers Broadway.

McCarty griffonna encore quelque chose – beaucoup plus de mots qu'elle n'en avait prononcés. Mais que pouvait-il donc bien écrire ?

— Avez-vous croisé d'autres personnes ayant assisté au dîner quand vous marchiez ? demanda Hull qui lui donnait l'impression de jouer avec elle au chat et à la souris.

— Non… Non, personne.

— Parlez-nous du dîner, continua Hull. Quelle était l'ambiance ?

— Très agréable, répondit-elle en poussant un infime soupir. Les convives paraissaient heureux que le docteur Keaton ait décidé de venir travailler avec eux.

— Avez-vous été surprise d'y être conviée ?

— Euh, pas vraiment. Je crois que les médecins de la clinique se sont dit qu'il était utile que je passe du temps avec eux. Que j'apprenne à les connaître.

Les deux inspecteurs échangèrent encore un autre regard. Elle aurait tellement voulu quitter la pièce !

— Très bien, dit alors McCarty en tournant la page de son bloc-notes. Veuillez inscrire ici votre nom et votre adresse, ainsi que vos numéros de téléphone fixe et portable. Il se peut que nous devions vous recontacter par la suite.

Elle ne parvenait pas à croire que c'était déjà fini. Elle écrivit rapidement les informations demandées.

Quand ils se levèrent pour s'en aller, elle fit de même. C'était un peu ridicule dans la mesure où leur entretien n'avait rien eu de très mondain, mais ne pas le faire lui aurait semblé étrange. Au moment où il atteignait la porte, Hull se retourna et la fixa de ses petits yeux sombres.

— Une dernière chose, dit-il. À quelle heure êtes-vous arrivée chez vous ?

Malgré sa préparation, elle avait omis ce point. Elle le regarda d'un œil vide, tandis que son esprit s'efforçait de faire un calcul désespéré. À 22 heures 15, elle se trouvait à l'intersection de Spring Street et de Crosby Street. Trouver un taxi aurait pu lui prendre une quinzaine de minutes, auxquelles il fallait ajouter environ vingt minutes de trajet jusqu'à chez elle.

— À quelle heure ? répéta Hull d'un ton agressif.

— Désolée, mais je n'y ai pas fait très attention. Je dirais qu'il devait être 23 heures, approximativement.

— Quelqu'un vous a-t-il vue rentrer chez vous ? Votre mari, par exemple ?

Mais pourquoi me posez-vous cette question ?

— Je ne suis pas mariée, répondit-elle. Il est possible que le concierge m'ait aperçue. Mais je crois qu'il était en train d'appeler un taxi pour quelqu'un.

— Je vous remercie, dit-il alors, sans que sa voix traduise pourtant la moindre reconnaissance.

Et ils sortirent de la salle de réunion.

Dès qu'ils furent partis, elle appuya son visage contre ses paumes et poussa un long soupir. Puis, elle se repassa mentalement l'interrogatoire. McCarty s'était montré plutôt courtois, mais Hull avait été carrément cassant, presque hargneux. Ils avaient voulu savoir si quelqu'un pouvait confirmer l'heure à laquelle elle était rentrée chez elle. Faisait-elle donc déjà partie des suspects ? Ou l'avaient-ils cuisinée simplement parce qu'elle avait participé au dîner ? De toute façon, les dernières personnes à avoir vu la victime vivante n'étaient-elles pas toujours des suspects potentiels ? En plus, c'était une femme. À cette heure-ci, les draps de Keaton – et le préservatif usagé, s'il l'avait laissé tomber au pied du lit –

devaient avoir révélé, sans doute possible, ce qu'il était en train de faire quelques heures avant sa mort.

Et puis, l'intérêt des inspecteurs avait pu être ravivé par ce que Steve leur avait dit. Il s'était pourtant toujours montré amical jusqu'alors. Mais il venait de la jeter en pâture aux lions et elle ne comprenait pas pourquoi. S'il l'avait dépassée en voiture la veille au soir, pourquoi ne s'était-il pas arrêté pour lui offrir de la raccompagner ? S'était-il abstenu parce qu'il l'avait vue chercher le numéro d'un immeuble ? En avait-il fait part à la police ?

Elle reposa les yeux sur l'écran de son ordinateur. Comment allait-elle bien pouvoir se concentrer pour finaliser sa présentation ?

Un bruit dans son dos la fit sursauter et elle pivota sur son siège pour voir ce dont il s'agissait. Le docteur Levin se tenait sur le pas de la porte.

— Excusez-moi de vous avoir fait peur, dit-il. Nous sommes tous un peu sur les nerfs, aujourd'hui.

— Oui, c'est épouvantable.

— La police me dit qu'ils en ont presque fini avec les interrogatoires pour le moment. Dès qu'ils seront partis et que j'en aurai terminé avec mon dernier rendez-vous, il faudrait que nous ayons un entretien – vous, moi et les autres médecins. Il est essentiel que nous décidions de la manière d'aborder la situation en termes de communication.

Tout en l'écoutant, Lake se rendit compte qu'une telle recommandation aurait dû venir d'elle-même, mais qu'elle avait été beaucoup trop bouleversée pour y penser.

— Excellente idée, dit-elle. Je peux vous faire quelques suggestions à ce sujet.

Il hocha la tête sobrement.

— À propos, dit-elle, alors qu'il tournait les talons, les journalistes ne vont pas tarder à appeler la clinique. Avant que nous ayons élaboré un plan, mieux vaut éviter de leur dire quoi que ce soit. Il serait sans doute utile que vous en avertissiez le personnel.

Peu de temps après, elle entendit les employés s'agiter à nouveau dans les couloirs et elle en déduisit que les inspecteurs étaient probablement partis. Elle se dit alors qu'il serait opportun qu'elle fasse au moins quelques pas dehors, pour essayer de s'apaiser avant son rendez-vous avec Levin et de réfléchir aux conseils qu'elle pourrait lui donner. Alors qu'elle se dirigeait vers la sortie, elle vit qu'il ne restait plus que la réceptionniste dans le hall d'accueil. Celle-ci offrait un visage soucieux et jouait nerveusement avec une boucle de ses cheveux.

Lake avait presque atteint le coin de la 83e Rue en direction de Lexington Avenue, quand elle entendit que quelqu'un l'appelait. En se retournant, elle aperçut Steve qui accourait vers elle. Il portait encore sa blouse blanche, comme s'il était sorti précipitamment en la voyant quitter la clinique.

— Ça va ? lui demanda-t-il une fois qu'il fut près d'elle.

Ses yeux bruns semblaient inquiets.

— J'ai connu des jours meilleurs, dit-elle. L'expérience est plutôt traumatisante.

— Je sais, souffla-t-il. Navré de vous avoir impliquée là-dedans.

— Il est vrai que vous ne m'avez pas exactement facilité les choses, remarqua-t-elle, surprise par sa propre audace.

— Que voulez-vous dire ? s'étonna-t-il.

— Vous avez raconté à la police que vous m'aviez vue rôder dans SoHo, la nuit dernière.

Il ouvrit la bouche, visiblement perplexe.

— Mais... Je ne comprends pas... Quel est le problème ?

— Ils ont apparemment trouvé cela suspect, répondit Lake.

— Mon Dieu, Lake, je suis désolé. Ce n'était pas dans mes intentions.

— Que leur avez-vous dit exactement ?

— Simplement que je vous avais aperçue, alors que je roulais vers l'est pour prendre le FDR. Ils m'ont demandé quand j'avais vu, pour la dernière fois, chacune des personnes qui assistaient au dîner, alors j'ai mentionné que je vous avais dépassée en voiture, après être sorti du parking.

— Je cherchais un taxi.

— Eh bien je ne vois pas ce qu'il y a de mal à cela, remarqua-t-il.

— Je suis un peu surprise que vous ne vous soyez pas arrêté pour me proposer de me déposer.

Il poussa un soupir en jetant un coup d'œil sur sa gauche.

— Je sais que j'aurais dû le faire. Mais, pour être franc, j'avais une discussion un peu enflammée avec Hilary. Ce n'était pas vraiment le moment.

Lake se demanda s'ils s'étaient disputés à propos du comportement assez aguicheur qu'avait eu Hilary à l'égard de Keaton.

— Et c'est tout ce que vous leur avez dit ? insista Lake.

— Qu'est-ce que vous sous-entendez ? Qu'aurais-je bien pu leur dire d'autre ?

— Rien. C'est juste que je n'ai pas envie d'être prise au dépourvu une nouvelle fois.

— Je ne leur ai rien dit de plus et, une fois encore, j'en suis désolé. Mais est-ce que tout va bien ?

— Oui, oui. Je suis juste un peu ébranlée, répondit-elle. Par tout ce qui vient d'arriver. Je serai de retour au bureau d'ici quelques minutes.

Dehors, il faisait très chaud. Le thermomètre devait frôler les trente degrés et, loin de la calmer, sa promenade ne réussit qu'à tremper de sueur son chemisier. Mais, au moins, elle se sentait désormais soulagée puisque Steve ne l'avait pas croisée alors qu'elle marchait dans Crosby Street ou qu'elle entrait dans l'immeuble de Keaton.

À son retour, même la réceptionniste avait déserté le hall d'accueil, mais elle retrouva Maggie, Rory, Chelsea et Emily dans la kitchenette, en train de chuchoter. Manifestement, elles étaient en train de parler du meurtre.

— Ah, vous voilà, lui lança Maggie avec un faible sourire.

Lake jeta un coup d'œil à sa montre : 15 heures 50.

— Est-ce que le docteur Levin m'a cherchée ? demanda-t-elle avec étonnement.

— Non, mais un homme a cherché à vous joindre. Il n'a pas voulu laisser son nom.

Elle ne voyait vraiment pas qui cela pouvait être. Hotchkiss ? Est-ce qu'elle lui avait donné le nom de la clinique ?

Elle s'apprêtait à repartir dans la salle de réunion, mais elle se ravisa. Mieux valait qu'elle reste avec Maggie et les autres. Elle en apprendrait peut-être plus si elle se joignait à leur discussion

– mais elle devrait faire très attention aux paroles qu'elle prononcerait.

— Alors, tout le monde tient le choc ? s'enquit-elle en se forçant à sourire.

— Moi, je suis morte de trouille, souffla Maggie. J'ai demandé à ma sœur de venir passer la nuit chez moi.

— Vous pensez que vous êtes en danger ? demanda Lake.

— Oh, c'est surtout pour ne pas rester seule, répondit Maggie qui se tourna alors vers Rory. Et *toi*, qu'est-ce que tu vas faire ? Dans ton état, il ne faut pas que tu sois exposée au stress.

— Je sais… Il faut que je pense au bébé, dit Rory. Colin ne va pas rentrer avant quelques jours et notre maison est plutôt isolée. Je vais sans doute appeler une amie.

Emily secoua la tête.

— Oh, les filles, ne soyez pas stupides. Ce n'est pas comme si un *serial killer* se baladait dans la nature pour éliminer tous ceux qui travaillent dans des cliniques de traitement de la stérilité.

— Qu'en pense la police ? demanda Lake. S'agissait-il d'un cambriolage ?

Elle s'efforça d'adopter un ton naturel, mais ses paroles lui semblèrent fausses, comme lorsqu'elle jouait un rôle dans un jeu d'écoliers.

— Ils m'ont demandé si je savais s'il fréquentait quelqu'un, murmura Maggie. Peut-être s'orientent-ils vers un crime passionnel.

— Ils m'ont posé la même question, ajouta Rory, avant de se tourner vers Lake. Est-ce qu'ils vous ont aussi demandé ça, Lake ?

— Non, répondit Lake. Mais ça ne m'étonne pas vraiment. Ils savent que je ne travaille à la clinique que depuis peu de temps.

— Mais vous le connaissiez, pourtant ?

— Keaton ? s'étonna Lake. Euh, non. Je ne l'ai rencontré que lorsque j'ai commencé à travailler ici.

— Bah, je vous ai vue parler avec lui pendant un bon moment, hier. J'en ai déduit que vous deviez le connaître avant.

Était-ce la raison pour laquelle la police lui avait demandé si elle le connaissait déjà ? À cause de ce que Rory avait pu leur dire ?

— Non, je ne l'avais jamais rencontré avant, persista-t-elle, un peu sur la défensive. Nous avons juste parlé de son travail…

— Et bien, à propos de travail, j'ai du pain sur la planche, annonça Emily. Tu pourrais me donner un coup de main, Maggie ?

Parfait, songea Lake. Elle en avait assez de cette conversation bizarre à propos de Keaton et fut heureuse de pouvoir y mettre un terme. Le groupe se sépara donc et Lake regagna son bureau.

Il était près de 16 heures. Avant son entrevue avec Levin, Lake alla remettre dans la bibliothèque la pochette qui contenait les articles de presse qu'elle avait consultés. Elle était quasiment certaine d'avoir examiné à peu près tout ce qui avait paru sur la clinique, mais, par prudence, elle vérifia une fois encore le tiroir où était rangé ce genre de documents. Elle avait tellement de mal à se concentrer sur sa présentation qu'elle était à l'affût de la moindre source d'inspiration disponible.

N'ayant rien trouvé de plus que ce qu'elle connaissait déjà, elle ouvrit le dernier tiroir. Celui-ci semblait ne contenir que de vieux courriers. Mais, alors qu'elle allait le refermer, elle remarqua un dossier suspendu sur lequel était inscrit « Archer ». En regardant de plus près, elle découvrit des pages arrachées à un magazine. Elle prit la pochette et vit tout de suite qu'il s'agissait d'un article sur le milieu professionnel de la lutte contre la stérilité. Ayant refermé le dossier, elle l'emporta avec elle.

Quand elle arriva devant le bureau de Levin, tous les médecins s'y trouvaient déjà : Sherman, Hoss, Steve et Matt Perkins. Brie était là également, perchée sur le rebord de la fenêtre.

— Nous avons déjà reçu deux appels de journalistes depuis que je vous ai parlé, annonça Levin à Lake d'une voix sinistre, pendant qu'elle s'asseyait. Des types du *Daily News* et de Channel 7.

— On aurait dû l'anticiper, commenta Sherman. Quand on choisit une vedette, c'est ce qui nous pend au nez, n'est-ce pas ?

— Oh, Dan, je t'en prie, dit Levin. Ce n'est pas parce qu'il était beau gosse que nous aurions dû prévoir qu'il allait se faire assassiner.

— Quelle ironie, hein ? poursuivit Sherman. Nous décidons enfin d'investir sérieusement dans le marketing et nous nous retrouvons avec un sacré merdier sur les bras.

— En ce qui vous concerne, je ne pense pas que ce merdier dont vous parlez soit inévitable, intervint Lake. Mais il est certain que vous devez prendre des mesures pour éviter les dégâts.

— Les *dégâts* ? s'étonna Brie sèchement. À vous entendre, on pourrait imaginer que nous avons fait quelque chose de mal.

— Ce n'est pas du tout ce que j'ai dit, rétorqua Lake. Il s'agit d'une situation externe à la clinique et indépendante de votre volonté, mais qui peut avoir des conséquences sur votre activité. Je connais une personne spécialisée dans la communication de crise. Je vous suggère de recourir à ses services temporairement. Elle…

— Mais, n'est-ce pas ce que *vous* êtes censée faire ? remarqua Brie. De la communication ?

— S'il vous plaît, Brie, laissez-la terminer, intervint Levin.

L'assistante de direction se raidit et prit un air pincé.

— Le plan marketing que je compte vous proposer prévoit déjà l'intervention d'une spécialiste des relations publiques, poursuivit Lake, mais celle-ci n'est pas spécialisée dans la gestion de crise. Et je ne le suis pas non plus. Or, dans le cas présent, il vous faut un vrai professionnel. La femme à laquelle je pense a des honoraires assez élevés, mais je ne peux que vous recommander de l'engager.

— Je crois effectivement que c'est essentiel, ponctua Hoss. De toute façon, nous n'avons pas vraiment le choix.

Il fut convenu que Lake contacterait la spécialiste en communication de crise qu'elle connaissait. Il y eut encore une vingtaine de minutes de palabres inquiets sur la manière dont il fallait gérer les patientes, le chamboulement des emplois du temps, les actions à mener au cours des prochains jours. Levin et Hoss menaient la discussion, tandis que Sherman se contentait de secouer la tête d'un air dégoûté. Quant à Steve et Matt Perkins, visiblement traumatisés, ils ne s'exprimèrent que lorsqu'ils furent directement sollicités pour des questions spécifiques. Enfin, Levin suggéra que chacun rentre chez soi et essaie de se détendre.

— Je vous recommande de ne pas discuter de tout cela avec quiconque, en dehors de votre famille proche, ajouta Lake.

L'assemblée s'égaya et Lake suivit le mouvement. Mais avant qu'elle ait franchi la porte, Levin la rappela.

— Pensez-vous que cette femme dont vous avez parlé peut réellement nous aider ? lui demanda-t-il en se levant de son siège.

— Absolument, répondit Lake. Elle a déjà été confrontée à des situations bien pires.

Il traversa la pièce et boutonna son veston. Elle vit qu'il regardait le dossier qu'elle avait sous le bras.

— Où avez-vous trouvé ça ? lui demanda-t-il abruptement.

— Dans le tiroir de la bibliothèque. J'ai déjà lu tous les autres articles de journaux.

— Eh bien, vous n'avez pas besoin de celui-ci, répliqua-t-il en lui arrachant presque la pochette des mains.

6

Lake n'arriva chez elle que vers 7 heures du soir. À la suite de son curieux aparté avec Levin, elle était retournée dans la petite salle de réunion et avait laissé un message à Hayden Cullbreth, la grande prêtresse de la gestion de crise dont elle venait de recommander les services. Puis, complètement lessivée, elle avait rangé ses affaires, était sortie et avait hélé un taxi pour rentrer vers West Side.

Après avoir posé ses sacs, elle s'effondra dans l'un des fauteuils du salon et se mit à sangloter. Sentant que quelque chose ne tournait pas rond, Smokey sauta sur ses genoux et s'employa à frotter ses moustaches contre son menton. Lake ravala ses larmes en le caressant. Elle balaya des yeux le salon, ses étagères remplies de livres réconfortants, les peintures de paysages apaisants qui ornaient ses murs. Ce qu'elle avait dit à Molly et à Keaton était tout à fait exact. Bien que les semaines précédentes n'aient pas été, à proprement parler, plaisantes, elle avait récemment retrouvé une forme de paix et d'espoir en l'avenir. Mais tout avait changé en un instant. Désormais, il n'y avait rien dans sa vie qui ne fût en danger : ses enfants, son travail, son avenir. Elle avait laissé libre cours à sa soif désespérée de reconnaissance et de rencontres – ainsi qu'à son violent désir –, et, pour cette raison, elle allait peut-être perdre la garde de ses enfants. Elle courait même le risque d'être arrêtée pour meurtre.

Elle s'obligea à quitter son fauteuil et à laisser un nouveau message à Hayden. Une demi-heure plus tard, alors qu'elle regardait fixement un bloc de lasagnes aux légumes congelés en se disant qu'il fallait pourtant qu'elle avale quelque chose, l'experte en communication de crise retourna son appel. Lake lui résuma brièvement la situation et essaya de la convaincre de se laisser recruter comme consultante.

— Le problème, c'est qu'en ce moment je suis totalement débordée, lui annonça Hayden de son accent traînant d'Alabama. Mais je ne peux pas refuser une telle mission. J'ai déjà tout fait en matière de gestion de crise, depuis le laboratoire pharmaceutique vendant des médicaments périmés jusqu'au P-DG utilisant les fonds de sa société pour payer la location d'un parc aquatique à l'occasion de l'anniversaire de son môme. Mais un meurtre, ça, je n'ai pas encore pratiqué. C'est très très tentant.

— Alors, c'est oui ? la pressa Lake.

— Oui, mais il faut battre le fer tant qu'il est chaud. C'est du lourd et il va falloir faire vite. Ça constituera sans doute le sujet du prochain épisode de *New York Police Judiciaire*. Est-ce que tu crois pouvoir être en mesure de m'arranger une réunion avec tout le monde d'ici demain matin, 8 heures ?

Lake l'assura que ce ne serait pas un problème. Dès qu'elle eut raccroché, elle appela donc Levin.

— C'est formidable, Lake, la félicita-t-il. Je contacte immédiatement le docteur Sherman. Je pense que, pour cette première entrevue, il n'est pas nécessaire de réunir l'équipe au grand complet.

Son ton était presque obséquieux. Elle se demanda s'il essayait de racheter ainsi l'attitude pour le moins brutale dont il avait fait preuve quand il lui avait repris le dossier.

Il fallait maintenant qu'elle trouve l'énergie d'écrire aux enfants. Elle écarta histoires et devinettes et se contenta de leur griffonner un court message : « J'ai vraiment hâte de vous retrouver samedi et de rencontrer vos nouveaux amis. J'arriverai à 10 heures pétantes ! »

Elle aurait bien ajouté quelques mots, mais elle se sentait curieusement coupable, cette situation lui rappelant l'époque où Jack avait commencé à la négliger et où elle s'efforçait néanmoins de n'en rien laisser paraître devant les enfants. Mais que leur aurait-elle dit, si elle s'était montrée parfaitement honnête ? « Il se peut que maman soit impliquée dans une effroyable histoire de meurtre et qu'elle ne puisse finalement pas venir » ?

Tout en glissant la lettre dans le télécopieur, elle se demanda comment elle allait réagir quand elle reverrait Jack, au camp de vacances. Avant sa récente conversation avec Hotchkiss, elle n'aimait déjà pas beaucoup le croiser chez son avocat, mais, maintenant, cette perspective lui était pratiquement insupportable.

Elle grignota quelques bouchées de lasagnes et repoussa le reste sur le rebord de son assiette, avant de vider son verre de vin. Elle savait qu'elle devait se calmer, mais elle ne cessait d'imaginer Hull et McCarty derrière leur bureau, au commissariat, en train de lire et relire leurs notes pour y trouver des indices ou de passer au peigne fin les rapports concernant le meurtre. Les gens de la police scientifique avaient dû relever ses empreintes, mais, comme celles-ci n'avaient jamais été enregistrées dans leur fichier, ils ne pourraient établir aucune correspondance. De même, la découverte de son ADN sur les lieux du crime ne les mènerait pas bien loin. Mais, si elle fournissait aux flics une bonne raison de la soupçonner, ils seraient alors en mesure de prélever un échantillon de son ADN et d'enregistrer ses empreintes. Ils découvriraient alors qu'elle avait passé la nuit dans le lit de Keaton.

Elle ferma les yeux et laissa retomber sa tête entre ses mains. Elle revoyait l'horrible entaille sanguinolente sur le cou de Keaton. Celui qui lui avait fait ça devait être aveuglé par la rage. Qui donc Keaton avait-il pu rendre aussi furieux ? S'agissait-il d'une femme avec laquelle il aurait couché avant de la jeter ? Il avait dit à Lake qu'il avait acheté son appartement au début de l'été. Par conséquent, il devait déjà faire des séjours à New York avant de donner des consultations à la clinique. Cette fureur avait donc pu couver pendant plusieurs semaines. Et elle en aurait, elle aussi, fait les frais si elle ne s'était pas endormie sur la terrasse. Elle poussa un gémissement en imaginant ce qu'aurait pu être son sort.

Une autre question la taraudait. Comment le meurtrier avait-il pu s'introduire dans l'appartement ? En possédait-il – ou elle – une clef ? À moins que la personne en question ait réussi à faire sauter le verrou de la porte d'une manière ou d'une autre ? Peut-être Keaton lui-même l'avait-il fait entrer tandis que Lake dormait, pensant éventuellement que celle-ci était partie ? Mais si Keaton était allé ouvrir la porte, il n'aurait pas été égorgé dans son lit.

Elle repensa au commentaire de Hayden quant aux proportions que l'affaire risquait de prendre. Lake avait été tellement préoccupée par son implication directe dans le meurtre qu'elle en avait oublié les conséquences indirectes découlant tout simplement de sa qualité de consultante auprès de la clinique. Les journalistes risquaient de la traquer. D'ailleurs, elle se demandait si l'appel anonyme qu'elle avait reçu sur son lieu de travail ne provenait pas de l'un d'entre eux.

Une autre question commença à prendre forme dans son esprit, mais ce ne fut que lorsqu'elle s'effondra dans son lit, qu'elle parvint à identifier ce dont il s'agissait : le commentaire de Keaton, dans le sous-sol du Balthazar, à propos d'un « léger problème » qui remettait en cause son projet de rejoindre la clinique. Au cours de la réunion de l'après-midi dans le bureau de Levin, rien n'avait filtré à ce sujet, soit que Levin ait préféré ne pas en faire état devant les autres médecins, soit que le problème ait existé seulement du point de vue de Keaton – et qu'il ne s'en soit pas encore ouvert auprès de Levin.

Lake s'attendait à vivre une nuit d'insomnie, mais le sommeil la cueillit presque instantanément. À deux reprises, elle fut réveillée par des cauchemars. Elle ne put se rappeler le premier, qui s'évapora dès qu'elle eut ouvert les yeux, mais, dans le second, quelqu'un l'appelait au téléphone à propos de ses enfants. Il prononçait leur nom, puis éclatait de rire, avant de raccrocher.

Elle tomba du lit à 6 heures. L'espace d'un bref instant, elle ne pensa à rien. Puis son estomac se noua, comme si elle avait oublié une tâche importante. Enfin, comme une vague scélérate, le souvenir de l'avant-veille vint la percuter. Elle se précipita pour aller chercher le *Times* qui avait dû lui être livré sur le paillasson devant la porte de son appartement. L'affaire y faisait l'objet d'une demi-colonne dans les pages locales. Keaton y était décrit comme un spécialiste de gynécologie et d'obstétrique et un expert en traitement de la stérilité, qui partageait son temps entre LA et New York. Pas une ligne sur la clinique. Finalement, l'affaire n'allait peut-être pas faire tant de bruit que ça.

Un peu plus tard, dans un kiosque à journaux situé près de son arrêt de bus, elle acheta le *Post* et faillit s'évanouir en voyant la photo de Keaton s'étaler à la une, juste en dessous d'un gros titre : *Un séduisant docteur assassiné Downtown.* Le cliché semblait avoir été saisi à l'occasion d'un gala hollywoodien : vêtu d'un smoking, il avançait sur le tapis rouge d'une soirée mondaine quelconque, plus séduisant et charmeur que jamais – George Clooney au Golden Globes. Elle s'obligea à lire l'article. Cette fois, le nom de la clinique était mentionné.

Le *Daily News* avait pour sa part retenu une photo plus sobre, qui aurait pu figurer dans la brochure d'une conférence médicale. L'article qui y était associé contenait une révélation : c'était le concierge de Keaton qui avait découvert le corps. Constatant qu'il ne s'était pas présenté à la clinique le lendemain matin, Levin avait probablement demandé à Brie d'essayer de le localiser. Le concierge faisait sans doute partie de la liste des personnes appelées par l'assistante de direction, dans le cadre de ses recherches.

Quand Lake arriva au bureau, elle constata que l'atmosphère qui y régnait était faite d'un épouvantable mélange de morosité et d'agitation : les employés semblaient à la fois abattus et fébriles.

— Non mais vous arrivez à croire tout ce qu'on raconte sur cette histoire ? lui chuchota Maggie en replaçant différents documents dans la petite salle de réunion. Je veux dire, c'est pire que l'affaire OJ Simpson.

— Est-ce que des journalistes ont cherché à vous joindre ? demanda Lake.

— Oh, pas moi en particulier. Mais ils ne cessent d'appeler la clinique depuis ce matin.

Remarquant les traits tirés de Maggie, Lake ajouta :

— Et comment tenez-vous le choc ? Votre sœur a-t-elle fini par s'installer chez vous ?

— Oui… Mais ça n'a pas vraiment arrangé les choses. J'ai fait les pires cauchemars de toute ma vie. Je crois que je vais demander conseil au docteur Kline, s'il a une minute à me consacrer aujourd'hui.

— Ah, il est ici ? s'étonna Lake, en prenant soudain conscience qu'elle ne l'avait pas revu depuis la veille du meurtre.

— Il a dû s'absenter quelques jours, mais il a repris le travail aujourd'hui. Il a été très choqué par la nouvelle.

Lake et Maggie finirent par convenir qu'il valait mieux penser à autre chose si elles voulaient parvenir à accomplir un peu de travail dans la journée. À 8 heures moins cinq, Hayden Cullbreth arriva, vêtue d'une sublime robe trapèze violette qui contrastait audacieusement avec son carré blond. Comme promis, elle battit le fer pendant qu'il était chaud.

— Commençons, commanda-t-elle à Levin, dès que Lake eut fini les présentations.

Sherman les avait rejoints dans le bureau de Levin, ainsi que Hoss et Brie, la main toujours sur son bloc-notes. Cette dernière dévisagea Hayden des pieds à la tête avec un air de franche désapprobation.

— Jusqu'à présent vous n'avez pas trop mal géré la situation, annonça Hayden. Je veux dire en cela qu'aucun de vos employés n'a parlé à la presse. Mais ils pourraient encore être tentés de le faire. Il nous faut donc mettre en œuvre une stratégie de combat : on verrouille et on réunit des munitions.

— Grands dieux ! ironisa Sherman, vous avez l'air de nous suggérer de recourir à la violence.

Hayden pinça les lèvres et hocha brièvement la tête.

— Bien sûr que non. Mais si vous voulez protéger la réputation de votre clinique, il faut verrouiller votre communication en vous assurant que personne – je dis bien *personne* – ne discute de quoi que ce soit avec les médias. Prévenez vos employés qu'ils risquent de perdre leur job s'ils le font. Mais, dans le même temps, poursuivit-elle, tenez-les informés des développements de l'affaire et faites-leur part des mises à jour que vous transmet la police. Quand rien ne filtre et que les gens ne savent pas ce qui se passe, ils ont tendance à bavarder – parfois avec des journalistes.

— Je présume que c'est vous qui répondrez à tous les appels de la presse, lui dit Levin.

— Non, nous laisserons à la police de New York le soin de le faire.

— La police de New York ? s'exclama Levin. Mais…

— Mieux vaut que les flics s'en occupent. En cas de coups de fil provenant des médias, la personne qui sera chargée de les recevoir – quelqu'un de suffisamment intelligent, bien entendu – devra répondre que toutes les questions doivent être adressées à la police de la ville.

— Mais n'est-ce pourtant pas la raison pour laquelle nous *vous* avons engagée – pour traiter ce genre d'appels ? s'étonna Hoss.

Malgré son arrogance coutumière, l'embryologiste avait les traits tirés et ses longs cheveux noirs pendaient lamentablement le long de ses joues, comme si, ce matin-là, elle n'avait pas eu le courage de les shampouiner. Elle était sans doute soucieuse, comme tous les autres, des dégâts que cette affaire pouvait causer à sa réputation.

— Vous m'avez engagée pour élaborer une *stratégie*, martela Hayden. Si je parle à la presse et qu'elle me cite, elle me présentera comme le porte-parole de votre clinique et mentionnera *son nom*. Or je suppose que vous souhaitez mettre autant de distance que possible entre vous et cette affaire. Nous devons donc suivre ici la même démarche que celle adoptée par les cliniques pratiquant l'avortement, lorsqu'elles ont commencé à être prises à partie : faire en sorte que le nom de la clinique n'apparaisse pas dans les journaux, en laissant les flics effectuer toutes les communications sur le sujet. Et maintenant, parlons du deuxième volet de notre stratégie : les munitions. Dans cette optique, vous devrez me transférer toutes les informations en votre possession. Je dois savoir qui était le docteur Keaton.

Levin, dont le visage arborait encore la grimace qu'y avait suscitée la référence aux cliniques d'avortement, fit un bref résumé du CV de Keaton : école de médecine à Cornell, thèse en endocrinologie de la reproduction, exercice de la médecine dans un cabinet de LA. Une fois encore, pas un mot ne filtra quant aux hésitations de Keaton à rejoindre l'équipe de la clinique. N'avait-il donc pas eu le temps de s'en ouvrir à Levin ? se demanda Lake. À moins que Levin ait préféré garder cette information pour lui-même ?

— Tout cela est bien beau, ponctua Hayden, mais ce qui m'intéresse surtout, c'est la raison pour laquelle quelqu'un a cru bon de l'assassiner. D'après les journaux, il ne semble pas que sa mort résulte d'un cambriolage qui aurait mal tourné.

— À vrai dire, nous ne savons pas grand-chose de sa vie privée, ni des personnes qu'il fréquentait en dehors de la clinique, constata Levin. Jusqu'à présent, il n'avait travaillé avec nous qu'en qualité de consultant.

— La police vous a-t-elle transmis des détails ? intervint Lake.

Cherchant désespérément à en savoir plus, elle n'avait pu s'empêcher de poser la question, bien que celle-ci tombât comme un cheveu sur la soupe. D'ailleurs, Hoss la regarda en fronçant les sourcils.

— Rien, répondit Levin. Tout ce que nous savons, nous le tirons des journaux.

— C'était un homme séduisant, remarqua Hayden. Homosexuel ?

— J'en doute, cracha Sherman avec sarcasme.

— Un homme à femmes, alors ? poursuivit Hayden. Serait-il possible qu'il se soit fait assassiner par une maîtresse jalouse ?

— Comme le docteur Levin vous l'a déjà expliqué, nous ne connaissions cet homme que d'un point de vue professionnel, dit Sherman d'un ton exaspéré.

Lake nota que Brie avait adopté une mine dédaigneuse, comme si toute cette séance lui semblait positivement stupide.

— Il y a une chose que vous devez néanmoins savoir, intervint Levin d'une voix sombre. Une chose dont j'ai dû faire part à la police.

Tous les visages se tournèrent instantanément vers lui et Lake retint son souffle.

— Oui… l'encouragea Hayden.

— Au cours de l'après-midi qui a précédé le dîner, l'un de mes anciens collègues qui s'est installé à LA m'a appelé, continua Levin. Il m'a dit que, ayant appris que Mark rejoignait notre équipe, il voulait me mettre au courant des rumeurs qui circulaient sur son compte, sur la côte ouest. Apparemment, il avait un problème de jeu.

— Et nous apprenons ça seulement *maintenant* ? ! s'indigna Sherman, visiblement vexé.

— Je n'avais pas encore trouvé l'occasion de t'en parler, se défendit Levin. Bien entendu, cette révélation m'a alarmé et je m'apprêtais à te proposer de la vérifier dès que possible. Il est évident que nous n'aurions pas souhaité nous associer à ce genre de personnage.

— En as-tu parlé à Keaton ? demanda Sherman.

— Bien sûr que non ! s'énerva Levin. Il n'aurait jamais voulu l'admettre. Seule une enquête en bonne et due forme nous aurait permis d'obtenir le fin mot de cette histoire.

Lake se demandait pourtant si Levin n'en avait pas touché mot à Keaton. Ç'aurait pu expliquer le « léger problème dans le programme » mentionné par ce dernier.

Hayden pressa Levin de lui fournir plus de détails sur ce problème de jeu, mais Levin l'assura qu'il n'en savait pas plus. Elle passa donc à la stratégie à suivre.

Lake essaya de se concentrer sur son exposé, mais son esprit s'était emballé à l'annonce de la nouvelle. Le meurtrier de Keaton était-il un type de la mafia ou un homme de main engagé par un *bookmaker* ? Quelqu'un qui saurait forcer une porte, par exemple ?

Hayden acheva sa présentation vers 9 heures moins le quart et tout le monde quitta la salle. La plupart des rendez-vous ayant été reportés, il n'y avait que quelques patientes dans la salle d'attente.

— Appelons-nous dans la journée, lui suggéra Hayden à voix basse.

Lake n'avait plus vraiment grand-chose à faire à la clinique puisqu'elle avait terminé ses recherches, mais elle décida d'y rester encore un peu en se disant qu'elle glanerait peut-être d'autres informations sur Keaton. Il fallait qu'elle en sache plus, au moins pour ne plus ressentir ce sentiment de désespoir. Si la rumeur concernant ce problème de jeu était fondée, la police s'orienterait probablement vers cette piste. Malheureusement, elle ne croisa personne dans les couloirs silencieux. De toute façon, bien que la matinée fût loin d'être terminée, elle n'avait qu'une envie : sortir de là.

Elle regagna donc la salle de réunion et s'apprêtait à prendre son sac pour partir, quand elle remarqua Harry Kline qui se tenait dans l'embrasure de la porte.

— Oh, j'ai appris que vous étiez rentré, lui dit-elle en souriant.

Il dégageait une telle impression de calme et de chaleur humaine que le simple fait de poser les yeux sur lui ralentit le rythme de son pouls.

Il lui retourna son sourire.

— Je n'avais pas vraiment prévu de venir au bureau aujourd'hui, mais avec tout ce qui s'est passé, je me suis dit que ce ne serait pas une mauvaise idée, expliqua-t-il.

— Je suis certaine que beaucoup d'employés se sentent soulagés de vous savoir dans les parages.

— Et vous, comment ça va ? lui demanda-t-il. J'ai cru comprendre que vous assistiez également au dîner d'hier.

— Bah, c'est un peu traumatisant. Je le connaissais à peine, mais, tout de même… Quelle mort horrible ! On sait bien qu'il se passe des drames semblables dans New York, mais ça paraît toujours si éloigné de nous. Et puis voilà…

Elle savait que ses nerfs la trahissaient et, quand elle leva les yeux vers lui, elle vit qu'il l'observait avec attention. Était-il en train d'utiliser ses talents de psy pour la décrypter ? Avait-il remarqué quelque chose de bizarre ou de troublant dans son comportement ?

— Je serais heureux d'en parler avec vous… Si vous estimez que ça peut vous aider, proposa-t-il.

— Oh, c'est très gentil à vous. Mais ça devrait aller.

— Tenez, dit-il en extirpant son portefeuille de la poche arrière de son pantalon. Prenez ma carte. Si vous changez d'avis, n'hésitez pas à m'appeler. Ça ne me dérange pas du tout.

Elle le remercia en acceptant le petit bristol où figuraient ses coordonnées. Elle était touchée par son offre, mais il était hors de question qu'elle lui raconte quoi que ce fût.

— Mais *vous-même*, comment allez-vous ? demanda-t-elle.

— Que voulez-vous dire ? s'étonna-t-il en fronçant les sourcils.

— J'ai cru comprendre que vous aviez dû régler un problème personnel, ces jours derniers.

— Oh, je vous remercie. Fort heureusement, tout est rentré dans l'ordre.

Elle prit congé de lui et se hâta vers la sortie de la clinique. Au lieu de prendre un taxi, elle s'engagea vers l'ouest, en direction de Madison Avenue, avant de se diriger vers le sud. Elle repensa à la bombe qu'avait lâchée Levin. Si Keaton était effectivement un joueur invétéré, ce qui avait pu causer sa mort, Hull et McCarty s'intéresseraient peut-être moins à son cas. Cela dit, cette situation pouvait aussi l'exposer à un danger bien plus grand qu'elle ne l'imaginait. La ou les personnes qui avaient tué Keaton finiraient par apprendre qu'une femme se trouvait dans son appartement cette nuit-là. Et si le tueur s'était caché dans la salle de bains et l'avait vue ?

Puisqu'elle se trouvait à proximité de Central Park, elle décida de rentrer chez elle en coupant à travers le parc. Ça ne pourrait que l'apaiser, songea-t-elle. Mais, lorsqu'elle atteignit Central Park West, ses pieds lui faisaient horriblement mal et la sueur coulait le long de son dos. Elle parcourut en se traînant les quatre pâtés de maison qui la séparaient de West End Avenue. Quand elle arriva enfin en vue de son immeuble, elle pressa de nouveau le pas, impatiente de retrouver son appartement. Soudain, elle s'arrêta net : Jack se tenait sous le porche et, visiblement, c'est elle qu'il attendait.

7

Mais qu'est-ce qu'il fichait là, se demanda-t-elle. Était-il juste passé pour juger de l'effet de son petit coup bas concernant la garde des enfants ? La seule chose dont elle était sûre, c'était qu'elle ne souhaitait absolument pas avoir un tête-à-tête avec lui en ce moment. Elle commença à réfléchir à la façon dont elle pourrait rebrousser chemin sans qu'il la remarque.

Mais avant qu'elle ait pu tourner les talons, Jack l'avait repérée.

— Lake ! appela-t-il d'un ton qui s'apparentait plus à un ordre qu'à une salutation.

Habituellement, lorsqu'ils se rencontraient, Jack portait toujours un costume assez décontracté, mais là, sa tenue était carrément informelle : un pantalon en toile, un polo bleu lavande et – à son immense stupéfaction – des tongs. Elle supposa qu'il avait prévu de se rendre dans les Hamptons cet après-midi-là, sans doute en compagnie d'un régiment d'étudiants tout juste sortis du lycée. Il enfonça les deux mains dans ses poches et accourut dans sa direction avec ce petit air arrogant qui le caractérisait désormais.

Durant les premières semaines qui avaient suivi son départ, elle attendait avec impatience ce genre d'entrevues, quand il venait chercher ou déposer les enfants, le week-end ou certains soirs de la semaine. Malgré le sentiment de trahison qu'elle avait ressenti, il lui manquait et, certaines nuits, elle aurait fait n'importe quoi pour qu'il vienne la rejoindre. À l'époque, elle croyait que si elle se montrait suffisamment patiente, il finirait par retrouver ses esprits et rentrer au bercail.

Mais il était devenu très vite évident que toute communication avec lui était désormais impossible. Au début, lorsqu'il lui ramenait les enfants, il acceptait de prendre un café avec elle dans la cuisine, tandis qu'Amy et Will réinvestissaient leurs chambres. À chaque fois, elle avait appliqué une tactique différente. Le calme et un léger détachement n'ayant donné aucun résultat – pas plus qu'une écoute compatissante –, elle avait fini par se laisser aller à une imploration pathétique – je t'en prie, reviens, avait-elle supplié, pour le bien des enfants et en souvenir de nos quatorze années de vie commune. Il l'avait éconduite avec froideur, en disant qu'il avait pris sa décision, qu'ils ne partageaient ni les mêmes besoins, ni les mêmes objectifs, et que leur histoire était définitivement terminée. Elle s'était alors rendu compte que lui parler équivalait désormais à rouler sur une plaque de verglas sur l'autoroute, sans espoir de jamais retrouver d'adhérence.

En conséquence, afin de préserver sa propre santé mentale – et son amour-propre –, elle avait mis fin aux intermèdes dans la cuisine et avait préféré descendre accueillir les enfants dans le hall de l'immeuble. Elle s'en voulait d'être aussi affectée par ses apparitions, et faisait souvent en sorte de ne jamais le regarder dans les yeux durant ces brefs échanges.

Mais ce matin-là, sa réaction fut tout à fait différente. Compte tenu de sa dernière bassesse, sa vision lui donna envie de vomir.

— Tu as une minute ? lui demanda-t-il, quand il arriva à sa hauteur.

— Le moment est plutôt mal choisi, lui répondit-elle froidement.

— J'ai juste besoin de quelques papiers qui se trouvent dans l'appartement.

Quand Jack avait admis qu'il était plus logique que Lake et les enfants restent dans l'appartement, il avait été convenu qu'il aurait la possibilité d'y laisser quelques vêtements et autres papiers jusqu'à ce qu'il ait trouvé à se reloger. Mais, en général, il attendait de devoir lui ramener les enfants pour prendre ce qui lui manquait. Cette demande subite avait par conséquent quelque chose de bizarre, presque de suspect.

Elle savait qu'elle ne pouvait le laisser monter. Il risquait de s'apercevoir que quelque chose ne tournait pas rond dans sa vie.

— Je n'avais pas l'intention de passer par l'appartement, dit-elle. Je viens de m'apercevoir que j'ai oublié un dossier chez un client et je dois aller le rechercher.

— Écoute, j'ai vraiment besoin de ces papiers aujourd'hui.

Mince, se dit-elle, si je refuse, il dira au psy que je ne me montre pas coopérative.

— D'accord, dit-elle d'une voix neutre. Dis-moi où se trouvent ces fameux papiers et je te les descends.

Il fit la grimace et secoua la tête.

— Je ne sais plus très bien où je les ai laissés. Il va falloir que je monte et que je farfouille un peu dans ma paperasse.

Elle prit une profonde inspiration.

— Mais, bon sang, Lake, je ne vais pas te mordre, s'énerva-t-il. Ça ne me prendra pas plus de cinq minutes.

Elle ressentit une brusque envie de le planter là, sur le trottoir.

— OK, concéda-t-elle pourtant.

Ils prirent l'ascenseur sans échanger une parole. Maintenant qu'elle se trouvait à quelques centimètres de lui, elle remarqua que son visage un peu rond était plus bronzé qu'avant et que ses cheveux châtain clair semblaient très secs, comme après une longue exposition au soleil et au sel marin. Visiblement, cet été, il avait réalisé son vœu de vivre sur un grand pied et de – comment l'avait-il formulé déjà ? – *faire preuve d'ambition ou laisser tomber.* Un sentiment de dégoût l'envahit. Il se sentait sans doute en droit de profiter de son nouveau style de vie de titan des affaires, mais son hâle et ses tongs lui semblaient, à elle, un peu pathétiques.

— Juste par curiosité, finit-elle par dire, en essayant de contrôler le ton de sa voix. Est-ce que tu avais l'intention de m'attendre devant l'immeuble jusqu'à ce que je rentre ?

— Qu'est-ce que tu sous-entends, Lake ? Tu te demandes si je t'épie ? C'est ça, la question que tu te poses ? répliqua-t-il avec une légère agressivité dans la voix.

— Bien sûr que non. Mais ça me fait l'effet d'une perte de temps inutile.

— Comme tu ne répondais pas à ton téléphone portable, j'ai appelé cette clinique où tu bosses. Ils m'ont dit que tu venais de partir, alors je suis venu ici à tout hasard.

— Est-ce que tu m'as également appelée hier ? demanda-t-elle, étonnée par cette révélation.

— Oui. Ça te pose un problème ?

Jack était donc l'auteur du mystérieux coup de fil.

— Je me demande simplement comment tu t'es procuré le numéro de la clinique.

— J'ai tenté ma chance auprès des renseignements.

— Mais comment connaissais-tu son nom ?

— Tu en as parlé quand je t'ai déposé les enfants.

Elle ne se souvenait absolument pas de l'avoir fait, mais, incapable de l'affirmer, elle préféra changer de sujet. Jack lui donnait l'impression d'être survolté et irritable. Mieux valait donc éviter d'appuyer sur ses boutons rouges pour le moment.

Elle ouvrit la porte de l'appartement et Jack la suivit à l'intérieur. Smokey avait dû entendre le bruit de la clef dans la serrure car il l'attendait dans l'entrée. Il vint se frotter contre les mollets de sa maîtresse, puis contre ceux de Jack.

— Salut, Smoke, dit Jack d'un ton distrait, sans prendre la peine de le gratifier d'une caresse.

— La plupart de tes affaires sont encore dans le placard de Will, lui indiqua Lake. Sauf ta mallette noire – celle-là se trouve dans le fond de l'armoire de notre chambre.

Notre chambre… Elle avait du mal à croire qu'elle l'appelait encore ainsi.

— Ce dont j'ai besoin se trouve dans la mallette, dit Jack. Tu permets que j'y aille ? Ça ne devrait pas me prendre plus d'une minute.

Son intonation avait légèrement changé. Il paraissait maintenant plus amical, moins susceptible, renforçant ainsi les soupçons de son ex-femme. Quand elle le vit se diriger vers la chambre à coucher, elle se demanda si elle devait l'y suivre, afin de surveiller ce qu'il y ferait. Cette histoire de papiers n'était-elle pas une ruse pour fouiner dans sa vie et tenter de découvrir quelque chose qu'il pourrait utiliser contre elle ? C'était peut-être la raison pour laquelle il s'était subitement montré moins agressif : pour apaiser ses soupçons. Elle sentit sa colère enfler.

Tandis qu'elle s'apprêtait à lui emboîter le pas, le téléphone sonna. Elle aurait voulu pouvoir suivre Jack, mais si elle ne répondait pas à cet appel, il risquait d'entendre le message qu'on lui laisserait sur le répondeur. Elle se hâta donc vers la cuisine où se trouvait le combiné. Son « Allô » lui donna l'impression de résonner dans l'appartement silencieux.

— Ne me dis pas que ce type qui s'est fait assassiner est le fameux docteur BeauGosse de la clinique ?

Molly... À pleine puissance.

— Si... c'est lui, répondit Lake en baissant la voix.

— Mais pourquoi est-ce que tu chuchotes ?

— Jack est ici. Pour prendre des papiers. Du moins, c'est ce qu'il prétend.

— Qu'est-ce que tu entends par « c'est ce qu'il prétend » ?

— Je te raconterai plus tard.

— OK, alors revenons à ce docteur BeauGosse. Pourquoi ne m'as-tu rien dit ?

— J'allais le faire, mais ça a été la panique, ces derniers temps. Est-ce que je peux te rappeler plus tard ? Il faut que je raccroche.

— OK. Mais tu n'oublies pas, hein ? Salut.

— Quelque chose ne va pas ? dit Jack derrière son dos, la faisant presque sursauter.

Le téléphone toujours à la main, Lake se retourna vivement. Il se tenait dans l'embrasure de la porte de la cuisine, avec deux chemises cartonnées sous le bras. Il avait penché la tête en signe de curiosité.

— Comme je te l'ai dit, je suis très occupée, aujourd'hui. Est-ce que tu as trouvé ce que tu cherchais ?

— Yep. Merci. Et, à propos, je finalise l'achat de mon nouvel appartement la semaine prochaine. Je passerai donc bientôt chercher le restant de mes affaires.

— Parfait, dit-elle en le raccompagnant à la porte.

Il croyait quoi ? Qu'elle allait lui baiser les mains en signe de gratitude ?

— Tu prévois d'assister à la journée des parents organisée par le camp de vacances, samedi ? lui demanda-t-il.

— Bien entendu, répliqua-t-elle d'un ton incrédule, tandis que son sang approchait le niveau d'ébullition. Tu pensais que j'allais passer ma journée à faire du shopping avec toutes les autres mères indignes ?

Elle regretta aussitôt sa remarque. Hotchkiss l'avait pourtant prévenue contre ce genre de débordements.

— Arrête de tout prendre aussi personnellement, Lake, dit-il en s'immobilisant dans l'entrée. Tu comptes faire un simple aller-retour ou tu envisages d'utiliser la maison, ce week-end ?

Quoi encore, se demanda-t-elle.

— Pourquoi ?

— Parce que si tu ne prévois pas d'y aller ce week-end, j'aimerais pouvoir y passer la nuit de vendredi. Je dois me rendre à Boston juste après la visite au camp et je préférerais ne pas avoir à effectuer deux aussi longs trajets dans la même journée.

— J'ai effectivement prévu d'utiliser la maison ce week-end, mentit-elle.

Il observa son visage durant quelques secondes, sans qu'elle comprît vraiment ce qu'il pouvait y chercher. Un signe qui trahirait son mensonge ? Elle aurait tellement voulu qu'il soit déjà dehors.

— Très bien, finit-il par dire froidement.

Il avança alors la main vers la poignée de la porte, puis se ravisa.

— Tu viens ?

— Qu'est-ce que tu veux dire ? s'étonna-t-elle.

Cette simple rencontre avait pris la tournure d'une joute verbale simplement destinée à la déstabiliser, se dit-elle.

— Tu disais que tu devais retourner chez ton client.

— C'est ce que je vais faire, répliqua-t-elle, en se souvenant de son premier mensonge. Mais il faut d'abord que je l'appelle.

Quand il fut parti, elle s'adossa quelques minutes contre le chambranle de la porte, soulagée. Puis elle se hâta vers sa chambre et ouvrit en grand la porte de l'armoire. La vieille mallette noire était exactement à l'endroit où elle se souvenait de l'avoir laissée, légèrement de guingois peut-être, comme si elle avait été replacée sans précaution. Elle parcourut des yeux le reste de la pièce. Un mois auparavant, elle en avait complètement revu la décoration. Elle était désormais toute blanche et peu meublée, tout à fait différente de ce à quoi elle ressemblait quand elle la partageait encore avec Jack. Mais aujourd'hui, le désordre y régnait, y compris sur la commode où avaient été abandonnés différents papiers : une facture provenant de Starbucks, une coupure de presse déchirée dans le *Wall Street Journal*... Elle s'approcha pour les examiner. Elle aurait juré qu'on les avait déplacés. Jack avait donc bien fait son fouineur.

Elle retira ses chaussures et s'affala sur le lit. Toutes les composantes de sa vie lui semblaient avoir quelque chose de kafkaïen désormais : le comportement de Jack, la mort de Keaton... Elle repensa à son mensonge quant à l'occupation de leur maison des Catskills durant le week-end. Le camp de vacances des enfants n'était qu'à une demi-heure de celle-ci, mais elle avait initialement projeté de faire un aller-retour en voiture dans la journée, depuis Manhattan. Durant tout l'été, elle avait évité de se rendre dans leur résidence secondaire, surtout par peur des souvenirs que cela pourrait lui rappeler. Mais, après tout, ça lui ferait peut-être du bien de s'y retrouver. Cette maison avait toujours constitué un refuge pour elle, et c'était exactement ce dont elle avait besoin en ce moment. Au moins, rien de ce qui s'y trouvait ne lui rappellerait l'assassinat de son amant ou les ennuis dans lesquels elle était plongée. Et puis, ça ferait du bien à Smokey de se balader un peu dans la campagne. D'ailleurs, qu'est-ce qui l'empêchait d'y partir dès maintenant ?

Il ne lui fallut pas plus d'une demi-heure pour rassembler ses affaires. Elle y ajouta ses dossiers et son ordinateur portable, dans l'espoir qu'elle parviendrait à peaufiner sa présentation au cours du week-end. Elle décida aussi d'emporter une glacière dans laquelle elle déposa un petit steak congelé et une tête de laitue. Comme à son habitude, Smokey se fit tirer l'oreille pour entrer dans son panier de voyage et elle dut négocier quelques minutes avant qu'il accepte de s'y installer.

— Tu vas pouvoir te balader dans la nature toute la nuit si tu veux, Smokey. C'est pas chouette, ça ?

Une dizaine de minutes plus tard, elle était dans le parking souterrain et attendait que le voiturier lui avance sa voiture. Il lui apparut alors que le fait de quitter la ville allait l'éloigner des gens de la clinique. Or, c'était eux qui apprendraient en premier les progrès réalisés par les enquêteurs sur le meurtre du docteur. De plus, Roxbury était très mal desservi par le réseau téléphonique et, le cas échéant, elle ne pourrait donc recevoir aucun appel de leur part. Elle réfléchit à cette situation durant quelques minutes et décida d'appeler la clinique. Elle demanda à parler à Maggie.

— Je voulais juste vous prévenir que j'allais passer le week-end dans ma maison des Catskills, lui dit Lake. Le réseau téléphonique de Roxbury est plutôt mauvais et je me suis dit qu'il était préférable que je vous donne le numéro de ma ligne fixe, là-bas, au cas où vous auriez besoin de me joindre.

— Est-ce que l'un des médecins est censé vous contacter ? lui demanda Maggie.

— Euh… non. Je me dis juste qu'il serait préférable que vous ayez mon numéro. Au cas où quelqu'un aurait besoin de moi, vous voyez.

— Très bien, dit-elle gracieusement. Mais je suis quasiment certaine que ce ne sera pas utile. Puisque nous n'effectuerons aucun transfert d'embryons aujourd'hui, le docteur Levin a donné à tout le monde sa demi-journée. Il a pensé qu'une petite pause nous ferait du bien à tous.

Lake laissa par ailleurs un message sur la boîte vocale de Molly, afin de lui exposer ses projets et de lui promettre qu'elle lui ferait un récit circonstancié de ses aventures un peu plus tard.

La circulation en direction du nord était dense. Lake parvint néanmoins à couvrir la première moitié du trajet en un peu plus de deux heures. Quand elle sortit de l'autoroute et se retrouva sur les routes de campagne qui traversaient les Catskills, son anxiété fit place à un vrai sentiment de plaisir. Un fleuve de *sève*… Selon elle, il n'y avait pas de mot plus juste pour décrire le paysage qui s'étendait sous ses yeux, avec ses pins à perte de vue qui embrassaient la montagne sur les flancs de laquelle serpentait

LIBRAIRIE RENAUD-BRAY

Carrefour Laval
3035, boul. Le Carrefour
Laval,Québec H7T 1C8
Tél : (450) 681-3032

COUPON CADEAU

Date : 2015-12-13 15:39:54   Facture : 64669541
Operateur : LV-Enzo D.

Qté	Code	Description
1.000	390091824	Hush

Pour la période des fêtes,
les achats effectués entre le 1er novembre 2015 et
le 31 decembre 2015 pourront être retournés
jusqu'au 26 janvier 2016 inclusivement, à l'exception
du 26 décembre.
Les transactions effectuées au Boxing Day sont finales.
Produit scellé dans l'emballage d'origine requis
pour échange de CD, CD-ROM, DVD, jeux, jouets.
Les journaux, magazines et produits échangés sont
des ventes finales.

Joyeuses fêtes!
Site internet : www.renaud-bray.com
IPS : 135225548
TVQ : 1010962095

la route. La température y était aussi beaucoup plus agréable qu'en ville et elle baissa sa vitre pour respirer l'air frais des hauteurs.

Rien n'avait changé depuis sa dernière visite. À vrai dire, rien n'avait changé depuis des lustres. Les villages qu'elle traversa semblaient n'avoir pas évolué depuis les années 1950, avec leur unique épicerie-droguerie-bazar, leurs maisons en bois peint et leur petit pont métallique rouillé. Elle et Jack avaient acheté leur résidence de Roxbury dix ans auparavant, principalement au regard du faible prix de l'immobilier dont bénéficiait l'endroit, mais elle était peu à peu tombée amoureuse de la région qui lui rappelait les paysages de la Pennsylvanie de son enfance.

Jack, en revanche, avait fini par s'en lasser. « Tous les restaurants du coin ont l'air de vieux wagons en bois », avait-il remarqué d'un ton geignard, à l'occasion de l'une de leurs escapades dans les Catskills, quelques mois avant leur séparation. Elle n'avait pas été vraiment surprise quand il lui avait annoncé qu'elle pouvait garder la maison.

Juste avant d'atteindre Roxbury, elle s'arrêta dans une ferme pour y acheter quelques tomates et des fruits. Quand elle entra dans le village, quelques minutes plus tard, il lui parut étonnamment désert. Comme à chaque fois au mois d'août, une fine couche de poussière semblait l'envelopper.

La maison se situait à la sortie du village. À l'époque où ils avaient cherché à acheter une résidence secondaire, Jack et elle ne pouvaient pas encore se permettre d'en choisir une dotée d'un grand terrain. Ils avaient donc arrêté leur choix sur une adorable masure coloniale située dans un petit hameau, juste en face d'un minuscule square pompeusement dénommé « parc du village » et garni de deux ou trois vieux bancs en bois fatigués. La maison n'offrait que peu d'intimité, mais le jardinet situé sur l'arrière était suffisamment spacieux pour que les enfants puissent y courir. Et puis, elle adorait leurs voisins, David et Yvon, un couple homosexuel d'une cinquantaine d'années.

Le fait de revoir la maison provoqua en elle un sentiment étrange, mais bienfaisant. Alors qu'elle déchargeait ses valises, après s'être garée dans l'allée, elle entendit quelqu'un approcher. En se retournant, elle aperçut David qui se dirigeait vers elle.

— Bonjour belle étrangère, lui dit-il en l'embrassant. Tu nous as incroyablement manqué.

— Et vous de même. C'est tellement gentil à vous de garder un œil sur la maison, quand je n'y suis pas. Vous êtes vraiment adorables.

— On ne pensait pas te voir ce week-end. Dois-je en déduire que nous allons profiter de ta présence un peu plus souvent ?

— Oui, ça fait partie de mes nouvelles résolutions – même si j'ai décidé de venir aujourd'hui plutôt sur un coup de tête. Je dois assister à la journée des parents organisée par le camp de vacances, demain. Et si vous veniez boire un verre ce soir ?

Elle avait initialement projeté de passer la soirée en solitaire, mais elle ne put résister à la perspective de passer un bon moment avec Yvon et David, à bavarder à la fraîche.

— Rien ne me ferait plus plaisir, mais nous venons d'apprendre que la mère d'Yvon a été hospitalisée. Il ne s'agit sans doute que d'un calcul rénal de plus, mais il faut néanmoins que nous retournions en ville dès aujourd'hui.

— Eh bien, ce n'est que partie remise, dit-elle, déçue. J'espère que ce n'est pas grave.

— Oh, je suis certain que nous allons la trouver en pleine forme. En revanche, je ne sais pas si je pourrai en dire autant après avoir passé le week-end à l'hôpital, en attendant que le fichu caillou veuille bien sortir. Et toi ? Comment ça va ces temps-ci ?

— Mieux. Bien mieux, même.

— Et ça va aller si on te laisse toute seule ?

— Bien sûr, répondit-elle. J'ai déjà passé plein de week-ends sans Jack, dans cette maison.

— Je préfère te prévenir que le quartier risque d'être plutôt désert. Jean ne vient pas ce week-end et les Perry sont apparemment à un mariage à Dallas, ajouta-t-il en souriant. Bon, il vaudrait mieux que je file, sinon Maman Ourse va s'énerver.

Il repartit chez lui à petites foulées. Quant aux autres voisins, Lake constata qu'effectivement ni Jean Oran ni les Perry n'étaient là. Elle laissa errer son regard de l'autre côté du square. Généralement, il s'y trouvait toujours quelques gamins à pousser un ballon ou des gens lézardant au soleil sur les vieux bancs. Mais aujourd'hui, l'endroit paraissait abandonné. À l'exception de deux écureuils qui se couraient après, elle n'y nota aucun signe de vie.

S'il vous plaît, pensa Lake en déverrouillant la porte d'entrée de la maison, ne me dites pas que c'était une folie de venir ici toute seule.

8

La maison sentait à la fois le renfermé et le citron, signe que la femme de ménage que Lake avait conservée durant l'été avait dû nettoyer tout ce qui lui tombait sous la main, sans jamais aérer la maison. Lake posa la glacière sur la table de la cuisine et retourna vers sa voiture pour y chercher son sac de voyage et le chat.

— Voilà, Smokey, tu peux sortir de là maintenant, dit-elle en ouvrant le panier qui avait servi à le transporter. À toi la liberté et l'air pur !

L'animal risqua quelques pas prudents dans la cuisine. Durant plusieurs minutes, il se contenta de faire le tour de la pièce en observant les lieux et en tendant le museau. Puis, pris d'une audace subite, il poussa la porte de la chatière ménagée dans la porte et disparut dans la nature. Les premiers temps, elle avait eu peur de le laisser se balader dehors, mais tout s'était toujours bien passé, si l'on omettait les occasionnels cadavres de souris et d'oiseaux que l'animal rapportait fièrement.

Après avoir vidé la glacière et ouvert quelques fenêtres au rez-de-chaussée, Lake fit l'inspection des différentes pièces.

La maison ne leur avait pas coûté très cher, mais ses proportions étaient parfaites et elle avait été magnifiquement rénovée. À gauche du hall d'entrée s'ouvrait un spacieux salon doté d'une cheminée. À l'opposé, il y avait une petite bibliothèque et une salle à manger. La cuisine était située sur l'arrière de la maison et, malgré sa taille modeste, elle possédait indéniablement ce que les agents immobiliers appelaient un « charme campagnard ». Elle s'ouvrait sur un minuscule bureau pourvu d'un poste de télévision. Mais la pièce préférée de Lake était la véranda qui courait le long de la façade arrière. Dès qu'elle pouvait s'y installer pour lire ou tout simplement rêver dans l'un des grands fauteuils en osier qui y avaient été disposés, elle se trouvait instantanément transportée chez sa grand-mère, au cœur de la Pennsylvanie.

Cela faisait au moins quatre mois qu'elle n'avait pas mis les pieds dans leur résidence secondaire. Elle s'était abstenue d'y revenir par crainte d'y retrouver des souvenirs encore difficiles à affronter. Mais, ce jour-là, ce ne fut pas le chagrin qui l'envahit. Plutôt une sorte de *gêne*. La maison lui parut presque étrangère, comme si elle lui apparaissait dans un rêve dans lequel tous les objets, pourtant familiers, semblaient légèrement déplacés, anachroniques. Attends quelques minutes, se dit-elle pour se rassurer. Tu adores cet endroit, mais il va te falloir un peu de temps pour t'y sentir à nouveau chez toi.

En se versant un verre d'eau du robinet dans la cuisine, elle remarqua une petite tache violacée sur l'émail de l'évier. Qu'est-ce qui avait pu la causer ? Des mûres ? Elle n'en avait plus aucune idée.

Sans lâcher son verre, elle monta son sac de voyage à l'étage. Les escaliers craquèrent et gémirent sous ses pas, dérangés par ce fardeau inattendu. Quand elle approcha de la porte de la chambre à coucher principale, elle sentit son estomac se serrer. C'était à cette pièce, bien plus qu'à sa chambre de New York, qu'elle associait la fin de son mariage. Parce que c'était ici, le week-end, que Jack et elle faisaient le plus souvent l'amour. C'était aussi dans ce lit que son mari l'avait repoussée pour la première fois.

Elle pénétra dans la pièce. En apercevant le lit et son édredon bleu pâle, sa respiration s'accéléra. Instantanément, elle repensa non pas à Jack, mais à Keaton. Elle revit sa gorge béante et son corps inerte gisant sur les draps ensanglantés.

Mais pourquoi suis-je donc venue ici ? Pétrifiée, elle étouffa une violente envie de hurler.

Il fallait qu'elle élabore un plan, quelque chose qui pourrait l'aider à ne pas devenir complètement folle. Elle réussit finalement à pivoter et traversa le palier en direction de la chambre d'amis. Désormais, je dormirai dans celle-ci, décida-t-elle en déposant son sac de voyage sur un coffre en bois. Elle commencerait par réaménager la pièce et s'occuperait plus tard du jardin. Ensuite, il serait temps de dîner et de se mettre au lit. Demain, quand elle serait plus calme, elle s'attellerait à sa présentation.

Après avoir changé les draps dans la chambre d'amis et y avoir transporté toutes ses affaires, elle enfila un short, un tee-shirt et une vieille paire de gants de jardinage. Alors qu'elle poussait la porte donnant sur la véranda, le téléphone sonna, la faisant sursauter. Ça ne peut pas être la police, pensa-t-elle aussitôt, avant de se reprocher sa nervosité. Les flics n'avaient aucune idée de l'endroit où elle se trouvait – à moins, bien sûr, d'avoir parlé avec Maggie.

Elle poussa un soupir de soulagement quand elle entendit la voix de Molly à l'autre bout du fil.

— Alors ? Je suis sur des charbons ardents, s'écria son amie. Raconte-moi tout !

— Tu ne m'as pas vraiment l'air d'être sur des charbons ardents, répondit Lake. Je dirais plutôt que tu te trouves dans une voiture.

— Je suis en route pour la poissonnerie de la Neuvième Avenue. J'organise un dîner, ce soir. Alors, parle-moi de la petite visite de Jack. Qu'est-ce qu'il te voulait ?

— Il a prétendu avoir besoin de divers papiers, mais ça m'a semblé un peu louche.

— Comment ça, louche ?

— Comme s'il avait besoin d'une excuse pour passer.

— Comme s'il voulait que vous vous remettiez ensemble ?

— Tu veux rire ou quoi ?

— Bah, non. Comment s'est-il comporté avec toi ?

— Molly, tu ne peux pas être sérieuse. Nous parlons d'un type qui vient tout juste de demander la garde exclusive des enfants. Ce n'est pas exactement le genre de stratégie d'approche qui va me donner envie de revenir.

— Oh, les mecs ne se comportent jamais très logiquement, dès qu'il s'agit de nanas.

— Non, tu peux me faire confiance, ce n'est pas dans ses intentions. Je crois plutôt que sa visite était une ruse visant à lui permettre de fouiner dans l'appartement. Pour en savoir un peu plus sur ce que je deviens.

— Tu veux dire pour essayer de trouver des preuves qui t'incrimineraient ?

— Peut-être… Oh, et puis je n'en sais rien. Aujourd'hui, cet homme est un parfait étranger pour moi et je suis bien incapable de le décrypter.

— Alors… Et s'il tentait effectivement de revenir vers toi ? Tu accepterais ou quoi ?

Un mois auparavant, elle aurait peut-être répondu par l'affirmative, mais elle comprit soudain que les récentes démarches de Jack concernant la garde des enfants avaient anéanti les derniers sentiments qu'elle avait pour lui.

— Non. Jamais. Au grand jamais.

— OK, OK. Bon, parle-moi du meurtre alors. Le *Post* dit que les flics n'ont aucune piste quant à l'identité du meurtrier. C'est vrai, ça ?

Lake aurait tellement voulu ne pas avoir à évoquer Keaton !

— Je n'en ai pas la moindre idée. Les policiers ont interrogé tout le monde à la clinique, mais il est probable qu'ils ne vont pas nous tenir au courant de leurs avancées.

L'espace d'un bref instant, elle ressentit le violent besoin de tout révéler à Molly. En lui avouant ce qui s'était passé, elle pourrait lui demander conseil et peut-être même alléger cet effroyable poids qu'elle sentait dans son ventre. Mais elle se ravisa. Son amitié avec Molly était encore trop récente, et elle ne savait pas si elle pouvait totalement se fier à elle. Et puis, elle ne voulait pas placer son amie dans une situation délicate vis-à-vis de la police.

— Comment tu prends tout ça ? demanda Molly. Ça doit être horrible pour toi.

— Euh… oui. Le personnel de la clinique semble totalement traumatisé par cette histoire.

— Mais *toi*, personnellement ? Ce type te faisait les yeux doux, non ? Ça doit être épouvantable.

— Ce n'est pas non plus comme si je le *connaissais*, s'empressa d'ajouter Lake, qui nota le ton défensif qu'elle avait adopté malgré elle. Et, s'il te plaît, cesse de dire qu'il me faisait les yeux doux. Je n'ai vraiment pas besoin de ce genre de rumeur.

— Mais tu ne fais pas partie des suspects, hein ?

— *Bien sûr* que non. Mais la situation est assez compliquée comme ça.

Soudain, elle eut envie de raccrocher. Toute cette conversation avec Molly lui rappelait trop de souvenirs affreux.

— Écoute, je ferais mieux d'y aller, dit Lake brutalement. J'ai un tas de choses à faire dans la maison.

— Ça ne t'ennuie pas d'y être toute seule ? Tu n'as pas peur au moins ?

Mon Dieu, songea-t-elle, cette discussion va de mal en pis !

— Non, non. Tout va bien. J'y suis venue très souvent sans Jack. C'est vrai que j'étais à chaque fois avec les enfants, mais je ne me suis jamais sentie mal à l'aise dans cette maison.

— Et puis Smokey est un chat d'attaque, pas vrai ? Je suis certaine qu'il saurait te protéger en cas de problème.

— La seule chose qui l'intéresse pour le moment, c'est d'attraper de pauvres moineaux. Bon, il faut que j'y aille. Je t'appelle demain, d'accord ?

Dès qu'elle eut reposé le combiné, elle regretta d'avoir été aussi abrupte avec son amie, mais cette conversation était décidément trop éprouvante. Elle se demanda s'il était possible que la police contacte ses amis pour les besoins de l'enquête. Elle voyait déjà Molly raconter à l'inspecteur Hull comment elle avait essayé de persuader sa copine de flirter avec Keaton. Merveilleux…

Au cours des heures qui suivirent, Lake s'employa au jardin, arrachant les mauvaises herbes et faisant quelques boutures çà et là. À un moment, Smokey montra le bout de son museau et vint ronronner contre ses mollets. Elle se rendit compte que cette petite caresse de fourrure noire et soyeuse était la seule marque de réconfort dont elle avait bénéficié au cours des deux derniers jours.

— Es-tu content d'être revenu ici, Smokey ? lui demanda-t-elle.

Il lui adressa un bref miaulement avant de disparaître à pas de loup dans un massif de digitales fanées.

Elle retourna à ses mauvaises herbes en essayant de se concentrer sur sa tâche, mais ses pensées ne cessaient de revenir à Keaton et à la police. Était-il opportun de contacter un avocat spécialisé en pénal pour obtenir quelques conseils sous le sceau de la confidentialité ? Mais les avocats avaient l'obligation de dénoncer les crimes dont ils avaient connaissance, non ? Et n'en avait-elle pas commis un en ne se présentant pas à la police ?

Le soleil commençait à décliner dans le ciel et elle rentra pour prendre une douche dans la salle de bains attenante à la chambre d'amis. Si seulement ils pouvaient arrêter le meurtrier, tout serait résolu, se lamenta-t-elle en savonnant ses ongles noirs de terre. Dans ce cas, tout le monde se ficherait de savoir qui se trouvait dans le lit de Keaton ce soir-là. Elle jeta un coup d'œil à sa montre : presque six heures du soir. La maison disposait de la télévision par satellite et elle pourrait regarder les informations locales de New York. Peut-être y avait-il du nouveau ? Après avoir enfilé un peignoir, elle dévala les escaliers pour s'installer devant la télé, dans le petit bureau.

La grande nouvelle du jour concernait un carambolage sur le pont du Tappan Zee, mais le meurtre de Keaton figurait juste après, avec reportage en direct depuis les abords de l'immeuble de la victime. Lake fit la grimace à la vue de ces images trop familières.

— Cela fait plus de deux jours que le docteur Mark Keaton, expert renommé en matière de traitement de la stérilité, a été découvert, sauvagement assassiné, dans son loft de SoHo, annonça le journaliste. Mais la police n'a encore procédé à aucune arrestation et, à cette heure, il n'existe toujours pas de suspect.

Avant même que le reportage ait pris fin, Lake regretta d'avoir allumé le téléviseur. Demain, les enfants auraient besoin d'elle, et il fallait qu'elle trouve un moyen pour qu'ils ne remarquent rien. Elle se cala dans le fauteuil, ferma les yeux et essaya d'expulser Keaton, Hull et McCarty de son esprit.

Un peu plus tard, après s'être rhabillée, elle sortit le barbecue du petit garage jouxtant la maison, afin de l'installer près de la véranda. Elle alluma le charbon de bois et attendit quelques instants que les flammes laissent place à la braise. L'odeur du barbecue avait généralement le pouvoir de faire accourir Smokey, mais il était manifestement trop occupé pour le moment. Lake laissa ses yeux errer jusqu'au bout du jardin, puis vers la cime de l'érable. Le soleil était désormais couché, mais le ciel avait encore ce bleu laiteux, comparable à celui de certains coquillages. Par des nuits comme celle-ci, toute la famille s'installait dans le jardin, à l'arrière de la maison, pour admirer les étoiles et observer les lucioles s'allumer une à une. Ce souvenir lui serra le cœur.

Quand les braises furent prêtes, elle posa le steak sur la grille. Puis elle trancha quelques tomates et s'installa un couvert sur la table située dans la véranda. Elle s'était déjà retrouvée bien des fois toute seule à cette place – à chaque fois que Jack était resté en ville pour travailler et que les enfants étaient couchés. À cette époque, elle appréciait ce calme, mais, ce soir, un terrible sentiment de solitude la terrassa.

Quelle bêtise d'être venue ici toute seule ! se reprocha-t-elle. Et dire qu'elle ne l'avait décidé que pour embêter Jack ! Comment avait-elle pu imaginer que le fait de se retrouver seule, à la campagne, pourrait lui faire du bien ? Au moins, en ville, elle aurait pu aller déjeuner avec Molly ou se faire une toile. Il est hors de question que je passe la soirée de samedi ici, se dit-elle. Quand elle en aurait terminé avec les activités organisées pour la journée des parents, elle reviendrait ici, mettrait Smokey dans la voiture et filerait vers New York.

Elle avala sans plaisir son steak et sa salade qu'elle accompagna d'un verre de vin. Une fois la table débarrassée, elle éminça un morceau de bœuf pour Smokey et le mit dans une assiette qu'elle plaça dans la véranda, en prenant soin de laisser la porte entrebâillée.

— Smokey, appela-t-elle dans l'obscurité qui avait envahi le jardin. Viens vite.

D'habitude, il avait un instinct infaillible pour détecter un bon repas et elle s'attendait à le voir surgir de la nuit dans les secondes suivantes ; mais il ne se montra pas, même après qu'elle l'eut appelé à nouveau.

Elle rentra, se versa un autre verre de vin puis regagna son fauteuil dans la véranda. Les grillons et les crickets avaient déjà entonné leur concert cacophonique. Fichu chat ! maugréa-t-elle. Il lui faisait sans doute payer une si longue privation de nature.

Quand elle eut terminé son verre, son mécontentement se transforma en inquiétude. Cela faisait maintenant plus de quatre heures qu'elle n'avait pas vu le chat, et c'était la première fois qu'il s'éloignait aussi longtemps, même quand il avait décidé d'être pénible. S'était-il perdu ? Pire, était-il blessé ? Elle poussa un soupir : pas d'autre choix que d'aller le dénicher.

Après avoir exhumé une lampe de poche de l'un des tiroirs de la cuisine, elle partit à sa recherche en commençant par le jardin situé sur l'arrière de la maison. Elle orienta sa lampe en direction des arbres, puis des buissons qui faisaient office de clôture entre son terrain et celui d'Yvon et David. C'était une nuit sans lune, mais des centaines d'étoiles brillaient dans le ciel.

— Allez, Smokey, viens ici tout de suite, appela-t-elle d'une voix irritée.

Elle tendit l'oreille dans l'espoir d'entendre un miaulement, mais sans résultat. Dans la rue, au-delà du jardin, elle entendit une portière de voiture claquer, puis le grondement d'un moteur. Quand le véhicule se fut éloigné, seule la mélodie des grillons continua à rompre le silence.

Génial, se dit-elle. Je n'avais vraiment pas besoin de ça.

Grâce à une trouée dans les buissons, elle passa dans le jardin de ses voisins et laissa le faisceau de sa lampe danser sur leur pelouse. Rien à signaler, hormis des massifs d'asters et de marguerites. De là, elle coupa à travers le terrain de Jean Oran, puis gagna le jardinet des Perry. Soudain, une lumière s'alluma sur la façade de ses voisins et elle comprit qu'elle l'avait elle-même déclenchée en passant à proximité.

Jusqu'alors, l'obscurité ne lui avait jamais fait peur, mais, là, elle se sentait mal à l'aise. Surtout en sachant qu'aucun de ses voisins n'étaient chez lui. Elle s'apprêtait à faire demi-tour et à rentrer chez elle quand elle entendit un bruissement de feuilles dans les buissons plantés au bout du jardin des Perry. Elle pivota vivement en pointant le faisceau de sa lampe en direction du bruit.

Il y eu encore un frémissement, suffisamment fort pour qu'elle en déduise qu'il provenait de quelque chose de plus gros qu'un chat. Elle retint sa respiration. Un raton laveur surgit de la haie, la faisant sursauter. Elle revint vers la maison presque en courant.

— Smokey, tu vas passer un sale quart d'heure, murmura-t-elle entre ses dents.

Elle était vraiment inquiète. Et si le chat avait été heurté par une voiture ? Elle attrapa ses clefs et se dirigea vers son véhicule. Elle roula jusqu'au bout de la rue et fit plusieurs fois le tour du square, en regardant partout. Elle emprunta aussi les rues adjacentes, puis celles qui cernaient les pâtés de maison suivants. Aucun signe de l'animal. Aucun signe du tout, d'ailleurs, même si elle aperçut la lumière bleutée d'un écran de télévision dans quelques villas. Une demi-heure plus tard, priant pour que Smokey soit enfin revenu, elle rentra chez elle en passant par la porte de la cuisine, située sur le côté de la maison. Toujours pas de chat. Elle commençait à avoir l'impression que tout se liguait contre elle.

Elle s'assit devant la table de la cuisine et, posant les paumes sur ses yeux, elle tenta de réfléchir à une stratégie. Si, au matin, le chat n'était toujours pas rentré, elle ferait le tour du quartier en voiture avant de se rendre au camp de vacances des enfants. Peut-être même mettrait-elle quelques affiches aux alentours pour signaler sa disparition. Si ce plan ne marchait pas, il faudrait qu'elle revienne à la maison après la journée au camp et qu'elle reprenne ses recherches.

S'il te plaît, Smokey, reviens, pria-t-elle à voix haute.

Elle boucla les portes pour la nuit et se versa un verre de lait pour l'emporter dans sa chambre. Avant de monter les escaliers, elle jeta un dernier coup d'œil dehors, par l'une des fenêtres de la cuisine dont elle n'avait fermé que la moustiquaire. Avant, la nuit, ils laissaient toujours les fenêtres ouvertes, mais ce soir, cette situation la rendait un peu nerveuse. Elle ferma donc une à une les ouvertures, en prenant soin de les verrouiller. Alors qu'elle repoussait le battant de la dernière, elle entendit le chant déchirant d'un engoulevent. En toute autre occasion, ce cri l'aurait emplie de joie. Ce soir, il ne fit qu'augmenter son angoisse.

Une fois dans sa chambre, elle passa une chemise de nuit en coton et se glissa entre les draps. Elle avait apporté un roman, mais ses yeux refusaient de se fixer sur les mots. De temps à autre, elle reposait le livre et tendait l'oreille, dans l'espoir d'entendre Smokey qui rentrait au bercail par la chatière. Les seuls bruits qui lui parvinrent de l'extérieur furent des éclats de rire provenant sans doute d'une bande d'adolescents en goguette. À minuit, elle redescendit une ultime fois pour voir si Smokey avait fini par rentrer, tout penaud, mais la maison était vide.

Tout à coup, peu avant une heure du matin, alors qu'elle allait éteindre sa lampe de chevet, elle entendit le chat miauler au rez-de-chaussée. Soulagée, elle bondit du lit, alluma la lumière du palier et se rua en bas.

Il lui avait semblé que le miaulement provenait de la cuisine et qu'il était un peu plaintif, comme pour indiquer une souffrance. Il s'amplifia soudain jusqu'à s'apparenter à un hurlement. Quand elle atteignit le rez-de-chaussée, elle entendit le chat se précipiter dans le salon. Super, pensa-t-elle. Il m'a encore rapporté un animal moribond et il ne sait plus quoi en faire.

— Viens Smokey, appela-t-elle en s'approchant.

La lumière de la cage d'escalier n'éclairait que le seuil du salon et elle ne parvenait pas à distinguer où s'était caché l'animal. Durant quelques secondes, il n'y eut aucun bruit, puis le chat poussa un gémissement depuis l'autre bout de la pièce. Lake chercha à tâtons l'interrupteur de la lampe posée sur un guéridon et, quand la lumière s'alluma, elle chercha l'animal des yeux. Aucun signe de Smokey.

— Smokey, qu'est-ce qu'il y a, minou ? dit-elle en avançant de quelques pas dans le salon.

Brusquement, le chat surgit de sous un fauteuil et Lake porta la main à sa bouche en le voyant. Dans la pénombre, elle distinguait que la couleur de l'animal avait changé : son pelage noir était désormais d'un gris pâle rosé. Tandis qu'il se blottissait dans un coin, elle comprit soudain avec horreur que ce qu'elle apercevait n'était pas de la fourrure, mais de la peau. À l'exception de sa tête et de ses pattes, il n'avait plus aucun poil.

9

La première pensée qui lui vint à l'esprit fut que Smokey s'était fait attaquer par un autre animal, mais en s'approchant de lui, elle constata que l'intégralité de son pelage avait disparu, pas seulement des touffes de poils çà et là. Elle remarqua aussi qu'il ne souffrait d'aucune blessure, pas même une égratignure. Ni un chien, ni un raton laveur n'auraient pu lui faire ça.

— Ça va aller, Smokey, dit-elle doucement.

Il s'était tapi dans un coin du salon et elle voyait qu'il tremblait. Elle fit un autre pas vers lui, mais l'animal se rua sous un fauteuil et se mit à gémir. Elle avait néanmoins réussi à le voir un peu mieux. Il avait des marques rouges sur la peau. Il avait été rasé. Sans doute au moyen d'un rasoir électrique. C'était donc un être humain qui lui avait fait ça.

La peur l'envahit et elle se retourna brusquement vers les larges baies vitrées qui encadraient la cheminée. Elles donnaient sur l'étroite bande de pelouse et de fleurs qui séparait sa maison de celle de David et Yvon. Mais, à cette heure, elle ne voyait que l'obscurité impénétrable. La personne qui avait fait ça était-elle encore dans les parages, en train de l'épier, peut-être, pour voir sa réaction ? Elle se précipita vers la fenêtre la plus proche pour fermer les doubles rideaux jaunes et fit de même avec toutes les ouvertures de la pièce. Smokey n'avait pas cessé de gémir. Elle alla ensuite vérifier que la porte d'entrée de la maison était bien verrouillée, de même que les deux issues situées dans la cuisine.

Qui donc avait pu faire une chose pareille ? Ça ressemblait à une farce, une farce cruelle et de très mauvais goût. Soudain, elle se souvint des rires d'adolescents qu'elle avait entendus depuis sa chambre à coucher, peu avant le retour de Smokey. Elle n'était plus seulement effrayée : maintenant, la fureur s'en mêlait.

Il faut que j'appelle la police songea-t-elle en revenant à grands pas vers le salon. Mais dès que ces mots eurent pris forme dans son esprit, elle sut qu'elle ne pouvait le faire. Son appel serait enregistré et, grâce à un réseau quelconque mis en place par la police, Hull et McCarty pourraient en avoir vent, ce qui n'était pas une bonne chose. Il lui était impossible de se signaler auprès d'eux, plus qu'elle l'avait déjà fait. Il fallait que sa vie ait l'air d'être parfaitement normale.

Smokey avait cessé de se plaindre, mais il restait terré sous le fauteuil. Lake décida d'essayer de l'entourer d'une couverture pour le calmer et éviter qu'il s'échappe.

Elle prit un plaid sur le canapé et s'agenouilla devant le fauteuil pour tenter de l'amadouer. Le chat poussa un petit cri plaintif, comme s'il voulait qu'elle le prenne dans ses bras. Mais dès qu'elle avança le bras vers lui, il la griffa, créant trois longues lignes rouges sur le dos de sa main.

— Mince, murmura-t-elle entre ses dents.

Elle se releva et souleva le fauteuil pour forcer l'animal à sortir de sa cachette. Quand il s'élança vers la porte du salon, elle jeta la couverture sur lui. Piégé, il se mit à miauler sauvagement. Elle le souleva en prenant soin de bien l'envelopper et s'affala sur le sofa en le serrant du mieux qu'elle pouvait sur sa poitrine.

— Là, minou, calme-toi, lui chuchota-t-elle en ménageant dans la couverture un trou pour qu'il puisse y passer sa tête.

Durant quelques minutes, il continua à se contorsionner entre ses bras pour tenter de se dégager, mais il finit par s'apaiser, comme vaincu par l'épuisement.

Elle le maintint contre elle pendant dix bonnes minutes, en le caressant à travers la couverture pour le rassurer. Durant tout ce temps, elle continua à tendre l'oreille pour distinguer des bruits éventuels provenant de l'extérieur, sachant que si elle entendait quelqu'un rôder autour de la maison, elle n'aurait pas d'autre choix que d'appeler la police.

Quand Smokey lui parut suffisamment calme, elle le transporta dans la cuisine et le glissa dans son panier de voyage. Elle se dit qu'il dormirait mieux là et qu'elle pourrait ainsi plus facilement le surveiller.

Pour sa part, elle se doutait que le sommeil ne serait pas au rendez-vous cette nuit-là, surtout si elle dormait à l'étage. Autant m'allonger sur le canapé, se dit-elle, afin de pouvoir détecter un éventuel rôdeur. Elle remonta néanmoins dans la chambre d'amis pour y chercher un oreiller, une couverture et un réveil. Il y avait une clinique vétérinaire qui ouvrait très tôt à une vingtaine de minutes de chez elle. Elle y emmènerait Smokey à la première heure, le lendemain matin, afin de s'assurer qu'il n'était pas blessé.

Au cours des heures qui suivirent, elle resta allongée sur le sofa, sans éteindre la lampe, avec le panier de Smokey à ses pieds. Elle repensa à son safari dans le jardin pour retrouver l'animal. Les adolescents qui avaient fait ça – si, toutefois, son hypothèse était juste – étaient-ils en train de l'épier, à ce moment-là ? Était-elle, sans le savoir, passée à côté d'un danger ?

Peu avant l'aube, alors que la lumière commençait à filtrer à travers les doubles rideaux, elle finit par s'abandonner à un sommeil agité qui ne lui apporta aucun repos. Une heure et demie plus tard, le chat la réveilla. Enfin, il avait retrouvé son miaulement habituel et ne gémissait plus. Elle se redressa péniblement et le libéra de son panier afin qu'il pût manger et faire ses besoins. Puis elle s'empressa de bloquer la chatière avec la poubelle. Elle avait du mal à imaginer qu'il pût jamais avoir envie de ressortir dans la nature, après une telle expérience. Vers 7 heures, elle le replaça dans son panier qu'elle transporta jusqu'à sa voiture et installa à côté d'elle, sur le siège passager.

Il n'y avait qu'un seul véhicule garé sur le parking de la clinique vétérinaire ; elle ne fut donc pas surprise de n'y trouver qu'un homme qui buvait un café, assis sur le rebord du bureau de la réception. Quand elle poussa la porte, il releva les yeux de son magazine et la salua d'un signe de tête. Il n'avait pas plus de trente ans et son visage rond était plutôt avenant.

— 'Jour, dit-il avec chaleur. Je suis le docteur Jennings. En quoi puis-je vous aider ?

— Des gens ont fait des misères à mon chat, répondit Lake. Ils… ils l'ont presque intégralement rasé. Il… mon chat s'appelle Smokey. Maintenant, il s'est à peu près calmé, mais je veux vérifier qu'il n'est pas blessé.

Le vétérinaire fronça les sourcils, à la fois surpris et choqué.

— Bon, voulez-vous bien venir avec moi, dit-il en penchant la tête en direction d'une salle située derrière la réception et en attrapant un formulaire sur le bureau. Il faudra que vous remplissiez ce document. La réceptionniste n'arrivera pas avant une heure.

Elle suivit le docteur jusqu'à une salle d'examen pourvue d'une table en inox fixée au mur. Jennings y déposa le panier.

— N'aies pas peur, Smokey, dit-il doucement en ouvrant délicatement le panier.

Le chat cracha et essaya de le mordre, mais le vétérinaire parvint à le saisir et à le maintenir dans une position qui sembla aussitôt calmer l'animal.

— Doux Jésus, dit-il à Lake en ouvrant de grands yeux. Qui lui a fait ça ?

Sa voix était devenue plus froide et elle se demanda s'il la soupçonnait d'en être responsable.

— Il est possible qu'il s'agisse d'un groupe d'adolescents, s'empressa-t-elle de répondre. Il me semble avoir entendu des rires de gamins tout près de la maison, juste avant que Smokey revienne. Peut-être traînaient-ils dans les parages, à la recherche d'un mauvais coup.

— Vous avez appelé la police ?

— Euh… non. Non, pas encore. Mais je vais le faire, bien entendu.

Jennings reporta son attention sur Smokey et palpa avec précaution la totalité de son corps, à la recherche de fractures éventuelles. Ses yeux suivaient le parcours de ses mains. Finalement, il releva la tête vers Lake.

— Je crois que vous vous trompez, dit-il abruptement.

Confuse, elle se figea. Était-il en train de la défier en prétendant qu'elle avait menti ?

— Que voulez-vous dire ?

— Que ç'aurait été trop difficile pour des mômes. Il est impossible de raser un chat aussi précisément, à moins de lui administrer préalablement un tranquillisant. À défaut, le chat paniquerait et il serait impossible de le maintenir.

— Est-ce que… Êtes-vous en train de suggérer que c'était prémédité ?

— C'est ce que je dirais. Ça m'ennuie de vous demander ça, mais avez-vous des ennemis ? Je veux dire, est-ce qu'un de vos voisins se serait plaint du chat récemment ? Les gens sont capables de faire des trucs horribles aux animaux qui les dérangent. Ils les empoisonnent, ils y mettent le feu…

Lake fut parcourue d'un frisson à cette idée.

— Tous mes voisins sont très gentils, s'indigna-t-elle faiblement. Et, en plus, ils sont absents ce week-end.

Mais son cerveau avait enregistré l'angoissante vérité : il ne s'agissait pas d'une mauvaise blague. Quelqu'un avait manigancé tout cela. Avec pour objectif de la terroriser.

— Et comment le coupable aurait-il pu endormir le chat ? demanda-t-elle.

Jennings haussa les épaules.

— Il aurait pu laisser traîner de la nourriture contenant un sédatif.

Puis il baissa à nouveau les yeux vers Smokey et se remit à le palper.

— Oh, attendez…

— Quoi ? ! s'écria Lake.

— Là, dit-il en appuyant le doigt sur une marque rouge située près des omoplates de l'animal. On dirait bien qu'il a reçu une injection.

Lake retint sa respiration.

— Écoutez, je crois que je vous ai fait vraiment peur, ajouta le vétérinaire. Voulez-vous que j'appelle la police ?

— Non, non, s'empressa de répondre la jeune femme. Je vous en suis reconnaissante, mais je connais les policiers de mon village. J'irai les voir en rentrant à la maison.

— Très bien. Comme vous voulez, dit-il en jetant un coup d'œil au chat. Laissez-moi juste terminer mon examen et vérifier que Smokey va bien.

Il saisit un instrument fixé au mur et l'utilisa pour examiner les pupilles du chat. Pendant ce temps, Lake s'assit sur le tabouret situé à proximité. Ses pensées se bousculaient.

Si tout cela avait été prémédité – et c'était la seule explication plausible, car personne ne se baladait par hasard dans une propriété privée, avec une seringue hypodermique et un rasoir électrique – alors cela signifiait que quelqu'un faisait tout son possible pour la rendre dingue. Cela avait-il quelque chose à voir avec la mort de Keaton ? Sa gorge se noua. Le meurtrier savait peut-être qu'elle se trouvait avec Keaton... et il l'avait suivie jusqu'à Roxbury. Elle repensa au trajet qu'elle avait parcouru, la veille. Elle ne se rappelait pas qu'une voiture l'ait suivie à aucun moment de son parcours, mais il est vrai qu'elle était perdue dans ses pensées et qu'elle n'aurait sans doute rien remarqué.

Bien sûr, ce n'était pas la seule hypothèse envisageable. Elle se souvint de sa conversation avec Maggie. Elle lui avait dit qu'elle partait pour sa résidence de vacances et lui avait même donné le nom du village. Elle lui avait aussi demandé d'en informer les gens de la clinique. Par ailleurs, Maggie avait indiqué que le centre fermerait tôt ce jour-là. Quiconque possédant une voiture aurait pu vérifier son adresse auprès des renseignements et trouver sa maison. Et puis, la moitié au moins des employés de la clinique savait qu'elle avait un chat.

Et ses enfants, se demanda-t-elle soudain avec effroi. Se pouvait-il qu'ils fussent en danger ? Elle devait partir au plus vite pour le camp de vacances afin de s'assurer qu'ils allaient bien.

— ... mais pas plus de deux par jour.

Elle releva vivement les yeux vers le docteur Jennings, désorientée. Celui-ci était en train de lui tendre une petite boîte blanche.

— Je vous prie de m'excuser. Pourriez-vous répéter, s'il vous plaît ?

— S'il vous paraît encore un peu stressé, vous pouvez lui donner l'une de ces pilules, mais pas plus de deux par jour.

Quelques minutes plus tard, elle roulait en direction de Roxbury, l'esprit toujours en proie à une foule d'interrogations. Elle aurait tellement voulu pouvoir boucler ses bagages et ne plus avoir à revenir. Mais elle ne pouvait pas emmener Smokey au camp de vacances. Non seulement il aurait été cruel de le laisser végéter dans son panier toute la journée, mais en plus, elle ne voulait surtout pas prendre le risque que les enfants l'aperçoivent dans cet état.

Elle gara la voiture devant la maison et scruta les environs. Ne notant rien d'anormal, elle pénétra à l'intérieur et déposa Smokey dans la cuisine, devant un peu de nourriture et un bol d'eau fraîche. Puis elle se hâta de retourner vers son véhicule.

Maintenant, elle avait dix minutes de retard. Elle essaya de les rattraper en conduisant aussi vite que possible, mais, préoccupée par ce nouveau soubresaut dans son cauchemar, elle avait du mal à maintenir le pied enfoncé sur l'accélérateur. Si c'était un employé de la clinique qui avait fait ça, quels pouvaient bien être ses *motifs* ? Parce qu'il était l'assassin de Keaton et savait qu'elle se trouvait avec lui cette nuit-là ?

Mais si le meurtrier savait qu'elle était dans l'appartement, quelle importance cela pouvait-il bien avoir ? Sans doute parce qu'il – ou elle – supposait que Lake le soupçonnait. Et puis, si elle constituait une menace potentielle, pourquoi s'en prendre à son chat plutôt qu'à elle-même ? Il devait s'agir d'un avertissement, pensa-t-elle : « Je sais que tu étais là et tu ferais mieux de la fermer… ou tu seras la prochaine victime. » Il était hors de question qu'elle laisse Hull et McCarty découvrir ce qui était arrivé à Smokey. Ils soupçonneraient aussitôt quelque chose de louche la concernant.

Juste avant de négocier l'un des derniers virages avant l'arrivée au camp de vacances, elle vérifia son rétroviseur pour – au moins – la centième fois. Aucune voiture ne la suivait.

Quand elle entra dans le parking bondé du camp, elle prit conscience qu'elle avait été tellement préoccupée par l'aventure de Smokey qu'elle en avait oublié de se préparer mentalement à revoir Jack. D'ailleurs, celui-ci savait aussi qu'elle serait dans leur résidence ce week-end-là. Peut-être l'agression contre le chat n'avait-elle rien à voir avec la mort de Keaton, mais était-elle plutôt liée à la garde des enfants ? Jack aurait pu essayer de lui faire peur pour qu'elle se présente au camp totalement désorientée. Aurait-il pu manigancer une telle monstruosité ? Elle ouvrit la portière de sa voiture en se disant qu'une telle question aurait été complètement saugrenue s'agissant de l'ancien Jack. Mais elle ne savait absolument pas ce dont le nouveau Jack était capable.

Elle entendit la voix de sa fille avant de la voir : « Maman ! » cria celle-ci en dévalant la pelouse située juste au-dessus du parking. Ça ressemblait bien à Amy de guetter son arrivée, tout excitée. Lake en ressentit un immense soulagement.

— Coucou, ma chérie, lui répondit Lake en agitant le bras et en se forçant à afficher un grand sourire.

Sa fille était accompagnée d'une autre petite fille plus ou moins du même âge et toutes deux portaient un short en coton beige et un tee-shirt vert sur lequel était dessiné le logo du camp. Elles coururent en sautillant jusqu'à Lake comme si celle-ci venait de garer un camion rempli de crèmes glacées. Lake se hâta vers elles. Amy avait la silhouette élancée et athlétique de Jack, mais elle ressemblait beaucoup à Lake avec ses cheveux bruns et ses yeux gris-verts. D'ailleurs, les gens devinaient toujours immédiatement qu'il s'agissait de la mère et la fille. Mais la petite possédait une assurance qu'elle-même n'avait jamais eue à son âge, sans doute à cause de la tache de naissance dont elle avait eu si honte.

Quand les deux copines arrivèrent devant Lake, Amy jeta ses bras autour de la taille de sa maman.

— Je suis si contente de te revoir, lui dit Lake en l'enlaçant à son tour et en embrassant le sommet de son crâne.

— Maman, maman, je te présente Lauren, s'écria Amy en souriant à la petite rousse, munie d'un énorme appareil dentaire. Elle vient de Buffalo. On y est déjà allés, hein ?

— Oui, quand nous sommes allés voir les chutes du Niagara. Bonjour, Lauren. Très heureuse de faire ta connaissance.

— En fait, j'habite plutôt la banlieue de Buffalo. À Amherst. Vous en avez déjà entendu parler ?

— Oui, bien sûr, répondit Lake. Alors, parlez-moi du programme d'aujourd'hui, les filles. On commence par la course de natation, n'est-ce pas ?

— Oui, et après c'est le déjeuner, et puis après on fait un petit spectacle, répondit Amy. Lauren et moi on va chanter. Will va faire une danse d'animal. Il fait un putois.

— Un putois ? Mais c'est magnifique ! Et où est-il ? demanda Lake, impatiente de le voir.

— Il est en train de jouer au football, je crois, répondit Amy. Il doit déjà être dégoûtant. Je t'assure, maman, c'est très gênant. Il est constamment couvert de boue. Tu veux qu'on te fasse visiter, dis ? Je ne pense pas que tu aies tout vu le jour où tu nous as déposés au camp.

— Ça me ferait très plaisir. Est-ce que tes parents viennent aussi, Lauren ?

— Oui, un peu plus tard. Ils sont tout le temps en retard, ajouta-t-elle en roulant des yeux pour souligner ses paroles avec emphase.

Elles entreprirent donc de remonter la pelouse, avec d'autres familles sur leurs talons. Jack n'était sans doute pas encore arrivé, se dit-elle en scrutant les alentours, sinon, Amy le lui aurait dit.

— Tu cherches papa ? demanda Amy qui avait le pouvoir diabolique de lire dans ses pensées.

— Il est déjà là ? s'étonna Lake en essayant d'adopter un ton dégagé.

— Non, il ne va pas venir cette fois-ci, répondit sa fille.

— Quoi ? s'écria Lake en s'immobilisant.

Amy haussa les épaules avant de les laisser retomber.

— C'est la monitrice qui nous l'a dit, expliqua-t-elle d'un air maussade. Elle a dit que papa avait téléphoné au directeur pour lui dire qu'il ne serait pas là. Il a dit que quelque chose était arrivé.

10

C'était absurde, pensa Lake. Qu'est-ce qui pouvait empêcher Jack de venir ? Cela avait-il quelque chose à voir avec le passage à Boston auquel il avait fait allusion ? Ou essayait-il de l'éviter ? Elle repensa aussitôt à Smokey. Jack aurait-il pu le raser ainsi – ou demander à quelqu'un de le faire ? Et maintenant, il n'avait plus le courage de la regarder dans les yeux ? Cela faisait-il partie d'une tentative générale de déstabilisation ? Elle se souvenait maintenant de l'appel qu'elle avait reçu durant la nuit. Si Jack était responsable de la mésaventure de Smokey, il était fort possible qu'il soit aussi l'auteur de ce coup de fil.

— Est-ce que tu l'es, maman ? chuchota Amy en interrompant les réflexions de sa mère.

— Si je suis quoi, ma chérie ?

— Est-ce que tu es en colère ? Parce que papa ne vient pas ?

— Oh, non, mon amour. Je ne suis pas en colère. Je… je suis juste curieuse de ce qui a pu le retenir.

Le trio reprit sa progression vers les bâtiments principaux du camp de vacances. Déjà, des douzaines de parents et leurs enfants s'étaient rassemblés sur un vaste terrain dont le gazon avait connu des jours meilleurs. Will se trouvait là, lui aussi, en maillot de bain, en train de dévorer l'une des innombrables brioches qui avaient été disposées sur de vieilles tables de pique-nique. Il aperçut sa maman et lui fit de grands signes comme s'il avait dû stopper un avion. Puis, il se précipita vers elle avec un malicieux sourire sur le visage. Elle faillit éclater en sanglots quand il passa ses bras couverts de poussière autour de sa taille.

— Je vois que tu es déjà fin prêt, dis-moi ? remarqua Lake en repoussant ses mèches blondes.

— C'est sans doute parce qu'il a perdu son short, cafeta Amy.

— Tais-toi, Amy. Tu ne sais rien du tout. Maman, je participe aux quatre nages. Il y a un garçon qui est meilleur que moi en crawl, mais je pense que je vais remporter le papillon, et même peut-être le dos crawlé.

— Mais c'est génial ! l'encouragea sa mère.

— Est-ce que tu as amené Smokey ? demanda Will.

— Non, Will, répondit-elle en réprimant une grimace. Il a fallu que je le laisse à la maison.

— Mais tu avais dit que tu l'amènerais ! insista-t-il en fronçant ses adorables sourcils.

— Ah, bon ? Et quand ai-je pu dire ça ?

— Le jour où on est arrivé ici. Tu as dit que quand tu viendrais pour la journée des parents, tu amènerais Smokey !

— Eh bien je suis désolée, mon chéri. Il fait si chaud. Il n'aurait pas beaucoup apprécié de devoir rester enfermé dans la voiture. Mais, tu reviens à la maison d'ici quelques semaines. Tu le retrouveras à ce moment-là.

Que leur dirait-elle alors, quand ils verraient qu'il avait perdu presque tout son pelage ?

La matinée passa en un éclair : courses de natation, matchs de football, tir à l'arc, suivis d'un déjeuner composé de sandwichs spongieux et de limonade tiède. Elle fut heureuse de constater que les parents n'étaient pas trop mis à contribution, hormis les déplacements inévitables pour se rendre d'un événement sportif à l'autre. Vu son état de nervosité, elle imaginait mal comment elle aurait pu prendre part aux jeux de tir à la corde ou aux courses en sac. Elle était à peine capable d'échanger quelques mots convenus avec les autres parents.

Quand le spectacle débuta, son angoisse n'avait toujours pas diminué. Elle n'avait qu'une idée en tête : passer prendre Smokey et décamper de la maison au plus vite. Pourtant, l'idée de laisser derrière elle les enfants lui brisait le cœur. À la fin de la représentation, quand les artistes en herbe se regroupèrent avec leurs amis auprès de la scène de fortune montée pour l'occasion, elle balaya le camp des yeux jusqu'à ce qu'elle repère le directeur.

— Bonjour, je suis Lake Warren, dit-elle en s'approchant de lui. Je suis tellement désolée d'avoir dû vous réveiller l'autre nuit.

Il mit un instant à comprendre ce qu'elle évoquait.

— Ah, oui, s'écria-t-il. Aucun problème. Vous avez réussi à trouver le fin mot de cette histoire ?

— Je présume qu'il s'agissait d'un mauvais numéro, répondit-elle. Mais ça m'a fait vraiment peur. J'ai cru que quelque chose était arrivé à Will.

— Vous n'avez pas à vous inquiéter. Nous prenons grand soin des enfants ici. Nous les avons constamment à l'œil.

— Et la nuit ? s'inquiéta-t-elle.

— La nuit ? Tout est bouclé à triple tour. Nous disposons même d'un gardien de nuit. Pourquoi ? Avez-vous des raisons de penser… ?

— Non, non. Cet appel m'a juste rendue un peu nerveuse, c'est tout. Pourriez-vous demander aux moniteurs de veiller tout spécialement sur mes enfants ? Je vous en serais vraiment reconnaissante.

— Bien sûr, dit-il avec courtoisie, mais elle vit, à la manière dont il avait plissé les yeux, qu'il la prenait pour une grande paranoïaque – ou qu'il pensait qu'elle lui cachait quelque chose.

En s'éloignant de lui, elle se mordit la langue. L'appel mystérieux avait précédé de vingt-quatre heures la mort de Keaton. Par conséquent, il était peu probable qu'il ait un lien avec le meurtre ou avec quoi que ce soit d'autre d'ailleurs. Pourtant, si quelqu'un lui en voulait effectivement – dans l'hypothèse où Jack n'était pas responsable de ce qui était arrivé à Smokey –, les enfants étaient peut-être en danger, eux aussi. Devait-elle leur faire quitter le camp de vacances pour les ramener en ville ? Instinctivement, elle aurait préféré les avoir auprès d'elle, mais, en envisageant tous les cas de figure, elle se dit que New York était sans doute le pire des endroits pour eux, en ce moment. Au moins, ici, ils étaient loin de ses ennemis potentiels. De plus, personne, excepté Jack, ne savait exactement où ils se trouvaient. Certes, ses amis, et même les gens de la clinique, étaient au courant qu'ils passaient l'été dans un camp de vacances, mais, fort heureusement, aucun d'entre eux n'avait songé à lui en demander le nom.

Vers quatre heures, les festivités prirent fin et il fut temps de partir. Aucun de ses enfants ne se comporta comme elle s'y attendait au moment des adieux. Ainsi, Will, qu'elle aurait imaginé plutôt crampon, s'empressa de rejoindre ses copains en agitant ses médailles de natation.

— Et mon câlin ? lui lança-t-elle.

— Ah oui, désolé, maman, dit-il en faisant volte-face pour venir l'enlacer. Tu diras bonjour à Smokey, hein ?

Quant à Amy, d'habitude si indépendante et imperturbable, elle chercha sa main et la tint fermement dans la sienne en la raccompagnant au parking.

— Que voudrais-tu que je t'envoie dans le prochain colis, ma chérie ? lui demanda Lake. J'aimerais bien te faire vraiment plaisir.

— J'ai besoin d'un nouveau livre, maman. Et aussi de carambars. Suffisamment pour moi et Lauren.

— C'est noté. Oh, j'allais presque oublier. Tu as reçu une lettre de cette association qui protège les tigres.

Elle fouilla dans son sac pour y trouver l'enveloppe, mais, quand elle releva la tête pour la tendre à sa fille, elle constata que celle-ci avait l'air contrarié et retenait ses larmes. Quelque chose la chagrinait-elle depuis le début de la journée ? Quelque chose que Lake n'aurait pas remarqué tant elle était elle-même préoccupée par ses propres angoisses ?

— Qu'est-ce qu'il y a ma chérie ? demanda Lake en caressant le dos de sa fille.

— C'est rien, répondit Amy d'un air qui traduisait une certaine impatience de se libérer d'un poids, mais une réticence à ennuyer sa maman.

— Dis-le-moi, Amy, insista Lake doucement. Est-ce… est-ce que tu es triste parce que papa n'est pas venu ?

— Ça doit être ça. Je voulais qu'il m'entende chanter la chanson pendant le spectacle.

— Ils ont tout filmé, je crois. Il pourra te voir sur le DVD.

— OK, dit Amy d'une petite voix, mais Lake voyait bien que l'absence de Jack n'expliquait pas sa mine attristée.

— Il y a autre chose, Amy, n'est-ce pas ? Dis-le-moi, ma chérie.

— Maman, demanda alors la fillette dans un murmure. Est-ce que tout va bien ?

— Qu'est-ce que tu veux dire ? demanda Lake dont le dos se raidit d'inquiétude.

— Je ne sais pas. Aujourd'hui, tu n'es pas pareille que d'habitude. Comme si… je ne sais pas.

Cette intuition était si typique de sa fille, songea Lake. Elle avait perçu la terreur qui coulait dans les veines de sa mère.

— Je suis désolée si je t'ai donné cette impression, ma chérie, dit Lake. Rassure-toi, tout va bien. Il faut simplement que je continue à me réhabituer à faire des choses toute seule. Mais tout va bien, je t'assure. Vraiment.

— OK, soupira Amy avec hésitation, sans paraître le moins du monde convaincue par cette réponse.

— Tu sais ce que je crois ? ajouta Lake en prenant sa fille dans ses bras. Je crois que la journée des parents est à la fois une bonne et une mauvaise chose. Tout le monde se retrouve l'espace d'une journée, ce qui est vraiment chouette, mais ça nous rend tous un peu tristes. Je suis triste de te quitter et je pense que tu es aussi un peu triste de devoir me dire au revoir. Mais dès que tu auras retrouvé Lauren et commencé un nouveau jeu avec elle, tu te sentiras bien de nouveau.

— Mais toi ? Comment vas-tu te sentir ce soir ? gémit Amy.

— Oh, je dois voir une amie, mentit sa mère. Et maintenant, écoute-moi. Je veux que tu remontes cette colline en courant et que tu me fasses un grand signe depuis le sommet, d'accord ?

Avant de partir, Lake voulait s'assurer que sa fille se trouvait près des bâtiments principaux du camp.

Elles se firent un dernier gros câlin, puis Lake regarda Amy grimper la colline. Arrivée en haut, elle se retourna et lui fit un signe timide que Lake lui renvoya en ravalant ses larmes. Ce ne fut qu'une fois sortie du parking qu'elle s'autorisa à pleurer. Qu'avait-elle fait pour mériter tout ça ? Elle n'aurait jamais dû aller chez Keaton cette nuit-là, se maudit-elle. Tout ça à cause de ce pathétique besoin de se sentir désirée.

Elle accéléra, dépassant largement les limitations de vitesse imposées sur les routes en lacets. Quand elle parvint enfin à la maison, elle vit deux personnes – un homme et une femme – assises sur l'un des bancs du square, en train de boire un soda et de discuter tranquillement. Était-ce bien… ? Lake les regarda encore du coin de l'œil, tout en se hâtant de grimper les marches du perron.

À l'intérieur de la maison, un grand silence régnait. Elle fit avec angoisse l'inspection des pièces du rez-de-chaussée, afin de vérifier que rien n'y avait été déplacé. Quand elle atteignit la porte de la cuisine, elle s'immobilisa un instant pour tendre l'oreille. Puis, elle poussa le battant. La pièce était telle qu'elle l'avait laissée, mais le soleil du soir inondait maintenant de lumière les lattes du plancher. Smokey était là, lové dans le fauteuil du petit bureau qui jouxtait la cuisine. Quand elle s'approcha, il leva la tête et miaula plaintivement.

Délicatement, Lake le plaça dans son panier de voyage. Tandis qu'elle le refermait, le téléphone sonna, la faisant à nouveau sursauter. Ce doit être Molly, se dit-elle. Mais lorsqu'elle décrocha se fut une voix masculine qui prononça son nom sous forme de question.

— C'est moi, répondit-elle alors que son rythme cardiaque s'emballait.

— Bonjour Lake, c'est Harry Kline.

— Oh, bonjour, dit-elle, prise au dépourvu.

Elle avait laissé son numéro de téléphone à la clinique, mais, de toutes les personnes qui y travaillaient, le psychothérapeute était bien la dernière personne dont elle aurait attendu un coup de fil.

— J'espère que je ne vous dérange pas.

— Non, euh… non, pas du tout, bredouilla-t-elle.

Elle savait que son trouble était perceptible, mais elle ressentait le besoin impérieux de raccrocher et de quitter la maison au plus vite.

— Maggie a envoyé un courriel pour nous communiquer votre numéro et je me suis dit que j'essaierais de vous contacter cet après-midi. D'après l'indicatif, je présume que votre maison se trouve dans le nord de l'État.

— Oui. Dans les Catskills.

— C'est magnifique par là-bas. Vous y allez souvent le week-end ?

— Ça dépend. Vous savez, de la saison, de choses comme ça.

Tout en répondant, ses yeux passaient en revue les fenêtres de la cuisine et scrutaient le jardin.

— À vrai dire, cette fois-ci, je ne suis venue que pour une moitié de week-end. Je m'apprêtais d'ailleurs à rentrer à New York.

— Ah, alors je ne veux pas vous retarder. Si vous êtes de retour en ville demain, accepteriez-vous de prendre un café avec moi ?

Maintenant, elle était vraiment désorientée.

— Euh… certainement. Y a-t-il… Il s'est passé quelque chose ?

— Non, je voudrais juste discuter de différentes choses avec vous… en dehors du bureau.

— Ça a l'air de mauvais augure, dit-elle.

— Oh, je n'avais pas l'intention de vous donner cette impression. Il est juste si difficile de discuter au bureau, avec tous les patients.

— OK. Pas de problème. Je suis libre presque toute la journée.

— Que diriez-vous de onze heures ? Je sais que vous habitez du côté de West Side, alors nous pourrions nous retrouver au Nice Matin. C'est un café au coin de la 79e Rue et d'Amsterdam.

— Ça me semble parfait. À demain, alors.

Et elle raccrocha avant d'attraper le panier du chat et de quitter la maison aussi vite que possible.

Quand elle traversa le village, elle ne cessa de jeter des coups d'œil nerveux à son rétroviseur. Le seul véhicule derrière elle était un pick-up rouge qui tourna bientôt dans une rue perpendiculaire. De toute façon, celui qui avait fait du mal à Smokey devait avoir filé depuis longtemps. En fait, il avait même dû disparaître juste après son forfait. Elle se rappela soudain un autre bruit qu'elle avait entendu ce soir-là : le bruit d'une portière de voiture que l'on refermait, alors qu'elle se trouvait dans le jardin des

Perry. C'était peut-être le coupable qui s'enfuyait après avoir drogué et rasé Smokey.

Cette personne allait-elle frapper une nouvelle fois ? en ville ? Et alors, s'en prendrait-elle directement à elle, et plus seulement au chat ? Une décharge électrique parcourut ses veines. Il *faut* que je réagisse, se dit-elle.

Le portier du week-end, Carlos, était d'astreinte quand elle arriva à son immeuble et il l'autorisa à laisser ses sacs dans le hall, pendant qu'elle garait sa voiture au parking. Elle garda néanmoins Smokey auprès d'elle. Quand elle revint, elle vit que Carlos avait chargé l'ensemble de ses bagages sur le chariot prévu à cet effet. Ils étaient seuls dans le hall.

— J'ai une petite faveur à vous demander, Carlos, dit-elle en cherchant ses mots.

— Bien sûr madame Warren, répondit-il.

— Vous savez que je travaille en qualité de consultante, n'est-ce pas ? Eh bien, l'un de mes clients a eu quelques ennuis récemment. En fait, l'un des dirigeants – un docteur – s'est fait assassiner.

— Oh, mon Dieu, ponctua-t-il en fronçant les sourcils. Il s'agit de très gros ennuis.

— Je sais, c'est affreux. Depuis, je suis un peu stressée par tout cela et je veux vraiment faire très attention.

Il la regarda avec de grands yeux, attendant la suite, mais elle sentait bien qu'il ne voyait pas du tout où elle voulait en venir.

— Je veux dire, je sais que c'est idiot, mais j'aimerais prendre des précautions supplémentaires en ce qui concerne l'appartement. Je veux que personne ne puisse y monter, avant que vous ayez pu vérifier sa pièce d'identité. Et pourriez-vous également m'avertir si quelqu'un passe et demande à me voir ?

Ayant finalement compris l'objet de leur conversation, il releva légèrement le menton et acquiesça.

— Vous pensez que vous êtes en danger, madame Warren ? demanda-t-il.

— Non, non. Je suis seulement un peu paranoïaque ces temps-ci et je compte sur vous pour me remettre dans le droit chemin.

— Bien sûr, répondit-il. Nous prenons toujours toutes les précautions nécessaires, mais je serai encore plus vigilant, madame Warren. Soyez-en certaine.

— Pourriez-vous faire passer le mot à votre collègue ?

— Absolument.

Dès qu'elle fut dans son appartement, elle referma le verrou à double tour et enclencha aussi la chaîne de sécurité. Jusqu'à présent, elle ne s'était jamais barricadée ainsi dans la journée. Elle s'était toujours sentie en sécurité dans son appartement, mais, désormais, elle se sentait partout en danger. Après avoir libéré Smokey de son panier et l'avoir regardé rejoindre tristement le salon, elle vérifia chaque pièce pour s'assurer que rien n'avait été dérangé.

Il était près de 19 heures et il faisait déjà sombre quand elle se versa un verre de vin et s'installa devant la table de la cuisine. Elle devait à tout prix découvrir qui avait fait du mal à Smokey et pourquoi. Il y avait sur la table de la cuisine une enveloppe vide qu'elle retourna. Pour les besoins de son travail, elle ne cessait de prendre des notes car elle avait remarqué que ce procédé l'aidait non seulement à fixer ses idées, mais aussi à les analyser. Saisissant un crayon, elle écrivit un mot – *Jack* – qu'elle ponctua d'un point d'interrogation. Était-il imaginable que son ex-mari ait tenté de l'effrayer afin qu'elle soit en piteux état quand elle rencontrerait le psychiatre désigné par le tribunal – dans le but de réduire à néant ses efforts pour conserver la garde des enfants ?

À côté du nom de son ex-mari, Lake inscrivit le mot *clinique*. Comme Harry l'avait mentionné, tout le monde à la clinique avait été informé de son escapade à la campagne ce week-end-là. Or, comme tous les employés avaient bénéficié d'une demi-journée de congé, n'importe lequel d'entre eux aurait pu venir rôder autour de sa maison ce vendredi-là. Et, forcément, chacun des membres du personnel du centre aurait facilement pu se procurer une seringue.

Mais si c'était un membre de la clinique qui avait tué Keaton – et qui, maintenant, la harcelait –, quel pouvait être son mobile ? Peine de cœur ? Jalousie professionnelle ? Au cours des quelques courtes semaines durant lesquelles il y avait travaillé, Keaton aurait-il pu susciter une telle haine ? Sa mort était peut-être liée au « léger problème » qu'il avait évoqué devant elle. Mais comment pourrait-elle jamais découvrir de quoi il s'agissait ?

Enfin, elle écrivit un « *x* » – pour *inconnu*. Il y avait toujours une probabilité pour que la mort de Keaton ne soit pas liée à la clinique. Peut-être ses fameux problèmes de jeu – si toutefois il en avait – étaient-ils à l'origine de tout cela et un tueur à gages avait fini par le descendre. Et maintenant, il était aussi possible qu'il s'intéresse à elle. Mais pourquoi avoir pris la peine de raser le chat ? Ce genre de type ne se contentait-il pas de vous loger une balle dans la nuque, avant de jeter votre cadavre dans une décharge ?

Dans son sac à main posé sur la table, Lake trouva son BlackBerry et composa le numéro de Hayden. La reine de la communication avait peut-être eu vent de récents développements dans l'enquête de police.

— Je m'apprêtais justement à t'appeler ! s'exclama Hayden. Je pensais te coincer avant que tu sortes avec ton adorable mari. Mais tu as sans doute des trucs à faire en famille, non ? Comme aller voir le énième *Narnia* ou quelque chose dans le genre.

Lake étouffa presque un rire sarcastique.

— Mes enfants sont dans un camp de vacances, répondit-elle. Et cet adorable mari dont tu parles ne vit plus ici.

— Oh, miiince, je ne savais pas.

Lake alla droit au but, notamment pour changer de sujet.

— Comment ça se passe avec la clinique ?

— Ça a été plutôt intense – et ça ne va pas s'arranger. Levin est relativement facile à gérer, mais j'ai vraiment du mal à supporter le reste de la clique. Surtout cette Brett ou Brie. Cette nana a décidément un bambou dans le popotin. D'ailleurs, ça ne m'étonne pas, vu sa trombine.

— Alors je ne serais pas la seule qu'elle méprise ?

— Absolument. Et désormais, je crois même être en tête de sa liste. Quand j'ai découvert que Levin avait renvoyé tout le monde dans ses foyers, vendredi après-midi, j'ai demandé qu'elle reste pour gérer les appels téléphoniques. Je voulais qu'elle prenne note de tous les coups de fil de journalistes et les renvoie vers les flics. Quand ces vautours tombent sur une messagerie, ils deviennent encore plus féroces.

— Difficile de leur reprocher leur intérêt.

— Je sais, mais Levin dit que, depuis l'histoire de la fille qui a eu des octuplés, ils cherchent désespérément le moyen de descendre en flamme les cliniques de traitement de la stérilité. Un journaliste dénommé Kit Archer le rend tout spécialement dingue et Levin veut s'assurer qu'il n'obtiendra aucune info sur tout ce bazar.

Archer. C'était le nom qui figurait sur le dossier que Levin lui avait presque arraché des mains.

— Et tu penses pouvoir les maintenir à distance ? demanda Lake.

Il y eut un bref silence au bout du fil durant lequel Lake entendit Hayden avaler une gorgée d'une boisson quelconque. Elle pouvait presque voir ses longs doigts, aux ongles peints en violet, enveloppant le verre.

— Non. Non, pas pour le moment. C'est la raison pour laquelle je m'apprêtais à t'appeler. Une nouvelle vient de tomber que nous pourrions qualifier de « révélation embarrassante », et ça va être le bordel.

Les muscles de Lake se tendirent.

— De quoi s'agit-il ? demanda-t-elle, haletante.

— Levin m'a appelée ce matin. Apparemment, le docteur Keaton avait remis un double des clefs de son domicile à l'une des infirmières, quelques jours avant sa mort. La fille les a déposées dans un tiroir accessible à tout le monde. N'importe qui pourrait les avoir utilisées.

11

— Qui ? souffla Lake d'une voix étranglée.

— *Qui ?* s'étonna Hayden. Tu veux dire, qui pourrait avoir utilisé ces clefs pour s'introduire dans l'appartement de Keaton et le tuer ? Je n'en sais fichtre rien. Et si Levin a sa petite idée là-dessus, il n'a pas voulu la partager avec moi.

— Non… Ce que je me demande c'est qui, à la clinique, avait les clefs ? Dans le tiroir de qui se trouvaient-elles ?

Lake n'ignorait pas qu'un membre du personnel de son client avait pu assassiner Keaton, mais cette nouvelle rendait cette possibilité *plausible* et quittait le domaine des simples soupçons personnels.

— Oh, je vois, dit Hayden en fouillant dans ses papiers. Maggie Donohue.

— Est-ce qu'elle fréquentait Mark… le docteur Keaton ? demanda Lake.

Malgré elle, son estomac se noua à l'idée que Keaton ait pu coucher avec l'infirmière.

— Non, apparemment ce n'était pas le cas. Levin a dit qu'elle avait juste accepté de prendre le courrier de Keaton et d'arroser ses plantes pendant qu'il se rendrait en Californie, la semaine suivante, afin de boucler ses dossiers là-bas. Et elle a un alibi puisqu'il semble que le soir du meurtre, elle fêtait l'anniversaire de son frère dans le Queens, et qu'elle a passé la nuit sur place, dans un canapé.

— Mais pourquoi ne l'a-t-elle pas mentionné avant ?

— D'après Levin, elle n'a jamais imaginé que quelqu'un de la clinique aurait pu faire le coup. À ce que je comprends, la porte de l'appartement n'a pas été forcée. Mais la semaine dernière, la police n'en avait encore rien dit. Or, le frère de Maggie a des copains flics. Ils lui ont fait passer l'info et son frangin lui en a parlé. Du coup, elle a contacté Levin vendredi soir, complètement hystérique.

— Mais les clefs sont-elles toujours à leur place ?

— Oui. Levin s'est aussitôt rendu au bureau après l'appel de Maggie et il les a trouvées exactement à l'endroit où elle lui avait indiqué les avoir laissées. Bien sûr, il est possible que quelqu'un les ait utilisées pour se glisser dans l'appartement de Keaton et le tuer, puis les ait replacées dans le tiroir après le meurtre. Comme tu peux l'imaginer, si l'assassin travaille à la clinique, il va être beaucoup plus difficile de juguler la communication sur ce merdier.

Lake resta silencieuse pour mieux digérer la nouvelle. Si le meurtrier appartenait effectivement aux effectifs de la clinique, il y avait de fortes chances pour qu'il – ou elle – ait également rasé Smokey à titre d'avertissement.

— J'ai conseillé à Levin d'appeler la police, poursuivit Hayden pour combler son silence. Mais, visiblement, ce conseil ne l'a pas enthousiasmé. Il est persuadé que la mort de Keaton est le résultat d'un contrat sur sa tête, lié à ses problèmes de jeu. D'ailleurs, je partage son opinion. Cela dit, il a fini par comprendre qu'il n'avait pas franchement le choix. Le frère de Maggie s'apprêtait de toute façon à contacter les flics, s'il ne réagissait pas.

— Et l'a-t-il fait ? Est-ce que Levin a appelé la police ?

— Finalement, oui. Dis-moi, tu connais pas mal de monde là-dedans. Crois-tu que l'un d'entre eux pourrait effectivement être le meurtrier ?

— À vrai dire, je ne connais personne vraiment bien. À l'exception de Steve Salman, l'un des collaborateurs. Et, franchement, je ne l'imagine pas faire de mal à une mouche.

— Eh bien, au moins, si l'un d'entre eux est effectivement l'assassin, je suis certaine que tu n'es pas en danger. Alors arrête de t'inquiéter.

— M'inquiéter ? s'écria Lake, sur la défensive. Qu'est-ce que tu veux dire par là ?

— Je peux l'entendre dans ta voix. Or, si le meurtrier appartient au personnel de la clinique, son geste procède manifestement d'une querelle interne. Donc, toi, tu ne crains rien.

C'est la meilleure ! pensa Lake cyniquement. Elle n'avait pourtant jamais couru un aussi grand danger.

— Ne quitte pas une seconde, dit soudain Hayden avant que Lake ait pu ajouter un mot. Oh, mince, c'est un client. Je te rappelle dès que j'ai plus d'infos.

Dès qu'elle eut raccroché, Lake s'effondra sur son siège. Il était désormais clair que l'un des membres de la clinique avait pu aisément avoir accès à l'appartement de Keaton, et donc le tuer. Elle repensa une fois encore au « léger problème » mentionné par le docteur. Il avait pu vouloir évoquer un conflit qui s'était envenimé entre lui et l'un de ses futurs associés. Elle réfléchit aux raisons qui avaient pu pousser Keaton à qualifier Levin de « grande star de la fécondation » avec une certaine ironie dans la voix. Peut-être existait-il entre les deux médecins une rivalité que Keaton avait fini par considérer comme insoluble. Mais Levin l'aurait-il tué au simple motif qu'il avait décidé de ne pas rejoindre la clinique ?

Quelque temps plus tard, alors qu'elle était allongée dans son lit, sans espoir de trouver le sommeil, elle se demanda si Harry lui avait proposé de la rencontrer afin de lui révéler cette histoire à propos des clefs de Keaton. Était-il possible qu'il la soupçonne de quelque chose ? Les psys étaient généralement imbattables en matière de dissimulation : ils la *flairaient*. Elle ferma les yeux et essaya de ne plus penser à rien. Mais son cerveau afficha immédiatement l'image de Will et Amy reposant dans leurs petits lits, au beau milieu du camp de vacances plongé dans les ténèbres. Et si je les avais mis en danger ? songea-t-elle avec angoisse. Ce ne fut que plusieurs heures plus tard que ses pensées devinrent floues et qu'elle sombra dans un sommeil agité.

Le lendemain matin, elle s'obligea à revoir les notes qu'elle avait déjà prises sur la clinique. Elle avait promis à Levin qu'elle ferait une présentation préliminaire au cours de la semaine suivante et elle devait commencer à mettre en ordre ses idées. Elle avait déjà identifié plusieurs concepts marketing utilisables, mais c'était encore insuffisant. Sans cesser sa lecture, elle se demanda comment elle pourrait réussir à produire quelque chose de valable en étant aussi préoccupée. Levin proposerait peut-être de reporter la présentation. Compte tenu de la situation, il devait lui-même être dans un état peu propice à la discussion d'un plan marketing. Elle finit néanmoins par réussir à se concentrer sur son travail jusqu'à en perdre la notion du temps. Quand elle releva la tête de ses papiers, elle était en retard de dix minutes pour son rendez-vous avec Harry.

Lorsqu'elle pénétra dans le restaurant qu'il lui avait indiqué, le psy était déjà là, installé devant le *New York Times*. Bien qu'il eût choisi pour l'occasion des vêtements similaires à ceux qu'il portait à la clinique – pantalon de coton sombre, chemise bleu foncé non boutonnée au col –, il lui sembla aujourd'hui différent. Plus décontracté, se dit-elle. Il était probable que les week-ends lui permettaient d'oublier le stress qu'impliquait forcément sa mission de conseil auprès de couples au bord du désespoir.

Quand elle arriva à sa table, il releva la tête et lui offrit un grand sourire. Impossible de deviner l'objet de son invitation d'après son expression. Sois aimable, s'ordonna-t-elle. Mais ne laisse rien passer.

— Je me disais que nous devions être les deux seuls êtres humains dans Manhattan, ce matin, dit-il en se levant. Mais il semble que sept autres personnes aient également décidé d'y rester, ajouta-t-il en indiquant du menton les rares clients assis aux autres tables.

L'endroit où il s'était installé étant relativement exigu, elle put observer son visage d'un peu plus près. Selon les canons classiques, il n'était pas vraiment beau – notamment en raison d'un nez légèrement bourbon –, mais il ne manquait pas de charme : de doux yeux bruns, une peau claire et fine et un sourire malicieux qui égayait constamment ses traits. Ses cheveux noirs étaient plutôt longs, souples et coiffés en arrière.

— Vous restez souvent en ville le week-end ? s'enquit-elle.

— Parfois… J'apprécie le calme estival de New York, répondit-il en remontant ses lunettes aux montures sombres vers le haut de son front. Alors, vous ne vous êtes accordé qu'un demi-week-end à la campagne ?

— Euh, oui.

Elle n'avait aucune envie de se lancer dans un échange de platitudes mondaines, mais elle savait qu'elle devait en faire l'effort.

— Il fallait que j'aille là-bas, mais j'ai encore beaucoup de travail à fournir pour ma présentation.

— Comment ça se passe ? demanda-t-il.

Ressentait-il sa gêne ? Il avait cette manière, propre aux psychothérapeutes, de vous regarder parler sans rien montrer des pensées qui le traversaient.

— Pas trop mal, je crois, s'aventura-t-elle à répondre. Même si l'exercice est difficile. Cette mission n'a rien à voir avec l'élaboration d'un plan marketing pour un spa ou une nouvelle marque de crème hydratante. Les personnes intéressées sont beaucoup plus vulnérables, alors je préférerais ne pas me tromper.

— Je sais. Et ce qui vient de se passer est si incroyable, dit-il. J'ai entendu parler de centres de traitement de la stérilité qui offrent des garanties financières à ceux de leurs clients qui finalement ne parviennent pas à concevoir d'enfant. Ça paraît insensé, non ? Et les histoires qui circulent à propos des donneurs sont tout aussi absurdes. Près de Washington, il y a une clinique qui propose des dons de la part de titulaires d'un doctorat. Ainsi, non seulement vous faites un bébé, mais en plus vous en faites un qui est censé devenir astrophysicien.

Impossible que cette conversation soit l'objet de sa proposition de rendez-vous, songea-t-elle. Il m'aurait invitée pour évoquer les problèmes du secteur de la stérilité ? Non.

— Auriez-vous préféré que la clinique ne s'oriente pas vers une promotion aussi agressive ? lui demanda-t-elle.

— Oh, je comprends fort bien qu'*un peu* de marketing soit nécessaire. Il s'agit d'une entreprise comme une autre, après tout, et la concurrence est de plus en plus intense. Mais je me demande encore où en placer la limite.

La serveuse les interrompit afin de prendre la commande de Lake qui choisit un cappuccino.

— Votre métier auprès des patients doit être très éprouvant, tenta Lake.

— Parfois, oui. Le plus difficile, c'est que, souvent, ils se font des reproches. Il leur arrive même d'avouer qu'ils ont l'impression d'être maudits.

— La semaine dernière, j'ai aperçu une patiente qui venait de craquer et sanglotait, raconta Lake. Elle m'a fait tellement de peine.

— Je n'étais pas au bureau ce jour-là, mais j'en ai entendu parler. Apparemment, Rory l'a convaincue de prendre rendez-vous avec moi, mais elle a fini par annuler. Malheureusement, je ne peux pas obliger les gens à venir me parler.

— Elle m'a semblé assez jeune. J'imagine qu'elle fera un nouvel essai de FIV.

— Peut-être, murmura-t-il en haussant une épaule.

— Pourquoi semblez-vous en douter ?

— Elle en a déjà subi huit. C'est l'une des raisons pour lesquelles elle s'est effondrée.

— *Huit ? !* Mon Dieu, c'est énorme ! Ça doit être très dur pour son corps.

— Vous parlez comme Mark Keaton.

Sa remarque la prit complètement au dépourvu.

— Que voulez-vous dire ? s'étonna-t-elle en tâchant de proscrire de sa voix toute trace d'accent défensif.

— Il semblait ne pas trop apprécier le nombre de tentatives qu'elle avait subies, compte tenu de la situation. Quand j'ai examiné son dossier, j'ai relevé des commentaires de sa part qui paraissaient aller dans ce sens.

— Et vous, estimez-vous que c'est trop ?

Il pencha la tête et posa la joue sur son index ; il était clair qu'il réfléchissait à sa question.

— Mon métier consiste à imaginer ce qui se passe dans leur tête, pas dans leur corps, répondit-il. Ce dont je suis certain, c'est que la clinique fait du bon boulot. Elle aide énormément de femmes à tomber enceintes. Et c'est pourquoi elle a autant de clients.

— J'ai cru comprendre que vous aviez aussi votre propre cabinet, dit-elle. Pourquoi travailler en plus au sein de la clinique ?

— Ma belle-sœur a connu des problèmes de stérilité et elle vient tout juste de s'en remettre. Mon pauvre frère ne savait absolument pas comment l'aider. J'ai vu combien une thérapie aurait pu les soulager.

— Et que s'est-il passé en définitive ?

— Après des années de traitement, ils ont laissé tomber. Ils sont toujours ensemble quinze ans après, mais cette absence d'enfant reste comme un fantôme dans leur vie. Et le fait que, moi-même, je n'ai rencontré aucune difficulté n'a rien arrangé.

— Vous avez des enfants ?

— Une fille. De dix-neuf ans. Elle est en deuxième année à Bucknell

Le visage de Lake trahit sa surprise. Elle avait cru que Harry avait une petite quarantaine, mais il devait être plus âgé pour avoir une fille en âge d'aller à l'université.

Il sourit en devinant ses pensées.

— Je n'avais que vingt-deux ans lorsqu'elle est née. J'étais loin d'avoir terminé mes études. Inutile de vous dire que ce n'était pas vraiment la meilleure configuration pour un mariage. D'ailleurs, celui-ci a fini par capoter. Mais Allison est une fille merveilleuse et je n'ai aucun regret.

— J'en suis heureuse, ponctua-t-elle, toujours sans comprendre où toute cette conversation était censée les mener.

— À moi de vous poser la même question. Vous aviez une raison particulière de décider de travailler pour une clinique de lutte contre la stérilité ?

L'espace d'un instant, elle eut envie de lui exposer les liens bizarres qu'elle ressentait avec les patients – chacun d'entre eux ayant été trahi par son propre corps. Il possédait une telle qualité d'écoute. Et quel réconfort ce serait de pouvoir enfin partager ces pensées qu'elle avait toujours dissimulées. Mais elle préféra finalement ne pas lui dévoiler un aspect aussi intime de sa personnalité.

— Quand Steve m'a parlé du projet, celui-ci m'a tout simplement paru passionnant. J'ai quelques amies qui ont souffert de problèmes de fécondité. Moi, j'ai eu de la chance.

— Vos enfants sont encore tout jeunes, n'est-ce pas ?

— Neuf et onze ans. Ils sont en ce moment dans un camp de vacances dans les Catskills... tout près de l'endroit où je me trouvais quand vous avez appelé pour me proposer ce rendez-vous.

Elle espérait que l'évocation de cet appel le ferait réagir. De fait, il se redressa sur son siège et elle vit qu'il avait compris son allusion.

— Eh bien, je vous suis reconnaissant d'avoir accepté mon invitation, malgré un préavis aussi bref. Et malgré la somme de travail qu'il vous reste à accomplir.

— Pourquoi avez-vous souhaité me rencontrer ?

— Pour être honnête, je voulais simplement voir comment vous vous en sortiez.

— Comment je m'en *sortais* ? s'étonna-t-elle d'une voix légèrement agressive.

— Je me trompe peut-être, mais il m'a semblé que ce meurtre vous avait bouleversée. J'ai pensé que vous souhaiteriez peut-être en parler. Même si ce genre de drame ne nous concerne pas directement, il peut néanmoins avoir des conséquences sur nous.

Elle avait vu juste, pensa-t-elle avec angoisse. Il avait noté sa panique. Si elle tentait de lui démontrer que son intuition était fausse, il devinerait qu'elle mentait. Son cerveau se mit alors à chercher désespérément le moyen de l'orienter sur une fausse piste.

— Ce meurtre m'a effectivement bouleversée, répondit-elle après avoir inspiré calmement. Mais il y a en fait quelque chose d'autre qui m'a beaucoup affectée. J'imagine que je n'ai pas vraiment réussi à le cacher.

— Vous voulez en parler ? demanda Harry alors que la serveuse apportait à Lake son cappuccino.

Non, vraiment pas, songea-t-elle. Mais elle ne parviendrait sans doute pas à le convaincre par un silence. Elle but une gorgée de son café avant de se lancer.

— Je me trouvais, il y a encore peu de temps, dans ce qui semblait être un divorce relativement amiable, et puis, subitement, mon mari a fait une demande pour obtenir la garde exclusive des enfants. Sa démarche m'a énormément perturbée.

— Quel salaud ! s'exclama Harry qui commença par hocher la tête en signe d'indignation, avant de la regarder en souriant. Cette opinion est strictement professionnelle, bien entendu.

Lake ne put que lui rendre son sourire.

— Merci, souffla-t-elle. J'ai tellement l'habitude de devoir ravaler mon amertume et parler de lui de manière neutre, devant les enfants. Ça fait du bien d'entendre quelqu'un dire du mal de lui.

— Je suis désolé d'apprendre que vous traversez une telle situation. Dites-moi si je peux faire quelque chose.

— Je le ferai. Je vous en remercie.

Harry jeta un coup d'œil à sa montre.

— Est-ce que vous avez faim ? s'enquit-il. On peut également déjeuner dans ce bistrot.

— Euh... merci... Mais il faut que je rentre travailler sur ma présentation. Une autre fois, peut-être.

Il annonça que, pour sa part, il allait déjeuner sur place. Elle avala la dernière gorgée de son cappuccino. Quand elle reposa sa tasse dans la soucoupe, Harry avança le bras et lui effleura la main du bout des doigts.

— J'espère que ça ne vous fait pas trop mal, dit-il.

Quand il retira sa main, elle comprit qu'il visait l'égratignure que Smokey lui avait faite quand elle avait essayé de le déloger de sa cachette, sous le fauteuil.

— Oh, non, le rassura-t-elle. C'est très superficiel. Je ne me souviens même plus comment je me suis fait ça.

Nerveusement, elle ramassa son sac à main et se leva.

— Alors bon courage pour votre présentation, dit-il. Je suis sûr qu'elle sera exemplaire.

Tout en se hâtant de rentrer chez elle, elle réfléchit à la conversation qu'elle venait d'avoir avec Harry. Elle espérait que son aveu concernant la garde des enfants avait apaisé les soupçons qu'il avait pu nourrir.

Quand elle ouvrit la porte de son appartement, elle repensa au commentaire que le psy avait fait sur la remise en cause par Keaton de l'attitude qu'avait adoptée Levin envers la fameuse patiente – celle qui avait subi huit FIV. Pour la première fois, il lui apparut que le « léger problème » mentionné par le médecin visait non pas un désaccord avec un membre de la clinique, mais avec la politique de celle-ci. Elle referma la porte derrière elle et s'immobilisa un instant dans l'entrée en fermant les yeux pour essayer de se souvenir des termes précis qu'avait employés Keaton, cette nuit-là. Il avait dit que la clinique n'était pas exactement ce qu'il lui fallait pour le moment. Il était peut-être tombé sur quelque chose qui l'avait inquiété.

Lake n'avait quant à elle jamais rien noté de suspect à la clinique, mais, vu son manque d'expertise médicale, comment aurait-elle pu remarquer quoi que ce fût d'inadéquat ? Il devait bien y avoir un moyen d'identifier ce genre de problèmes, pourtant. Elle repensa soudain au journaliste que Hayden avait évoqué. Ce type qui rendait Levin dingue. Il avait écrit un article sur le marché de la lutte contre la stérilité. Un papier que, manifestement, Levin ne souhaitait pas qu'elle lût. Elle y découvrirait peut-être la vérité, ou il la mettrait éventuellement sur une piste. Compte tenu des récents développements, Lake redoutait de retourner à la clinique, mais il fallait pourtant qu'elle découvre ce dont parlait exactement cet article. La meilleure solution pour s'en sortir – et conserver la garde des enfants – consistait encore à découvrir qui avait tué Keaton et à orienter la police dans cette direction – très loin de sa personne.

Elle s'installa devant son bureau en se promettant de ne pas s'en éloigner avant le soir. Mais au lieu de décupler son énergie, l'urgence dans laquelle elle se trouvait sembla la paralyser. De plus, elle sentait monter en elle un puissant sentiment d'angoisse à la perspective de devoir se rendre à la clinique le lendemain. Si le meurtrier y travaillait effectivement, elle serait dans sa ligne de mire. Mais elle n'avait pas vraiment le choix. Elle devait absolument mettre la main sur cet article : c'était la seule piste dont elle disposait. Et si elle en avait l'occasion, sans que ce soit trop évident, elle voulait aussi parler à Maggie de cette histoire de clefs.

Le lendemain matin, dès 8 heures et demie, elle prit le bus pour arriver à la clinique juste après 9 heures. Après avoir salué la réceptionniste, elle s'engagea dans le couloir principal. Alors qu'elle passait devant la salle des infirmières complètement désertée, ses yeux tombèrent sur le tiroir supérieur du bureau de Maggie et elle dut combattre une violente envie de s'arrêter pour aller voir ce qu'il contenait.

— Vous êtes matinale, aujourd'hui, constata une voix dans son dos, tandis qu'elle déposait ses différents sacs dans la petite salle de réunion.

Elle se retourna et vit Rory juste derrière elle. Génial, pensa-t-elle. Il valait pourtant mieux qu'elle ne donne pas l'impression d'agir différemment de ses habitudes.

— J'ai un rendez-vous à Midtown dans la matinée, expliqua Lake. Alors je me suis dit que je passerais par ici au préalable.

— Vous avez passé un bon week-end, Lake ?

— Euh… oui. Ça fait du bien de décompresser un peu. Et vous-même, comment allez-vous ?

— Mieux, je présume, dit Rory qui semblait pourtant très fatiguée.

De légers cernes noirs soulignaient ses yeux, contrastant avec son teint pâle.

— À vrai dire, je fais surtout en sorte que tout ce stress n'affecte pas la santé du bébé.

— C'est effectivement très important. Mais, je n'ai même pas pensé à vous le demander. Vous connaissez déjà le sexe de l'enfant ?

— C'est un garçon, répondit-elle en posant fièrement une main sur son gros ventre. Je suis si heureuse.

— C'est merveilleux ! Félicitations !

— J'ai lu que les couples qui attendaient un garçon avaient plus de probabilités de rester unis, ajouta Rory. Parce que en réalité, les hommes désirent tous secrètement un fils.

— Je ne l'ai jamais entendu dire, s'étonna Lake. Mais ça me semble assez bien vu. J'imagine que vous pourriez appeler ça le facteur Henry VIII.

Rory ne sembla pas saisir son dernier commentaire. Elle regarda dans le vide, les sourcils froncés par la concentration.

— J'espère que c'est vrai, murmura Rory. Il est si important pour les enfants de grandir dans un foyer stable. Vous ne croyez pas ?

Lake ne lui avait-elle donc jamais mentionné qu'elle était en procédure de divorce ? En toute autre occasion, sa remarque, pourtant candide, aurait traumatisé Lake, mais celle-ci était déjà beaucoup trop éprouvée pour y prêter attention.

— Bah, on fait tous de notre mieux, répondit-elle finalement.

— Voilà une excellente formule, dit Rory en souriant, avant de tourner les talons. Bonne journée.

Dès qu'elle fut partie, Lake se glissa en dehors de la salle de réunion et se faufila à travers les couloirs jusqu'à la salle d'archives. Quand elle jeta un coup d'œil vers le hall qui menait au bloc opératoire, elle aperçut un groupe de quatre personnes en blouse bleue et bonnet de chirurgien. Sherman, pensa-t-elle, et aussi Hoss. Mais ils étaient trop absorbés par leur conversation pour la remarquer.

Une fois dans la salle d'archives, elle referma la porte derrière elle et ouvrit le tiroir dans lequel elle avait initialement découvert le dossier Archer. Il n'était plus là. Pas vraiment surprenant, se dit-elle. Levin ne voulait décidément pas qu'elle mette la main dessus.

Cependant, au cas où il l'aurait seulement changé de place, elle inspecta les autres tiroirs, mais sans succès. Le dossier devait vraisemblablement se trouver dans le bureau de Levin. Aurait-elle le courage d'aller l'y chercher ?

Et puis, elle s'avisa qu'elle n'avait pas besoin de se donner cette peine, dans la mesure où l'article en question était sans doute disponible sur Internet, en faisant une recherche au moyen du nom du journaliste qui en était l'auteur. S'étonnant de ne pas y avoir pensé plus tôt, elle se hâta de regagner la petite salle de réunion et alluma son ordinateur portable. Elle inscrivit « Archer » dans le moteur de recherche et le titre de six ou sept articles apparut. Ils avaient été publiés dans divers magazines et tous donnaient l'impression d'être le fruit d'enquêtes de terrain sulfureuses. Il n'était pas très difficile de deviner lequel se trouvait dans le dossier confisqué par Levin : « Le Meilleur des mondes : au-delà des portes closes des cliniques de traitement de la stérilité ». Elle cliqua sur le lien correspondant.

Elle avait à peine terminé d'en lire le premier paragraphe qu'elle aperçut du coin de l'œil les boucles noires de Maggie qui passait devant la porte. Se disant qu'elle n'aurait peut-être pas de meilleure occasion de lui parler seule à seule, Lake abaissa le couvercle de son ordinateur afin d'en cacher l'écran et suivit Maggie vers le hall.

— Hey, Maggie, appela-t-elle doucement. Ça doit être vraiment épouvantable.

— Jamais je n'aurais dû les laisser dans ce tiroir, gémit Maggie à voix basse, semblant presque soulagée de pouvoir se confier. Vous vous rendez compte de ce que ça *signifie* ? Ça signifie que celui qui a tué le docteur Keaton travaille peut-être ici.

— Mais ce n'est pas votre faute. Et puis, ça ne veut pas nécessairement dire que…

— Je ne peux pas en parler maintenant. Le docteur Sherman m'attend.

— Voulez-vous prendre un café avec moi en fin de journée ? proposa Lake.

— Pas ce soir, non. Mais je crois que je suis libre pour le déjeuner, si vous voulez. Ma pause commence à 12 heures 30. En général, je vais au café qui se trouve au coin de Lexington et de la 81e.

Après avoir convenu de rejoindre Maggie là-bas, Lake se hâta de retourner vers son bureau. En pénétrant dans la petite salle de réunion, elle faillit presque heurter Brie. Celle-ci se tenait juste à l'entrée de la pièce.

— Bonjour, dit Lake en essayant d'avoir l'air amical.

— Bonjour, répondit Brie avec froideur, du bout de ses lèvres peintes cette fois-ci en rose pâle. (Lake nota que le bout de son nez était presque du même rose, comme sous l'effet d'un afflux de sang.) Comptez-vous travailler dans cette pièce toute la matinée ? Nous allons en avoir besoin un peu plus tard.

— Je dois partir dans peu de temps, dit Lake. Et je suis toujours prête à adapter mon emploi du temps aux impératifs de la clinique.

— À vrai dire, je croyais que vous en auriez *fini* à l'heure qu'il est. Ne sommes-nous pas censés recevoir un rapport tout prochainement ?

— Comme le sait parfaitement le docteur Levin, je suis parfaitement dans les temps.

Brie la regarda fixement durant quelques secondes avant de sortir de la pièce sans un mot. Lake prit quelques profondes inspirations pour se remettre de cette entrevue et se réinstalla devant son écran. Elle vit immédiatement que quelque chose avait changé. Le couvercle qu'elle n'avait qu'abaissé avant de quitter la salle était maintenant complètement fermé.

Brie avait fouiné. Et elle n'avait pu manquer de voir ce que Lake était en train de consulter.

12

S'agissait-il de simple curiosité de la part de Brie ? Lake n'ignorait pas que l'assistante de direction voulait toujours tout contrôler et qu'elle était le chien de garde vigilant de la clinique, mais son geste allait peut-être au-delà. Si Levin était le meurtrier et soupçonnait Lake de savoir quelque chose, il avait pu demander à sa fidèle employée de la surveiller. Et maintenant celle-ci allait lui raconter ce que Lake mijotait.

Bien qu'elle fût très impatiente de lire l'article, elle préféra donc ne pas se risquer à le faire dans les locaux de la clinique. Elle allait partir et trouver un café équipé du Wifi et elle y terminerait sa lecture. Puis elle irait rejoindre Maggie à 12 heures 30.

Après avoir fourré son ordinateur portable dans son cabas, Lake se dirigea vers la sortie. Ce jour-là, toutes les portes semblaient hermétiquement closes. Toutefois, depuis la salle d'examen, elle entendit un gémissement sourd qui fut suivi d'un cri d'angoisse. Elle avait entendu dire que certains des protocoles de fécondation pouvaient être traumatisants, comme par exemple lorsqu'il fallait remplir d'eau l'utérus pour pouvoir l'examiner.

En passant devant le bureau de Levin, elle retint sa respiration en se demandant si Brie s'y trouvait déjà, en train de commenter la découverte. Soudain, la porte s'ouvrit sur le docteur. Pourtant, ce n'était pas Brie qui était à ses côtés, mais une fille superbe qui semblait avoir dix-neuf ou vingt ans. Sa longue chevelure avait la couleur du miel et son visage était délicatement hâlé. Levin tendit la main, la paume tournée vers le haut, pour lui indiquer le hall d'entrée de la clinique.

— La réception se trouve juste à l'angle, sur votre gauche, lui dit-il d'un ton charmeur. Je vous dis à lundi, donc.

La jeune fille se mordit la lèvre et haussa les épaules, comme prise de doute.

— OK, fut la seule réponse qu'elle lui donna, avant de se diriger vers le hall d'entrée, accompagnée du claquement de ses tongs.

— Oh, vous êtes déjà là ! s'écria Levin en apercevant Lake. Vous avez une minute ? J'aimerais vous parler.

— Bien sûr, répondit-elle, tandis qu'une alarme s'allumait dans son cerveau en entendant son ton, plus froid qu'à l'accoutumée

Quand elle pénétra dans le bureau, elle vit que Catherine Hoss était là également, vêtue d'une robe bleue sans manche que ne recouvrait aucune blouse blanche.

Au moment où Levin ouvrait la bouche pour commencer à parler, Brie passa la tête dans l'entrebâillement de la porte. À sa vue, le cœur de Lake fit un bond.

— Docteur Levin, le docteur Sherman a besoin de vous, annonça-t-elle. Il est en salle 4.

Il soupira, visiblement ennuyé de cette interruption.

— Je reviens tout de suite, dit-il à Lake. J'aimerais que vous m'attendiez.

Une fois encore, son attitude était cassante, toute professionnelle. Mais Lake songea que Brie n'avait sans doute pas pu lui rapporter sa découverte, puisque Levin, jusque-là, avait été en compagnie d'une patiente, porte close.

— Sans problème, dit Lake en le regardant quitter le bureau.

— Une fille magnifique, n'est-ce pas ? lui dit alors le docteur Hoss.

— Brie ? demanda Lake, incapable de cacher son étonnement.

— Bien sûr que non, répondit Hoss sèchement. Kylie, la jeune fille qui vient de sortir du bureau.

— Oh, oui. Elle paraît bien jeune pour être l'une de vos patientes.

— Mais ce n'en est pas une, dit Hoss en pointant son petit menton vers Lake, avec un air hautain. C'est l'une de nos donneuses potentielles.

— Oh, fit Lake, masquant difficilement sa surprise.

Elle savait pourtant que la clinique sollicitait des donneuses d'ovules, voire d'embryons. Celles-ci représentaient le dernier recours pour les femmes qui souhaitaient avoir un enfant, mais dont les ovules étaient trop vieux, trop peu nombreux ou trop endommagés par un précédent traitement, comme une chimiothérapie. Les donneuses recevaient en contrepartie un minimum de huit mille dollars, et parfois plus, selon leur pedigree. Cela dit, à la connaissance de Lake, le centre ne se laissait pas aller aux solutions extrêmes auxquelles avait fait allusion Harry (comme la recherche de donneurs titulaires d'un doctorat, par exemple). Durant plusieurs années, la clinique s'était appuyée sur des agences spécialisées dans ce genre de dons, mais elle avait récemment commencé à constituer sa propre base de données. C'était d'ailleurs, le docteur Hoss qui supervisait ce projet.

— Je croyais que vous deviez attendre encore quelques mois avant de lancer ce programme, s'étonna Lake.

— Nous obtenons plus de réponses que prévu à nos annonces. Nous pourrons commencer plus tôt.

— Cette fille n'avait pas l'air très sûre d'elle.

— Avant que les donneurs se présentent à la première étape du protocole, nous ne sommes jamais certains de leur décision. Nombre d'entre eux font traîner les choses en exigeant de multiples entretiens préliminaires, puis se rétractent.

— Mais ce genre de don met le corps à rude épreuve, non ? demanda Lake. Je peux très bien imaginer pourquoi certaines femmes y réfléchissent à deux fois.

— Nous parlons seulement d'un mois difficile, suivi d'une rémunération très confortable, lui fit remarquer Hoss avec un certain mépris. Mais de nos jours, les filles sont trop gâtées. Elles veulent bien toucher l'argent, mais elles ne peuvent envisager le moindre désagrément.

Tandis qu'elle discourait sur l'égoïsme du chromosome Y, Lake l'observa. Ainsi qu'elle l'avait remarqué au restaurant, elle avait un côté Jekyll et Hyde. Une fois ôtées sa blouse de médecin et ses lunettes strictes, elle ne ressemblait plus du tout à la scientifique rigide qu'elle paraissait être le reste du temps. Elle se transformait alors en une femelle dominante tout à fait séduisante. Son arrogance semblait s'appuyer non pas sur son patrimoine ou son origine sociale, mais plutôt sur sa conviction d'être le plus gros cerveau disponible.

— Parfait ! Je vous remercie d'avoir patienté, s'exclama Levin en faisant irruption dans le bureau.

Ses mains semblaient humides, comme s'il venait de les laver après avoir pratiqué un examen, sans prendre le temps de les sécher correctement.

— Catherine, vous pouvez rester si vous le souhaitez. Il se peut que vous puissiez avantageusement contribuer à notre conversation.

Levin se glissa derrière son bureau en désignant aux deux femmes, les fauteuils qui lui faisaient face. Lake l'observa à la dérobée, alors qu'il baissait la tête vers les papiers étalés devant lui et que ses yeux gris pâle les parcouraient nerveusement. Il se passait manifestement quelque chose, pensa Lake en se demandant si Brie n'avait pas trouvé le moyen d'intercepter le docteur dans le couloir avant qu'il regagne son bureau.

— J'ai eu plusieurs conversations avec Hayden Cullbreth au cours du week-end, annonça Levin en relevant la tête et en fixant Lake. Elle semble connaître son métier.

— Je suis heureuse que vous soyez satisfait de ma recommandation, intervint Lake, même si elle sentait qu'un « mais » n'allait pas tarder à suivre.

— Le problème, c'est qu'il y a eu de nouveaux développements dans cette épouvantable affaire concernant Keaton et, quoi que nous puissions faire pour nous protéger, nous n'allons pas tarder à être à découvert sur certains fronts.

— Pourriez-vous être plus précis ? demanda Lake en présumant qu'il faisait allusion à l'histoire des clefs.

— Pour le moment, je préférerais l'éviter, répondit-il, et le bref coup d'œil qu'il adressa à sa collègue apprit à Lake que celle-ci était déjà au courant. Il appartient à la police de s'en occuper et, pour l'instant, mieux vaut en dire le moins possible.

Manifestement, il n'avait pas songé que Hayden en informerait Lake.

— Compris, ponctua-t-elle donc pour se montrer arrangeante.

— Cela dit, il nous faut aller de l'avant. Il est probable que nous serons prochainement sous les feux de l'actualité et, même si Hayden devrait nous aider à limiter les dégâts, il est essentiel que cette clinique *brille*. Où en est votre proposition ? Je crois qu'il va nous falloir la mettre en œuvre au plus vite.

Cette affirmation la désarçonna totalement.

— Nous étions convenus que je vous l'exposerais lundi prochain, remarqua-t-elle. Je travaille donc en ce sens.

— *Lundi ?* s'exclama-t-il, comme s'il entendait cette date pour la première fois. Ne pourrions-nous accélérer le processus ? Nous nous trouvons dans une situation extrêmement délicate.

Elle ne pouvait croire qu'il pût ainsi la soumettre à une telle pression. Elle n'avait vraiment pas besoin de ça.

— Eh bien, je... il faudrait que je jette un coup d'œil à mon planning, bredouilla-t-elle.

Elle était à la fois déconcertée et irritée, mais elle n'osa pas le montrer.

— Je vous avais proposé cette date compte tenu de mes autres obligations, ajouta-t-elle.

— Depuis que vous êtes ici, vous avez certainement eu le temps de découvrir qui nous étions, remarqua Hoss en ignorant l'explication de Lake. J'ai du mal croire que vous ayez besoin de poursuivre vos recherches plus avant.

Lake s'obligea à afficher un timide sourire, mais elle aurait volontiers étranglé l'embryologiste.

— Je vous promets de voir ce que je peux faire. Mais je dois tout de même vous dire que le moment n'est pas idéal pour lancer une campagne marketing. Vous feriez mieux de laisser passer quelques semaines et de vous concentrer sur la stratégie prônée par Hayden afin de détourner l'attention des médias. Ensuite, quand le soufflé sera retombé, il sera temps de mettre en œuvre certaines des propositions que je compte vous soumettre.

— Je comprends, dit Levin, mais vous devez bien avoir quelques propositions que nous pourrions lancer dès maintenant... comme le nouveau site Web, par exemple.

— Au moins, faites-nous part de vos idées, intervint Hoss. Il serait bon d'avoir un sujet de réflexion autre que cette horrible histoire.

— Comme je vous l'ai dit, je dois d'abord vérifier mes autres obligations, insista Lake. Il faut malheureusement que j'y aille, à présent, mais je reviendrai vers vous un peu plus tard dans la journée.

Elle se hâta de quitter le bureau et de traverser la réception en direction de la sortie. Dès qu'elle fut sur Park Avenue, le sourire forcé qu'elle avait affiché devant les deux médecins disparut. Il était impossible que Levin ait oublié qu'elle devait effectuer la présentation de ses propositions la semaine *suivante.* Ils en avaient discuté à plusieurs reprises et elle en avait confirmé la date auprès de Brie. Elle se demanda si un autre motif se cachait derrière sa requête. Il s'agissait peut-être d'une nouvelle tentative pour la déstabiliser – même si celle-là n'avait rien à voir avec le rasage de son chat. Quelles que pussent être ses intentions, elle devait se montrer accommodante et essayer de dissimuler son embarras. Elle devait aussi trouver le moyen de se concentrer pour boucler sa présentation, ce qui n'était pas une mince affaire, compte tenu de la situation.

Dehors, il faisait chaud et humide, mais elle le remarqua à peine tandis qu'elle pressait le pas sur Lexington Avenue. Elle tourna sur la droite pour se diriger vers le sud et marcha jusqu'au café Starbucks qui se trouvait à quelques pâtés de maison de là. Elle s'y acheta un café, repéra une table et, après en avoir nettoyé la surface, y installa son ordinateur portable avant de rouvrir la page concernant l'article de Kit Archer.

Celui-ci n'était pas tendre avec les cliniques de traitement de la stérilité. Il affirmait notamment qu'elles étaient aujourd'hui devenues des entreprises très lucratives et que, même si le ministère de la Santé exigeait qu'elles produisent les chiffres de leur taux de réussite, il n'avait aucun moyen de les y contraindre ou d'en vérifier l'exactitude. Cela laissait donc une certaine place aux abus. Ainsi, Archer exposait que certaines cliniques avaient été accusées d'encourager leurs patients à subir des protocoles ayant peu de chances d'aboutir, mais facturés un prix exorbitant.

Lake avait lu pas mal d'articles sur le secteur du traitement de la stérilité, lorsqu'elle avait accepté cette mission, mais elle n'était jamais tombée sur celui-là. Elle s'attendait à tout moment à voir apparaître le nom de son client de Park Avenue, présumant que l'animosité de Levin à l'encontre d'Archer ne pouvait provenir que de là. Pourtant, le papier avait paru dans un magazine établi à Washington, et la plupart des établissements qui y étaient mentionnés étaient situés dans cette région.

Dans ces conditions, pourquoi voulait-il tellement qu'elle ne le lise pas ? L'un des médecins de Park Avenue avait-il été associé, à un moment donné, à l'une des cliniques de Washington visées par le journaliste ? Lake fouilla dans son cabas pour y prendre son dossier sur la biographie des docteurs pratiquant chez son client. L'ayant feuilleté, elle constata qu'aucun d'eux n'avait jamais exercé à Washington.

Pourtant ce papier devait bien avoir une importance quelconque. Archer avait peut-être décidé d'approfondir ses recherches sur le sujet et Levin avait eu vent qu'il comptait s'en prendre à son entreprise. À moins que l'article ne fasse allusion à des pratiques douteuses auxquelles se livrait la clinique de Park Avenue et que Levin ait préféré ne pas éveiller les soupçons de Lake à cet égard.

La jeune femme décida de poursuivre ses recherches sur Kit Archer en soumettant son nom à Google. Le journaliste avait obtenu diverses récompenses professionnelles et travaillé tour à tour pour la presse écrite et la télévision. En ce moment, il opérait en qualité de correspondant de *Reveal*, une émission diffusant des sujets d'investigation. Il était parfaitement envisageable que ce type de programme s'intéresse à la clinique pour les besoins de l'un de ses reportages. D'ailleurs, cette hypothèse aurait pu expliquer pourquoi Keaton avait subitement hésité à rejoindre le centre de Park Avenue. Aucun médecin doté d'une bonne réputation n'aurait souhaité se voir mêlé à ce genre d'abus.

Lake plaça les mains sur ses tempes pour mieux se concentrer. Dès les premiers temps, elle avait perçu la hargne avec laquelle Levin défendait son entreprise. Lors de leur premier entretien, il avait fait l'éloge de ses succès, critiqué ses concurrents, et clamé qu'il l'engageait afin d'obtenir auprès des patients le plébiscite que méritait sa clinique. Si Keaton avait effectivement remis en question ses choix – sur des tentatives de FIV trop intensives, par exemple –, Levin avait dû le prendre extrêmement mal et défendre bec et ongles son empire. Car, après tout, qui donc était Keaton pour oser interférer avec la glorieuse mission du gourou de la fécondation ? Elle ferma les yeux et tenta d'imaginer Levin s'introduisant dans l'appartement de son futur collègue, avant de lui trancher la gorge avec un couteau. Elle n'y parvint pas.

Mais il aurait très bien pu engager quelqu'un pour effectuer le sale boulot à sa place. Et il avait suffisamment d'aplomb pour faire néanmoins bonne figure lors du dîner organisé en l'honneur de Keaton et agir comme un affable maître de cérémonie, en sachant que son ennemi serait bientôt mort.

Lake visita ensuite le site Internet de *Reveal* pour tâcher d'en savoir plus sur le parcours d'Archer. D'après la photo figurant sur le Web, celui-ci semblait avoir une petite cinquantaine d'années. Il avait l'allure un peu rugueuse et massive des reporters qui partaient couvrir des guerres lointaines, vêtus d'un blouson de safari. Ses cheveux, en revanche, ne collaient pas à cette image : au lieu du casque sombre généralement arboré par les journalistes de télévision, il avait des cheveux d'un blanc immaculé, suffisamment longs pour pouvoir les coincer derrière ses oreilles. Lake cliqua sur la vidéo de l'un de ses récents reportages et parcourut le site de l'émission pour voir s'il avait produit un sujet sur les centres de lutte contre la stérilité, mais elle ne trouva rien de spécial sur ce thème.

Il n'y avait qu'un seul moyen de découvrir si Archer s'intéressait à la clinique de Park Avenue : l'appeler et le lui demander. Elle ne savait absolument pas s'il accepterait de lui parler, mais il fallait qu'elle tente le coup. Son instinct ne cessait de lui répéter que la mort de Keaton était liée, d'une manière ou d'une autre, aux affaires de son client. Il lui restait à découvrir ce dont il s'agissait et à s'assurer que la police en serait informée.

Lake releva la tête et scruta la salle. Aucun des autres clients du café n'était suffisamment près de sa table pour pouvoir l'entendre. Ne jamais remettre au lendemain… Après avoir composé le numéro indiqué sur le site pour contacter la direction de l'émission, elle prononça le nom d'Archer pour qu'il soit enregistré dans le système automatique de réception téléphonique. Trois sonneries plus tard, une voix chaude annonça « Kit Archer » d'un ton si naturel qu'il lui fallut quelques secondes pour s'apercevoir qu'elle était en train d'écouter la boîte vocale du journaliste. Elle ne laissa pas de message en se disant qu'elle aurait plus de résultat en le prenant par surprise.

Il lui restait encore une heure avant de rejoindre Maggie et elle ne tenait plus en place. Elle ramassa donc ses affaires et quitta la fraîcheur du café pour la chaleur étouffante de la rue. Durant les quarante-cinq minutes qui suivirent, elle se contenta de battre le pavé en laissant son esprit marauder autour des maigres informations dont elle disposait et en tentant d'imaginer qui d'autre, parmi le personnel de la clinique, aurait été prêt à tuer pour protéger sa réputation. Sherman était également associé dans l'affaire et il aurait lui aussi perçu comme une menace tout type d'accusations. *Idem* pour Hoss, car, bien qu'elle ne possédât pas de parts dans l'entreprise, elle était au cœur des soins médicaux que l'on y dispensait. Et puis, il y avait Brie. Elle n'était qu'un rouage administratif de l'édifice, mais elle semblait plus redoutable qu'un dobermann dès que l'on touchait à Levin ou à la clinique.

Prenant soudain conscience de la chaleur, Lake songea qu'elle devait avoir une mine pitoyable. Des mèches de cheveux s'étaient échappées de son chignon et son dos était trempé de sueur.

Vers 11 heures 45, elle revint sur ses pas pour s'orienter vers le café dont lui avait parlé Maggie. Elle espérait pouvoir apprendre où celle-ci avait exactement laissé les clefs et qui aurait pu en être informé. Ses réponses la mèneraient peut-être à une piste.

L'infirmière n'était pas encore arrivée au café et Lake choisit une table dans le fond de la salle pour limiter les risques de se faire repérer. Elle se plaça de façon à voir la porte d'entrée. Bien que l'air conditionné fît un bruit de tous les diables, il peinait à rafraîchir l'atmosphère. Son thé glacé lui fut servi avec des glaçons déjà réduits à l'état de paillettes.

Elle survola le menu sans véritablement le lire. Quand elle regarda sa montre, elle constata qu'il était 12 heures 40. Maggie ne viendrait plus. Elle avait dû changer d'avis.

Mais alors qu'elle se tamponnait le front avec une serviette en papier pour en éliminer la sueur, elle aperçut l'infirmière dans l'encadrement de la porte du café.

Elle agita la main pour se signaler et, l'ayant aperçue, Maggie se faufila entre les tables pour la rejoindre. Quand elle fut plus près, Lake nota que son visage était encore figé par l'angoisse.

— Excusez mon retard, dit-elle faiblement. Le docteur Sherman a mis plus longtemps que prévu à effectuer son opération.

— Ne vous en faites pas, répondit Lake. Je suis heureuse que nous puissions finalement nous voir.

Les yeux de Maggie s'embuèrent aussitôt.

— Je vous suis tellement reconnaissante de prendre le temps de parler avec moi, gémit-elle. Son accent semblait maintenant plus épais, comme si le stress auquel elle était soumise l'avait fait sortir de sa tanière.

— À la clinique, je n'ose plus parler à personne. Le docteur Levin n'apprécierait pas, et…

Les mots restèrent en suspens dans sa bouche, mais il était évident qu'elle s'apprêtait à ajouter qu'elle ne pouvait plus faire confiance à aucun de ses collègues de travail.

— Laissez-vous aller, lui suggéra Lake d'une voix douce, sachant qu'elle devait se montrer subtile et ne pas presser Maggie de lui faire des révélations, au risque de l'effrayer. Ce doit être si difficile pour vous.

— Je me sens tellement coupable, murmura l'infirmière.

— Vous ne devriez pas, pourtant, la rassura Lake. Comment auriez-vous pu anticiper une telle tragédie ? Et puis, ces clefs n'ont peut-être rien à voir avec le meurtre.

— Il ne s'agit pas des clefs, dit-elle alors. Il s'agit de ce qui s'est passé *avant*. J'aurais dû savoir que quelque chose ne tournait pas rond avec le docteur Keaton.

13

— Quoi ? Qu'est-ce que vous voulez dire par là ? s'écria Lake.

Le brouhaha des conversations autour d'elles et le ballet saccadé des serveurs disparut de son radar. Que savait Maggie ? Elle retint sa respiration, impatiente d'en apprendre plus.

L'infirmière se mordit la lèvre inférieure si violemment que Lake crut bien qu'elle allait la fendre.

— Je ne devrais peut-être pas parler de tout ça, hésita-t-elle. Ma mère disait toujours que je racontais trop de choses à l'école.

Bon sang ! pensa Lake, Maggie avait senti qu'elle s'était un peu précipitée et elle faisait machine arrière. Il lui fallait marcher sur des œufs.

— Toute cette période doit être si éprouvante, tenta Lake pour la réconforter. Vous devez avoir beaucoup de mal à déterminer ce qu'il convient de faire.

— C'est vrai, reconnut Maggie en secouant la tête et en agitant ses boucles brunes.

— Alors le docteur Keaton voulait que vous arrosiez ses plantes pendant qu'il se trouvait en Californie ? poursuivit Lake.

Elle aurait éventuellement plus de chance en incitant son interlocutrice à reprendre son histoire depuis le début.

— Oui, les arbustes qui se trouvaient sur sa terrasse. Et il voulait aussi que je lui prenne son courrier pour ne pas encombrer sa boîte aux lettres.

À ces mots, les yeux de Maggie s'embuèrent de larmes et elle les tamponna avec une serviette en papier.

— Mais pourquoi vous avoir remis les clefs si longtemps avant son départ ? s'étonna Lake.

— Il avait un double sur lui, quand il m'a demandé si je pouvais lui rendre ce service, alors il me les a données, c'est tout. J'aurais dû les mettre dans mon sac, mais celui que j'utilise l'été est vraiment minuscule et je ne voulais pas avoir à trimbaler ses clefs toute la semaine. Du coup, je les ai déposées dans le tiroir de mon bureau.

Tout en parlant, Maggie baissa les yeux vers son sac à main qu'elle avait posé sur la table. Il était effectivement tout petit – une étroite pochette blanche en cuir matelassé.

— Vous pensez que quelqu'un l'a vu vous donner ses clefs ? demanda Lake.

— Je n'en suis pas certaine, répondit Maggie. Nous étions dans le couloir près du laboratoire quand il m'a demandé de lui rendre ce service. Quelqu'un aurait très bien pu nous voir, j'imagine – ou nous entendre depuis le labo.

— Et quand vous avez mis les clefs dans le tiroir ?

— Il y avait probablement du monde dans les parages, mais je ne me souviens pas qui.

Le bureau de Maggie se trouvait dans la salle des infirmières, un espace ouvert près duquel tout le monde circulait toute la journée. N'importe qui avait facilement pu subtiliser les clefs dans le tiroir, surtout durant les heures les plus chargées, quand la plupart des employés étaient occupés dans les salles d'examen ou au bloc opératoire. Même chose en fin d'après-midi, lorsque le personnel commençait à quitter les lieux.

— Avez-vous eu l'impression que les clefs avaient été déplacées dans votre tiroir ?

— Non, souffla Maggie de manière presque inaudible. Je n'utilise presque jamais ce tiroir. Je crois même n'y avoir plus jamais jeté un coup d'œil après qu'il m'a remis ses clefs. Oh, mon Dieu, et si j'étais responsable de sa mort...

— Mais, voyons, Maggie, ce n'est absolument pas le cas.

Un serveur s'approcha de leur table pour prendre leur commande.

— Avez-vous été surprise que le docteur Keaton vous demande un tel service ? s'enquit Lake quand il se fut éloigné.

— Ce n'était pas si terrible que ça. J'habite à Brooklyn et son appartement est sur ma ligne de métro. En plus, j'étais payée. La dernière fois, il m'avait donné cent dollars.

— La dernière fois ? s'étonna Lake.

— Le docteur Keaton avait déjà travaillé avec nous, avant. En mars dernier, pendant un mois. Vers la fin de sa mission, il s'était offert un long week-end aux Bahamas et je m'étais occupée de son appartement pendant ce temps-là.

— Je comprends, dit Lake, pourtant légèrement interloquée.

Il lui semblait curieux d'en entendre parler pour la première fois, mais elle se dit que personne n'avait eu la moindre raison de le faire auparavant. Quand elle reporta son attention sur Maggie, elle vit que des larmes striaient ses joues.

— Maggie ?

— C'est cette fois-là que ça s'est passé, murmura l'infirmière.

— Ce à quoi vous avez fait illusion un peu plus tôt ?

— Oui.

— Racontez-moi ce qui s'est passé.

— C'était un vendredi soir – juste avant le week-end de mars au cours duquel il est parti en voyage. Je devais retrouver une amie dans SoHo après être passée chez le docteur Keaton. J'étais en retard alors je l'ai appelée depuis l'appartement et, plus tard, au restaurant, je me suis aperçue que j'avais oublié mon téléphone portable sur le comptoir de sa cuisine. C'était tellement bête. Mon amie m'a proposé d'y retourner avec moi pour le chercher et nous y sommes allées après le dîner. J'ai eu… je ne sais pas… j'ai eu l'impression que quelqu'un était venu dans l'appartement. La lumière de la salle de bains était allumée, alors que je me souvenais parfaitement de l'avoir éteinte.

Lake sentit son estomac se nouer. Elle se rappelait qu'elle aussi avait vu de la lumière, dans la salle de bains de Keaton – et qu'elle-même avait eu peur que le meurtrier s'y fût caché.

— Vous croyez qu'il y avait quelqu'un à l'intérieur ? demanda Lake.

Les yeux de Maggie s'élargirent d'angoisse à cette pensée.

— Oh mon Dieu, je ne sais pas, s'écria-t-elle. Sur le moment, j'ai simplement cru que quelqu'un avait pénétré dans l'appartement après mon départ, mais était déjà reparti. Je me suis même dit que le docteur Keaton avait dû rentrer plus tôt que prévu et qu'il était ressorti pour dîner en ville. Mais quand je l'ai appelé, il était toujours à l'Ocean Club.

Cela pouvait signifier qu'une personne en voulait à Keaton depuis beaucoup plus longtemps que la semaine passée, songea Lake.

— Vous lui en avez parlé ? A-t-il eu l'air préoccupé ?

— D'abord, ça a eu l'air de l'inquiéter un peu. Il m'a posé quelques questions – comme, par exemple, l'heure à laquelle j'étais passée à l'appartement et celle à laquelle j'y étais revenue. Et puis il m'a dit de ne pas m'en faire. Qu'il avait eu un problème de plomberie dans la salle de bains et que l'intendant de l'immeuble était probablement monté vérifier qu'il n'y avait pas de fuite. Du coup, tout cela m'est sorti de la tête, puisque le docteur Keaton lui-même semblait n'y accorder aucune importance. Mais, maintenant, je me demande si tout ça n'est pas lié à sa mort.

— Ça ne devrait pas être trop difficile à vérifier. La police pourrait poser la question à l'intendant de l'immeuble. Vous lui en avez parlé ?

— Pas encore. Je n'y ai repensé qu'en venant vous rejoindre ici. Mais je vais le faire, je vous le promets. Je me sens si stupide ! D'ailleurs, quand j'ai raconté l'histoire des clefs aux inspecteurs, j'ai bien vu qu'ils me prenaient pour une parfaite idiote.

— Et quand ils vous ont interrogée la première fois, vous aviez oublié cet élément ? poursuivit Lake en se disant qu'un tel oubli était effectivement stupide de la part de l'infirmière.

— Le terme *oublier* n'est pas tout à fait exact. Quand ils nous ont convoqués dans la salle de réunion, ce jour-là, pour nous apprendre ce qui était arrivé au docteur Keaton, Brie m'a chuchoté à l'oreille qu'il avait été assassiné. Le docteur Levin l'en avait informée juste avant d'entrer dans la salle. Elle a précisé que quelqu'un s'était introduit dans son appartement. Je savais qu'il disposait d'une terrasse, alors je me suis dit que le voleur était entré par là. Ce n'est que plus tard, quand j'ai parlé à mon frère et qu'il m'a révélé que soit le docteur Keaton avait lui-même ouvert à son meurtrier, soit que celui-ci possédait une clef de l'appartement, que tout cela m'est revenu en mémoire.

— Pensez-vous que quelqu'un de la clinique aurait pu faire le coup ? demanda Lake en baissant la voix.

Maggie appuya son visage sur ses paumes et secoua la tête en signe de dénégation.

— Je ne peux pas imaginer qu'une telle chose soit possible, souffla-t-elle d'un ton lugubre. Quel pourrait en être le motif ? Les gens semblaient si heureux que le docteur Keaton vienne travailler au sein de la clinique ! Alors, il ne s'agit peut-être que d'une coïncidence, ajouta Maggie en redressant la tête. Je veux dire, le fait que j'ai eu les clefs et que quelqu'un s'est introduit dans l'appartement. Quand on y pense, le docteur Keaton n'a travaillé à la clinique que sept semaines au total. Comment aurait-il pu réussir à se faire détester à ce point en aussi peu de temps ?

— Vous avez raison. Il s'agit sans doute d'une simple coïncidence, renchérit Lake en lui offrant un faible sourire.

Malgré sa remarque destinée à réconforter l'infirmière, il y avait néanmoins de fortes probabilités pour qu'un membre de la clinique ait effectivement subtilisé les clefs. Et puis, sept semaines, ce n'était certes pas très long, mais ça paraissait suffisant pour que Keaton ait découvert des pratiques peu scrupuleuses et en ait touché deux mots à leur responsable. Celui-ci aurait pu en tirer de multiples motifs de le réduire au silence.

Elles avalèrent leur sandwich sans appétit, et Lake s'obligea à poser à Maggie quelques questions innocentes sur son parcours et ce qui l'avait amenée à travailler dans la médecine relative à la procréation. Elle écouta les réponses sans les entendre et, lorsque Maggie annonça qu'elle n'avait plus le temps de prendre un café, elle demanda l'addition.

— Vous savez, je ne peux plus regarder l'un de ces trucs sans repenser à une histoire qu'une patiente m'a un jour racontée, dit Maggie en montrant du doigt un cornichon sur le bord de son assiette. Le lendemain du transfert d'ovules dont elle avait bénéficié, cette femme a été prise d'une incroyable envie de cornichons. Elle en a dévoré un pot entier au cours de la nuit. Et puis encore un autre pot. Elle s'est alors dit que ça prouvait qu'elle était bien enceinte. Mais il est apparu par la suite que tout cela n'existait que dans sa tête. Et depuis, elle raconte que le simple fait d'en voir un la rend malade.

Lake se représenta la femme en question en train de pêcher un à un les cornichons dans leur pot. C'est un peu ce qui m'arrive en ce moment, se dit-elle, à moitié folle de désespoir.

Elles payèrent leur repas et sortirent du café. Lake jeta un bref coup d'œil autour d'elle afin de s'assurer qu'aucun membre de la clinique n'était dans les parages.

— Vous retournez à la clinique ? demanda Maggie.

— Euh, non. J'ai d'autres rendez-vous, répondit Lake.

— En tout cas, merci de m'avoir écoutée. Je me sens un peu mieux. Je n'arrive toujours pas à croire que quelqu'un de la clinique ait pu faire ça.

Tandis qu'elles finissaient de se séparer sur le trottoir, une autre question vint à l'esprit de Lake.

— Juste par curiosité... Était-il difficile de pénétrer dans l'appartement du docteur Keaton ? demanda-t-elle.

— Qu'entendez-vous par là ? s'étonna Maggie.

— Je me demande juste si quelqu'un pourrait s'y être introduit *sans* les clefs. Pensez-vous qu'il était facile de faire sauter le verrou ?

— Je ne sais pas, répondit Maggie. En tout, il n'y avait que deux clefs, en plus de celle de la boîte aux lettres : l'une donnant accès au hall d'entrée de l'immeuble et l'autre permettant d'ouvrir la porte de l'appartement. Chacune était effectivement facile d'utilisation. Mais, une fois encore...

Elle s'interrompit pour réfléchir.

— Quoi ? la pressa Lake.

— Cette fois-ci, le verrou n'était plus le même, remarqua l'infirmière. Et il était un peu plus difficile à ouvrir. Il m'avait d'ailleurs prévenue qu'il fallait un peu jouer avec la clef pour l'ouvrir.

— Attendez, s'écria Lake. Vous dites que depuis votre précédent passage, en mars, le docteur Keaton avait fait changer sa serrure ?

— Oui.

Keaton était peut-être beaucoup plus préoccupé par cette lumière dans la salle de bains qu'il l'avait laissé paraître. Et il avait fait changer le verrou pour cette raison. Mais Maggie semblait ne pas voir le lien entre ces deux informations.

— Il faut que vous le mentionniez à la police, affirma Lake.

— Vous croyez que ça signifie quelque chose ?

— Pour eux, il est juste essentiel de disposer de l'ensemble des informations, expliqua Lake sans vouloir en dire plus.

— Ah... d'accord, acquiesça Maggie en souriant. Je suis contente que vous preniez tout cela autant à cœur.

— Difficile de faire autrement, s'empressa de remarquer Lake, en tâchant de ne pas avoir l'air sur la défensive. La clinique est importante pour moi... De même que les gens qui y travaillent.

— Mais tout de même, vous donnez l'impression d'y faire plus attention que d'autres. Prenez le docteur Hoss, par exemple. Elle continue à accomplir son boulot tambour battant, comme si tout était parfaitement normal. Et vous, vous ne travaillez chez nous que depuis quelques semaines et vous êtes bien plus soucieuse qu'elle du devenir de la clinique.

Ne pas poursuivre sur le sujet, se dit Lake. Elle ne voulait surtout pas que Maggie raconte à qui voulait l'entendre qu'elle s'intéressait énormément à ce meurtre.

— Je ferais mieux de vous laisser partir, dit Lake. Et cessez de vous en faire. Surtout n'hésitez pas à me faire savoir si je peux vous aider d'une manière quelconque.

Comme l'infirmière s'éloignait, Lake commença à remonter Lexington Avenue. En principe, la chaleur accablante aurait dû l'inciter à héler un taxi, mais elle avait besoin de marcher pour réfléchir. Elle était encore sous le choc de ce qu'elle avait appris : le fait que Keaton avait fait changer son verrou, la lumière dans sa salle de bains, une fois encore... Quelqu'un en voulait-il effectivement à Keaton depuis quelque temps ? Tout cela était peut-être bien lié à ses problèmes de jeu : une lumière laissée allumée par un intrus à titre d'avertissement, dans le cadre d'une dette de jeu ou d'une affaire du même acabit. Keaton avait dû comprendre instantanément ce dont il s'agissait et c'était la raison pour laquelle il avait fait changer sa serrure.

Mais elle continuait à se demander si ces fameux problèmes de jeu étaient bien réels. Et si Levin les avait inventés pour créer une fausse piste ? Ces réflexions la ramenèrent à la clinique. Il était tout à fait plausible que quelqu'un ait entendu la conversation entre le docteur et Maggie. Il aurait alors subtilisé les clefs, avant d'en faire faire une copie et de les remettre dans le tiroir dès le lendemain matin.

Il fallait que Lake découvre pourquoi Keaton était revenu sur sa décision de venir travailler au sein de la clinique. Si seulement elle pouvait s'entretenir avec Kit Archer !

Elle essaya une nouvelle fois de l'appeler, mais n'obtint encore que sa messagerie. Elle se dit qu'il était peut-être du genre à filtrer ses appels. Frustrée, elle remit son téléphone dans son sac. Quand elle releva la tête, elle s'aperçut qu'elle avait presque failli heurter Steve Solman et sa femme Hilary. Ils allaient vers le sud, en direction de la clinique. Leurs visages étaient impassibles, comme s'ils avaient marché sans s'adresser un mot. Hilary, pourtant toujours tirée à quatre épingles et pimpante, donnait l'impression d'être terrassée par la chaleur. Ses joues étaient marbrées et son carré brun, habituellement si impeccable, ressemblait ce jour-là à une démêlure vaincue de haute lutte par un peigne imbibé de laque.

— Oh, bonjour, dit Steve en l'apercevant. Vous avez fini votre journée ? Quelqu'un m'a dit qu'il vous a vue partir.

— Effectivement. J'en ai terminé pour aujourd'hui, répondit Lake. Bonjour Hilary. Vous avez déjeuné ensemble ?

— Déjeuner ? s'esclaffa Hilary d'un ton sarcastique. Je vous en prie, vous savez comme moi que les médecins n'ont pas de temps à consacrer à ce genre de bêtises.

— Nous étions en train de faire un bref repérage pour du carrelage, intervint Steve. Pour une nouvelle salle de bains monumentale que nous avons en préparation. Je vous ai cherchée un peu plus tôt… Tout va bien ?

— Que voulez-vous dire ? s'étonna Lake.

Pourquoi ses remarques avaient-elles le don de la mettre sur la défensive ?

— J'ai entendu dire que vous étiez dans le bureau du docteur Levin, portes closes.

— À vrai dire, il m'a effectivement fait un sale coup, admit-elle. Il m'a demandé d'effectuer ma présentation cette semaine, au lieu de la semaine prochaine. Vous pourriez peut-être le raisonner. Ce n'est pas tant que j'ai besoin de quelques jours supplémentaires, mais je ne crois pas qu'il soit très indiqué de lancer une campagne de marketing et de communication dans la tourmente que nous traversons. Mieux vaudrait attendre que la clinique ne soit plus dans l'œil du cyclone.

— Je vais voir ce que je peux faire, dit Steve. Bon, là, je suis en retard, mais je vous appelle dans l'après-midi, d'accord ?

Alors qu'elle leur disait au revoir et s'éloignait, elle se demanda si Steve avait eu vent de l'histoire des clefs dans le tiroir de Maggie. Elle aurait aimé pouvoir lui parler à cœur ouvert de la clinique, mais, après ce qu'il avait raconté sur elle à la police, elle n'était plus très sûre qu'il sache tenir sa langue.

Elle prit un taxi pour parcourir le restant du chemin jusqu'à son appartement. Quand elle atteignit les abords de son immeuble, elle constata que le quartier était presque désert. Toutes les familles avaient décampé dans les Hamptons, les Poconos, ou vers le nord de l'État. Même le portier de garde l'après-midi, Bob, avait fui la chaleur et lisait un journal à scandale dans la petite pièce faiblement éclairée, attenante au hall d'entrée. Il passa la tête dans l'encadrement de la porte en l'entendant pénétrer dans l'immeuble.

— B'jour, madame Warren, dit-il en repliant son journal et en s'avançant vers elle. Au fait, j'ai parlé avec Carlos. Il m'a informé de vos préoccupations concernant la sécurité.

— Je vous suis reconnaissante d'y accorder de l'intérêt, dit-elle.

— Ce ne serait pas le type qui s'est fait tuer Downtown, par hasard ? le toubib de la stérilité ?

— Oui, c'est cela.

— Ça m'a l'air compliqué, comme situation.

Oh, mon Dieu, songea-t-elle. Elle ne souhaitait vraiment pas en parler avec lui.

— Ça l'est. C'est pourquoi je préfère prendre des précautions supplémentaires.

— Nous faisons toujours très attention, comme vous le savez. Mais je serai encore plus vigilant.

— Merci beaucoup, Bob, dit-elle en se hâtant vers l'ascenseur.

Dès qu'elle fut entrée dans son appartement, elle se livra à son nouveau rituel, en faisant une fois de plus l'inspection des pièces pour vérifier que tout était comme elle l'avait laissé. Ensuite, après avoir pris Smokey dans ses bras, elle s'affala sur le canapé et ferma les yeux. Il fallait qu'elle déclenche l'air conditionné, mais elle voulait auparavant faire une pause pour retrouver ses esprits. Elle avait l'impression d'être dans un horrible brouillard, sans savoir ce qu'elle devait faire. Le chat frotta son museau contre sa main pour l'inciter à le caresser. Son petit corps imberbe lui fendait le cœur. Qui t'a fait ça, minou ? Et pourquoi ?

L'interphone rompit le silence en bourdonnant, la faisant sursauter. Elle posa Smokey sur le canapé et se précipita vers le hall d'entrée.

— Oui, s'écria-t-elle, presque hors d'haleine.

— Madame Warren ? dit le portier.

— Oui, Bob, qu'y a-t-il ?

— La police est ici et demande à vous voir.

14

— Quoi ? s'écria Lake.

Elle avait parfaitement entendu, mais ces paroles l'avaient assommée.

— Deux policiers. L'inspecteur Hull et, euh… l'inspecteur McCarty. Oh, et j'ai vérifié leurs cartes.

Elle ne parvenait plus à faire un geste, terrifiée. Avaient-ils fini par découvrir qu'elle se trouvait dans l'appartement de Keaton ? Allaient-ils l'arrêter ? Et puis, elle se souvint des clefs. Ils voulaient sans doute approfondir leur enquête sur cet élément, en interrogeant tous les gens qui travaillaient à la clinique. S'il vous plaît, je vous en prie, faites que je ne me trompe pas, pria-t-elle silencieusement.

— Euh, vous pouvez les faire monter, Bob, dit-elle finalement.

Ses jambes étaient en coton, mais elle s'obligea à retourner dans le salon pour le parcourir des yeux. Elle savait qu'il était essentiel qu'elle leur donne l'impression d'être parfaitement normale – une mère de famille casanière, voire un peu mémère. Mais, depuis que les enfants étaient partis pour leur camp de vacances, la plupart des signes de leur présence avaient été rangés et, avec ses doubles-rideaux en soie pêche, ses hautes étagères remplies de livres et ses peintures de paysages richement encadrées, ils risquaient d'en conclure que l'endroit appartenait à quelqu'un de sophistiqué, voire un peu snob. Précipitamment, elle retira quelques livres des étagères pour les éparpiller sur la table basse. À l'entrée du séjour, elle aperçut soudain un jeu de société qui traînait sur la table réservée aux enfants et elle s'empressa de le mettre en évidence à côté des livres. Elle jeta ensuite l'un des gros coussins par terre et éparpilla les autres sur le canapé.

Quoi d'autre ? se demanda-t-elle frénétiquement. Mais à cet instant, elle entendit la sonnette de la porte d'entrée. Trop tard.

Elle se dirigeait vers le hall d'entrée en tâchant de se reprendre, quand, soudain, elle sentit quelque chose de doux contre son mollet. Baissant les yeux, elle vit Smokey qui s'enroulait autour de sa jambe. Elle porta les mains à sa bouche. Elle avait failli l'oublier.

Elle empoigna le chat et se rua vers la chambre à coucher.

— Sois sage, minou, lui chuchota-t-elle en le déposant sur le lit.

Elle refermait la porte de la chambre quand la sonnette tinta encore, avec insistance cette fois, comme si la patience de ses visiteurs avait atteint sa limite. En revenant vers l'entrée, elle serra les poings pour empêcher ses mains de trembler.

Quand elle ouvrit la porte, elle faillit ne pas reconnaître les deux inspecteurs. Ce jour-là, Hull avait les cheveux comme gominés en arrière, peut-être à cause de la chaleur. Le visage de McCarty était pour sa part couvert de sueur et de grosses auréoles assombrissaient sa veste de coton clair, au niveau des aisselles.

— Désolés de vous importuner chez vous, dit McCarty. Mais nous aimerions vous poser quelques questions supplémentaires.

— Bien sûr, dit-elle de manière aussi amicale que possible. Entrez, je vous prie. Puis-je vous apporter un verre d'eau ou quelque chose à boire ?

— Ce ne sera pas nécessaire, répliqua Hull d'un ton sec, lui indiquant instantanément que toute tentative pour les amadouer resterait vaine.

Elle les conduisit dans le salon en leur faisant signe de prendre un siège. Chacun d'eux s'installa dans un fauteuil, lui laissant le canapé. Alors qu'elle s'asseyait au bord du sofa, elle vit que McCarty avait repéré la boîte du jeu de société. Donnait-elle l'impression d'avoir été posée là à dessein, comme un décor de pièce de théâtre ?

— Vous avez mentionné la dernière fois que vous n'étiez à la clinique que depuis peu, commença McCarty en feuilletant les pages de son bloc-notes. Depuis combien de temps, exactement ?

Elle baissa les yeux pour essayer d'en faire le calcul. Elle aurait dû pouvoir répondre facilement à cette question, mais elle était si nerveuse qu'elle avait du mal à réfléchir. Tout en essayant de se concentrer, elle pouvait entendre la respiration de Hull devenir de plus en plus bruyante, comme s'il s'impatientait.

— Excusez-moi, dit-elle. Parfois, les journées se bousculent. J'en suis à ma quatrième semaine.

— Vous auriez un calendrier ? demanda McCarty. Pour vérifier.

— Ce n'est pas la peine. J'en suis tout à fait certaine. Je travaille là-bas depuis un peu plus de trois semaines. Jamais, je n'y ai passé une journée complète, cela dit. En général, j'y consacre quelques heures dans la matinée. Pour interroger les médecins, lire des documents, ce genre de choses.

Elle se rendit compte qu'elle en faisait trop. Arrête de te répandre en explications, s'ordonna-t-elle.

— Y a-t-il quelqu'un là-bas que vous avez fini par connaître un peu plus personnellement ? continua McCarty.

— Pas vraiment. Il m'est arrivé de discuter un peu avec Maggie, l'une des infirmières… et aussi avec l'assistante du docteur, Rory. J'ai également pas mal parlé avec Harry Kline, le psychothérapeute. Nous avons pris un café ensemble, récemment.

Elle avait l'impression qu'elle devait le leur révéler. Ils risquaient de l'apprendre de la bouche de Harry lui-même et ça leur semblerait bizarre qu'elle ait omis de le leur rapporter.

— Et parmi les médecins ?

— Eh bien, comme je vous l'ai déjà dit, je les ai interrogés et il y a eu ce dîner. Mais c'est tout.

— Quelle impression vous fait le docteur Hoss ? Avez-vous passé beaucoup de temps avec elle ?

Pourquoi la questionner sur Hoss ?

— Pas plus qu'avec les autres, répondit Lake. Un matin, nous avons parlé durant plusieurs heures d'embryologie et des protocoles qu'elle mettait en œuvre dans son laboratoire.

— Par conséquent, vous n'avez véritablement sympathisé avec aucun des docteurs ?

— Non. Oh, attendez ! J'allais oublier le docteur Salman, ajouta-t-elle maladroitement, du ton qu'elle aurait employé pour s'excuser d'avoir renversé un verre. C'est lui qui m'a recommandée pour cette mission. Sa sœur est l'une de mes vieilles amies de faculté et je le connais depuis des années, mais pas personnellement.

Hull soupira, sans même essayer de cacher son irritation.

— Et c'est tout, alors ? Vous n'allez pas subitement vous rappeler que l'une des personnes qui travaillent là-bas est un lointain cousin ?

— Non, répondit-elle, d'un ton un peu pincé.

Elle aurait tellement aimé pouvoir traverser la pièce et lui balancer une gifle.

McCarty s'éclaircit la voix pour ramener l'attention sur lui. Elle se souvint alors qu'elle n'avait toujours pas mis en marche l'air conditionné et que la température de l'appartement était étouffante, presque insupportable. Maintenant, la sueur qui faisait luire le visage de McCarty s'était mise à dégouliner. Elle se demanda si elle devait s'absenter pour l'allumer. Mais ça aurait pu les inciter à s'éterniser.

— Je ne sais pas si vous avez entendu la nouvelle, dit McCarty. Il est apparu que Maggie Donohue avait eu en main un double des clefs du docteur Keaton et qu'elle les avait déposées dans son tiroir de bureau. Nous nous efforçons de déterminer si quelqu'un a pu tomber dessus et les prendre.

— Oui, j'en ai entendu parler. C'est si dérangeant.

— Qu'est-ce qui est *dérangeant* ? fit Hull

— Eh bien que quelqu'un ait pu s'en emparer, répondit-elle. Que quelqu'un appartenant à la clinique puisse être… le meurtrier.

— Ça vous surprend ?

— Oui. Je n'avais pas beaucoup de contacts avec le docteur Keaton, bien sûr, mais Maggie m'a dit que tout le monde paraissait l'apprécier.

— Que voulez dire par « bien sûr » ? demanda Hull abruptement.

— Je vous demande pardon ? dit-elle, alors que son cœur s'arrêtait de battre.

— Vous avez dit que *bien sûr*, vous n'aviez pas beaucoup de contacts avec lui.

— Eh bien, comme je vous l'ai dit, je n'ai jamais passé une journée complète à la clinique. Et... dans la mesure où il n'en faisait pas encore officiellement partie, je ne l'ai pas interviewé.

— Avez-vous vu quelqu'un d'autre que mademoiselle Donohue ouvrir ce tiroir ?

— Non, pas que je me souvienne.

Hull la regarda comme s'il la prenait pour une parfaite idiote.

— Eh bien, si vous vous souvenez de quoi que ce soit, faites-le-nous savoir, soupira-t-il avec un rictus vaguement cynique.

— Bien entendu, dit-elle en se forçant à lui offrir un sourire poli.

— Et vous n'avez jamais vu Keaton se disputer avec qui que ce soit ? demanda McCarty.

— Non.

Si seulement elle avait pu leur révéler ce que Keaton lui avait dit à propos de son « léger problème ». Mais elle n'osait pas se lancer. Ils devineraient instantanément qu'elle était plus proche de lui qu'elle ne le leur avait affirmé.

— Et plusieurs mois auparavant ? demanda Hull.

— Quoi ? s'étonna-t-elle.

— Vers la fin de l'hiver. Quand le docteur Keaton est venu à la clinique pour la première fois.

— Mais je ne travaille pour ce client que depuis quelques semaines, dit-elle prudemment.

— Vous n'aviez pas commencé votre mission lorsque le docteur Keaton est venu à la clinique, en mars dernier ?

— Non.

La tête lui tournait. Ils lui donnaient l'impression de vouloir lui tendre des pièges pour l'amener au bord d'un précipice.

— Changeons de sujet un instant, intervint McCarty. Vous avez mentionné l'autre jour que vous aviez parlé avec le docteur

Keaton de la clinique pour laquelle il travaillait à LA. A-t-il évoqué quelque chose de particulier à son propos ?

Où cela risquait-il de la mener, se demanda-t-elle avec angoisse.

— Nous n'avons échangé que très peu de mots sur le sujet. Il m'a affirmé qu'elle avait mis en place des stratégies marketing très intéressantes.

— Aucune critique ? insista McCarty. Rien de négatif ?

— Non, rien de tel.

Maintenant, c'était elle qui commençait à souffrir de la chaleur. Elle sentait des gouttes de sueur couler le long de sa colonne vertébrale, depuis sa nuque. Mais elle resta assise sur le canapé, aussi droite que possible, en attendant la question suivante. Il n'y en eut pas. McCarty se remit à feuilleter sans fin les innombrables pages de son bloc-notes, peut-être à la recherche des annotations auxquelles avait donné lieu son précédent interrogatoire. Essayait-il de trouver une contradiction entre les deux entretiens ? Quelque chose qui la déstabiliserait ? Hull quant à lui se contenta de l'observer, sans bouger. Elle avait entendu parler de ce genre de techniques. Dans son souvenir, on appelait ça un « silence chargé », et cela recouvrait, en gros, une stratégie que l'on pouvait résumer ainsi : laisser l'intéressé mariner dans son jus pour voir ce qui allait en sortir. Si cette situation s'éternisait, elle finirait effectivement par tout avouer, y compris la préparation d'attentats terroristes depuis son appartement.

— Vous avez des enfants ? finit par lui demander Hull.

— Oui. Ils…

Elle s'apprêtait à expliquer qu'ils se trouvaient pour le moment dans un camp de vacances, mais elle s'avisa qu'il serait stupide de leur révéler qu'ils n'étaient pas là la semaine précédente.

— Ils ont neuf ans et onze ans.

Hull se leva sans un mot, comme subitement terrassé par l'ennui. McCarty referma son calepin et fit de même. Elle n'arrivait pas à croire qu'ils allaient enfin partir. Elle les suivit dans le hall d'entrée en laissant échapper un soupir de soulagement.

— Autre chose ? demanda-t-elle en regrettant aussitôt sa question, mais la perspective de les voir décamper lui avait presque tourné la tête.

— À vrai dire, oui, dit Hull.

Elle faillit sourire en pensant à la stupidité de sa question.

— Quelqu'un de la clinique nous a dit que vous aviez été bouleversée par le meurtre, poursuivit Hull. C'est un peu étonnant, non ? Je suis surpris que cet assassinat ait pu à ce point vous traumatiser. Je veux dire, vous connaissiez à peine le docteur Keaton.

Elle eut soudain l'impression que ses jambes n'étaient plus soutenues par des os.

— Qui… qui a dit ça ? demanda-t-elle d'une voix blanche.

— Je n'ai pas le droit de vous le dire, répondit Hull.

Elle se souvint de l'explication qu'elle avait inventée pour Harry et décida qu'elle n'avait pas d'autre choix que de l'utiliser à nouveau.

— Il est vrai que j'ai été bouleversée. Mais pas seulement à cause du meurtre. J'ai découvert la semaine dernière que mon ex-mari avait l'intention de demander la garde exclusive de nos enfants. Depuis, il est vrai que je ne suis plus tout à fait moi-même.

Les deux inspecteurs la regardèrent sans dire un mot. Maintenant, elle sentait que son chemisier était complètement trempé dans le dos. Et la transpiration perlait au-dessus de sa lèvre supérieure. Il fallait à tout prix qu'elle résiste à l'envie de l'essuyer.

— Ça doit être dur, dit finalement McCarty.

— Oui, Ça l'est.

À cet instant, un long miaulement se fit entendre dans la chambre. Suivi d'un autre. Puis, des bruits de griffe grattant le bas de la porte. Les deux hommes tournèrent instantanément la tête dans cette direction.

— Il y a quelqu'un par là-bas qui n'a pas l'air très heureux, remarqua McCarty.

— Oh, c'est… c'est mon chat. Je l'ai enfermé dans la chambre quand j'ai su que vous montiez.

— Ce n'était pas nécessaire, dit McCarty. Nous ne sommes pas allergiques, n'est-ce pas Scott ?

— Non, en fait, nous sommes même de grands amateurs de chats, renchérit Hull avec un sourire narquois.

Elle retint sa respiration. Est-ce qu'ils allaient rester là jusqu'à ce qu'elle veuille bien libérer l'animal ?

— Peut-être pourriez-vous au moins brancher l'air conditionné pour lui, dit Hull en haussant les épaules tout en prenant la porte. J'imagine qu'il doit avoir sacrément chaud.

Une minute plus tard, ils étaient partis. Elle vérifia par le judas qu'ils étaient bien montés dans l'ascenseur et fit sortir Smokey de sa prison. Il fila vers la porte d'entrée comme s'il avait la queue en feu.

Lake se sentait à la fois totalement épuisée et fébrile. Elle déboutonna d'une main nerveuse son chemisier trempé de sueur et l'abandonna sur le plancher de la chambre à coucher. Après avoir mis en marche l'air conditionné, elle se hâta vers la cuisine où elle retourna le contenu d'un tiroir pour y trouver un bout de papier et un crayon. Puis elle se mit à prendre des notes. Elle ne voulait rien oublier de ce que les flics venaient de lui dire.

Il était évident, d'après la teneur de leurs questions, qu'ils concentraient leurs recherches sur la clinique – sans doute du fait des révélations de Maggie à propos des clefs. Mais ils l'avaient également interrogée sur le travail qu'effectuait Keaton dans son cabinet de LA. Cela semblait vouloir dire qu'ils suivaient d'autres pistes en parallèle. Et il était certain que Levin devait leur avoir déjà parlé des problèmes de jeu du docteur. Tout en écrivant, Lake repensa aussi aux questions qu'ils lui avaient posées sur le docteur Hoss. Qu'est-ce que cela pouvait signifier ? Hoss avait-elle également eu une aventure avec Keaton ? Aurait-elle pu le tuer parce qu'il l'avait quittée ? Elle ne semblait pas être du genre à accepter aisément qu'on la rejette.

Mais le plus dérangeant était encore ce qu'ils avaient mentionné juste avant de partir : que quelqu'un leur avait raconté que Lake était bouleversée depuis le meurtre, qu'elle n'était plus la même. La seule personne qui avait paru s'en apercevoir était Harry. Elle ne voyait pas pourquoi il l'aurait ainsi trahie. Est-ce qu'il la soupçonnait vraiment ? L'entrevue du dimanche avait-elle eu pour seul objectif de lui tirer les vers du nez, en prétendant être préoccupé par son bien-être ? Elle se demandait si les flics avaient gobé le baratin qu'elle leur avait servi pour expliquer sa nervosité.

Peut-être la soupçonnaient-ils déjà d'être celle qui se trouvait dans le lit de Keaton cette nuit-là. Ils lui avaient donné l'impression de chercher à la déstabiliser et de tourner autour du pot avec leurs questions.

Il fallait qu'elle réussisse à joindre Archer. Si quelque chose se passait effectivement à la clinique, il y avait des chances pour qu'il soit au courant. D'ailleurs, à qui d'autre pourrait-elle le demander ? Elle prit le téléphone en sachant que, cette fois, il faudrait qu'elle lui laisse un message et en priant pour qu'il la rappelle. Elle fut donc totalement prise au dépourvu, lorsque, après trois sonneries, une voix chaude annonça « Archer ».

— Monsieur Archer, s'écria-t-elle, surprise. Je m'appelle Lake Warren. J'ai lu un article que vous avez écrit sur les cliniques spécialisées dans le traitement de la stérilité. Auriez-vous quelques instants à me consacrer ?

Il y eut un silence tandis qu'il enregistrait ses paroles.

— OK, répondit-il. Que puis-je faire pour vous ? Sa voix lui parut un peu tiède, comme si son métier de journaliste lui avait appris que, parfois, certaines pistes trouvaient leur origine dans des appels comme celui-là.

— J'aurais voulu pouvoir m'entretenir avec vous de ce sujet.

— Vous êtes cliente de l'une de ces cliniques ?

— Non, je travaille dans l'une d'elles. En qualité de consultante en marketing.

Dès qu'elle eut prononcé ces mots, elle prit conscience de ce qu'elle était en train de faire. Elle s'apprêtait à violer la confidentialité qu'elle devait à son client. Mais elle n'avait pas le choix. Pas si elle voulait apprendre la vérité.

— Laquelle ?

— Je préférerais ne pas avoir à vous le dire au téléphone. J'espérais que nous pourrions nous rencontrer.

— Mais vous voulez me parler de quoi, au juste ? Il faut que vous m'en disiez un peu plus.

Sa réflexion n'était pas allée jusque-là. De quoi voulait-elle s'entretenir avec lui, exactement ? Simplement de la découverte fortuite de son article dans un dossier ? Ça paraissait stupide.

— Votre article soulève des questions intéressantes, poursuivit-elle, mal à l'aise. Je crains simplement qu'il puisse exister des irrégularités au sein de la clinique pour laquelle je travaille.

— Quel genre d'irrégularités ?

— Une fois encore, je préférerais ne pas entrer dans ces détails par téléphone.

— Eh bien, nous serions heureux de pouvoir entendre ce que vous avez à dire. Puis-je demander à ma productrice de vous rappeler afin d'organiser un rendez-vous ?

Mince. Il fallait qu'elle insiste.

— Je préférerais de loin pouvoir m'entretenir directement avec vous. Et le plus tôt possible.

— Pourquoi cette hâte ?

— Eh bien, c'est assez urgent. Je pourrai vous expliquer tout cela lorsque nous nous verrons.

— Pourquoi ne pas tout simplement me donner le nom de cette clinique ? À défaut, nous risquons de tourner en rond.

— Vous n'allez pas l'utiliser pour le moment, n'est-ce pas ?

— Non. À ce stade, nous discutons, c'est tout.

— C'est le centre de traitement de la stérilité de Park Avenue.

Silence. Elle pouvait presque l'entendre cogiter.

— L'un de vos toubibs a connu une fin plutôt tragique la semaine dernière, finit-il par dire.

Elle retint sa respiration. Mais, bien sûr, songea-t-elle. Compte tenu des liens de Keaton avec la clinique, Archer avait dû s'y intéresser tout particulièrement.

— Oui, admit Lake d'une voix calme.

— Alors, je veux bien qu'on cause, dit Archer. Mais j'ai quelques problèmes de planning. Je dois quitter la ville mercredi pour un reportage et je ne sais pas quand je rentrerai. Peut-être cela ne me prendra-t-il que quelques jours, mais rien n'est sûr.

— Et auriez-vous la possibilité de vous libérer aujourd'hui ou demain ?

— Aujourd'hui, c'est impossible, répondit-il. Mais je devrais pouvoir vous rencontrer demain. J'ai une obligation en début de soirée, mais je devrais être en mesure de vous accorder quelques minutes juste avant.

Archer lui proposa de la retrouver à 17 heures 30 au Peacock Alley, le bar de l'hôtel Waldorf où avait lieu l'événement auquel il devait assister. Ils échangèrent leurs adresses électroniques et elle lui fit une brève description de ce à quoi elle ressemblait.

C'est un début, se réconforta-t-elle en raccrochant. Pourvu qu'il en ressorte quelque chose !

Elle se prépara une tasse de café qu'elle emporta dans son bureau, avant de s'installer devant son ordinateur. Même si elle avait la tête ailleurs, il fallait bien qu'elle enrichisse sa présentation de quelques idées. Elle adressa un courriel au Web designer qu'elle avait engagé, ainsi qu'à la personne à laquelle elle pensait confier la communication quotidienne de son client, afin de leur soutirer quelques idées à brûle-pourpoint. Initialement, elle leur avait accordé un délai de deux semaines, en se disant qu'elle n'avait pas besoin de leur concours pour sa présentation préliminaire à Levin et Sherman. Mais maintenant, elle était aux abois.

Un peu plus tard, elle faxa à Amy et Will un message identique : un petit dessin d'elle et Smokey, accablés par la chaleur. Au début de l'été, quand elle avait commencé à envoyer ces lettres aux enfants, la monotonie de sa vie la déprimait. Aujourd'hui, elle aurait donné n'importe quoi pour la réinstaurer.

En se glissant dans son lit, elle crut qu'elle allait enfin pouvoir passer une nuit normale, compte tenu de son épuisement. Mais, après une demi-heure d'agitation entre les draps, il lui apparut clairement que le sommeil ne serait pas encore au rendez-vous cette nuit-là. Elle tourna et vira durant encore quelques minutes, avant de se traîner hors du lit, laissant derrière elle Smokey, pelotonné sur un oreiller. Dans sa chemise de nuit en coton blanc, elle parcourut comme un fantôme le long couloir menant au salon. Il régnait dans l'appartement un silence de mort, seulement rompu par le bruit d'un robinet mal fermé quelque part. Sans doute dans la salle de bains de Will.

À un moment, elle interrompit sa longue errance solitaire pour s'immobiliser devant les photos disposées sur la table de l'entrée, dans des cadres en métal argenté. Il y avait des clichés des enfants, mais aussi des amis : assis dans la véranda, à Roxbury, pour fêter un anniversaire, riant ensemble dans Riverside Park. Si au moins elle avait pu se confier à l'un d'eux ! Mais depuis sa rupture avec Jack, elle s'était éloignée d'eux, par gêne ou encore parce que leur vie de couple lui semblait désormais trop différente de la sienne, comme dans le cas de Sonia, la sœur de Steve.

Soudain, du coin de l'œil, elle repéra un mouvement sur le plancher, sur sa droite. Elle tourna vivement la tête dans cette direction en pensant qu'il s'agissait de Smokey, mais ce n'était pas lui. En parcourant le hall d'entrée des yeux, elle s'électrisa en comprenant ce qu'elle venait de voir. Sur le plancher, sous la porte d'entrée, un rayon de lumière en provenance du palier venait d'apparaître. Et maintenant, celui-ci était interrompu par une ombre : il y avait quelqu'un de l'autre côté de la porte.

Il était plus de 2 heures du matin. Qui cela pouvait-il être ? se demanda-t-elle avec angoisse. Elle n'arrivait plus à faire un geste, paralysée par ce mince filet de lumière. C'est alors que la sonnette tinta.

15

Le bruit la fit reculer. Qui pouvait venir la voir à une heure pareille ? Et pourquoi le portier ne l'en avait-il pas informée au préalable ?

— Qui est là ? demanda-t-elle à bonne distance de la porte.

La sonnette retentit encore. Cette fois-ci plus longuement, avec plus d'insistance.

— Qui est-ce ? demanda-t-elle encore d'une voix plus forte.

Au bout de quelques secondes, elle se força à approcher de la porte pour regarder par le judas. Personne en vue.

En reculant de quelques pas, elle constata que l'ombre avait disparu. Elle posa son oreille contre le panneau de la porte pour écouter. Elle eut l'impression d'entendre le bruit feutré de pas qui s'éloignaient. Elle attendit qu'un cliquetis annonce l'arrivée de l'ascenseur sur le palier, mais en vain.

Elle appuya frénétiquement sur le bouton de l'interphone. En priant pour que quelqu'un réponde rapidement, elle tendit encore l'oreille. Pas un bruit.

— Puis-je vous aider ? lui demanda une voix masculine ensommeillée.

— Je suis Lake Warren, de l'appartement 12 B. Quelqu'un vient de sonner à ma porte. Avez-vous laissé monter quelqu'un ?

Un silence s'ensuivit, comme si son interlocuteur avait besoin de réfléchir.

— Non. Non, je n'ai vu personne. Et personne n'est monté depuis un bon bout de temps.

— Qui cela pourrait-il être, à votre avis ?

— À quoi ressemblait votre visiteur ?

— Je ne l'ai pas vu, répondit-elle dépitée. Quand j'ai regardé par le judas, le couloir était vide.

— Des gens sont montés il y a quelques heures, pour aller à une fête au onzième. Quelqu'un s'est peut-être trompé d'étage. Vous voulez que je vienne ?

— Non, non. Ça va aller.

Elle se demandait si l'hypothèse du veilleur de nuit pouvait être la bonne. Que quelqu'un se soit tout simplement trompé de porte. Mais le gardien avait très bien pu s'assoupir et laisser ainsi passer un étranger. Était-ce le meurtrier de Keaton qui s'était présenté à sa porte ? Quelqu'un de la clinique ou une personne chargée de la harceler ? Peut-être le rasage de son chat n'était-il qu'un premier avertissement. Et maintenant, ils voulaient lui montrer qu'ils pouvaient s'approcher d'elle, comme ils voulaient.

Elle regarda fixement la porte. Elle disposait bien d'une chaîne de sécurité, mais celle-ci lui semblait si dérisoire, désormais, comme ces flocons de pop-corn que l'on attachait au bout d'un fil, à l'occasion de Noël. Après avoir déplacé les photos, elle traîna la table de l'entrée devant la porte. Mais, malgré cette précaution, elle se sentait beaucoup trop effrayée pour pouvoir se remettre au lit. Elle s'allongea donc sur le canapé du salon et se couvrit d'un plaid. La faible lueur de l'aube commençait à poindre quand elle plongea enfin dans le sommeil.

Elle se réveilla avec un violent mal de tête et la gorge en feu. Ce n'est pas le moment de tomber malade, pensa-t-elle. Les images de la nuit lui revinrent en mémoire. Durant quelques secondes, elle se demanda si elle ne les avait pas rêvées. Elle repoussa Smokey qui s'était installé sur ses pieds et tituba comme un zombie jusqu'à la porte d'entrée. La table qui la barrait lui confirma qu'elle n'avait pas rêvé.

Elle remit le meuble à sa place et ouvrit la porte, sans ôter la chaîne de sécurité. Elle aperçut que le *New York Times* avait été déposé sur son paillasson, comme chaque matin. Après avoir retiré la chaîne, elle entrouvrit un peu plus la porte pour scruter le palier. Il était désert.

Alors qu'elle ramassait son journal, elle entendit que ses voisins, les Tammens, ouvraient à leur tour leur verrou. D'après ses informations, la femme et les enfants se trouvaient pour tout le mois d'août dans les Hamptons où le père, Stan, les rejoignait tous les week-ends. Ce fut donc Stan qui sortit dans le couloir en étouffant un bâillement.

— B'jour, lui dit-il. Vous n'êtes pas en vacances ce mois-ci ?

— Non, pas cette année. Dites-moi, je suis un peu préoccupée par quelque chose qui s'est passé la nuit dernière.

— Quoi donc ?

— Quelqu'un a sonné à ma porte vers 2 heures du matin. Et quand j'ai demandé qui c'était, la personne a disparu sans rien dire. Je n'ai pas vu qui cela pouvait être.

Stan tordit la bouche avant de, lentement, secouer la tête.

— Peux pas vous aider sur ce coup-là, dit-il. Je veux dire, j'étais bien là, mais je n'ai rien vu et rien entendu.

Après avoir refermé sa porte, elle avala une aspirine effervescente en faisant la grimace. Ensuite, elle se prépara un café et se força à manger un yaourt. Depuis le début de la semaine, elle n'avait pas réussi à faire un repas correct.

En regardant par la fenêtre de sa cuisine le soleil d'été qui commençait à percer entre les immeubles gris et brique, elle réfléchit à la journée qui l'attendait. Elle avait prévu de rester chez elle pour tenter d'achever sa présentation, jusqu'à l'heure de son rendez-vous avec Archer. Quel soulagement de ne pas avoir à se rendre à la clinique – et à se demander si le meurtrier n'était pas en train d'épier le moindre de ses faits et gestes ! Mais il fallait au moins qu'elle appelle. Levin attendait sa réponse. Vers 8 heures 30, elle prit donc son téléphone, sachant que la plupart des employés de la clinique y seraient déjà arrivés.

Elle demanda à la standardiste de commencer par lui passer Steve, en priant pour qu'il ait réussi à lui arracher un peu de temps supplémentaire.

— Désolé, j'ai essayé, lui dit-il, quand il fut en ligne. Mais Tom a l'air d'être sur des charbons ardents, en ce moment, et il estime que nous devons mettre en œuvre le plan marketing dès que possible.

— Très bien, lui dit-elle, ne voulant pas qu'il se doute de son état d'agitation. Je vais organiser une réunion de présentation, alors.

— J'espère que vous n'avez pas l'impression qu'il vous tyrannise. Je crois que cette histoire de meurtre met ses nerfs à rude épreuve.

Peut-être parce que c'est lui qui l'a orchestrée, songea-t-elle.

— Toutes ces visites de la police doivent forcément l'inquiéter, remarqua Lake, qui laissa sa phrase en suspens pour voir si Steve enchaînerait en mentionnant l'affaire des clefs.

— Bien entendu. Nous sommes tous inquiets, répondit-il d'un ton subitement distrait. Attendez… avant que vous raccrochiez, je veux vous faire une proposition. Depuis la semaine dernière, je me dis que nos relations ont pris une tournure un peu bizarre. Je suis vraiment embêté de vous avoir mise en porte à faux vis-à-vis de la police. Si Sonia le savait, elle m'étranglerait.

— Oublions tout ça, Steve, suggéra-t-elle en grimaçant à ce souvenir. Apparemment, la police a accepté mes explications.

— D'accord, mais voici ma proposition : Hilary et moi-même aimerions vous inviter à prendre un verre, un soir. Vous n'avez pas vu notre appartement depuis que nous l'avons fait rénover. Et la dernière fois que vous avez vu Matthew, ce n'était encore qu'un bébé.

— Ce soir, je ne peux pas, dit-elle un peu trop brusquement.

— Et que diriez-vous de demain soir ?

— Euh… d'accord, avec plaisir.

De toute façon, elle ne pourrait pas le faire lanterner indéfiniment, sans qu'il se doute que quelque chose ne tournait pas rond.

Il lui rappela son adresse et lui proposa de venir vers 19 heures. Elle lui demanda ensuite de lui passer Brie et, quand celle-ci décrocha, elle alla droit au but.

— Je voudrais organiser une réunion pour présenter aux docteurs Levin et Sherman mes conclusions, dit-elle. Est-ce qu'ils seraient disponibles jeudi après-midi ?

Cette date lui permettait de s'offrir un jour et demi de travail supplémentaire. Elle aurait aimé pouvoir faire traîner les choses jusqu'au vendredi, mais elle savait que ce ne serait pas du goût de Levin.

— Généralement, les jeudis sont à proscrire chez nous, remarqua Brie sèchement. Il va falloir que ça ait lieu mercredi. Ou alors aujourd'hui.

Cette femme avait manifestement fait ses classes à l'École supérieure des salopes, fulmina Lake intérieurement.

— Malheureusement, ainsi que je l'ai mentionné lorsqu'il a proposé d'avancer la date de cette présentation, je suis déjà contrainte par d'autres rendez-vous, prévus de longue date, avec d'autres clients, mentit Lake. Je suis donc dans l'impossibilité de faire ma présentation avant jeudi.

Brie soupira avec ostentation et commença à taper sur son ordinateur pour vérifier son planning.

— 18 heures jeudi semble pouvoir convenir, dit-elle d'un ton revêche. En l'absence d'appel de ma part, prévoyez d'effectuer votre présentation à ce moment-là.

Lake voulait également s'entretenir avec Maggie, mais plutôt que de demander à Brie de la lui passer, elle préféra raccrocher et rappeler le numéro général de la clinique, afin que l'assistante de direction n'en sache rien. Elle craignait que Maggie commence à se poser des questions sur l'intérêt qu'elle lui portait, mais elle voulait savoir s'il y avait eu du nouveau. Elle se contenterait de questionner l'infirmière à propos de son moral en espérant que celle-ci enchaînerait en lui racontant tout ce qu'elle avait appris.

Ce fut Rory qui décrocha.

— Oh, bonjour, c'est Lake, dit-elle. Je cherchais à joindre Maggie.

— Maggie a pris sa journée, souffla Rory à voix basse.

— Tout va bien ? s'inquiéta Lake, déçue.

— D'après ce que j'ai entendu, elle a dit qu'elle avait besoin d'un jour de repos.

— Ah, très bien. Et vous-même, comment allez-vous ?

— Pour être parfaitement franche, je m'inquiète pour le bébé. La nuit dernière, j'ai cru que j'avais des contractions et j'ai fini aux urgences. Il ne s'agissait que de fausses contractions, mais j'ai eu drôlement peur.

— Oh, Rory, je suis désolée de l'apprendre. Ne pourriez-vous pas prendre quelques jours de congés ?

— Malheureusement, c'est impossible. Surtout avec Maggie en congé maladie. Il est essentiel que nous ne nous laissions pas dépasser par les événements, même si tout le monde est un peu sur les dents. Emily considérait que Maggie était stupide de s'en faire autant, mais maintenant qu'elle a entendu parler de cette histoire de clefs, même elle, a les nerfs à vif.

— Et vous pensez que quelqu'un aurait pu prendre ces clefs avant de les remettre à leur place ?

— C'est en tout cas ce que la police cherche à déterminer. Les deux inspecteurs sont revenus hier pendant, disons, une heure. Juste après votre départ. Le plus effrayant, c'est que je suis installée juste à côté de Maggie. Nos bureaux se touchent, même.

— Et vous n'avez jamais vu personne fouiller dans son tiroir ?

— Non. Pas que je me souvienne. Parfois, les gens…

Elle se tut, comme si elle avait été interrompue ou qu'elle réfléchissait. Au bout d'un moment, Lake finit par se demander si elle était toujours en ligne.

— Rory ? s'inquiéta-t-elle.

— Je ferais mieux d'y aller, dit Rory.

— Mais que vous apprêtiez-vous à dire ?

— Oh, rien. Il faut que j'y aille. Le docteur Sherman m'attend.

Lake raccrocha à contrecœur. Elle n'aurait pu dire si Rory avait été distraite par quelque chose ou si elle s'était soudain souvenue d'un élément qu'elle avait préféré taire. Ensuite, Lake composa le numéro de Hayden, impatiente de parler à quelqu'un qui pourrait lui en apprendre un peu plus. Mais son appel fut dirigé vers une boîte vocale.

Après avoir repris une aspirine, elle s'installa dans son bureau, devant son ordinateur portable. Le Web designer et le chargé de communication lui avaient tous les deux adressé un courriel pour lui transmettre leurs idées préliminaires. Rien de ce qu'ils proposaient n'était très innovant, mais, au moins, elle pourrait ajouter quelques points à sa propre liste. Elle se mit à saisir tout cela dans son ordinateur, en organisant son document de manière qu'il soit facilement adaptable à PowerPoint. En général, c'était la phase de travail qu'elle préférait : structurer ses idées et en profiter pour les améliorer. Mais, aujourd'hui, elle devait constamment s'obliger à se concentrer sur sa tâche. Son esprit ne cessait d'échafauder de nouveaux sujets d'inquiétude : la phrase inachevée de Rory, le coup de sonnette de la nuit précédente, la visite de la police, la veille. L'attitude cassante de Hull à son égard signifiait-elle quelque chose ? Faisait-elle partie des suspects identifiés dans l'enquête ?

Elle ne quitta sa table de travail qu'une seule fois, pour se préparer un thé. Sa gorge lui faisait un peu moins mal, mais ses courbatures s'étaient intensifiées.

À 11 heures, Hayden finit par retourner son appel, mais, lorsque Lake décrocha, l'attention de la spécialiste de gestion de crise s'était déjà tournée vers autre chose. Lake l'entendit vociférer :

— Mais je me fiche de savoir s'il compte m'envoyer son fichu *train de l'amour*. Je n'irai pas ! Oh, salut, lui dit-elle en s'apercevant que Lake était au bout du fil. Tu sais, je dois me faire vieille. Désormais, l'idée que je me fais d'une bonne soirée consiste à rester chez moi avec une bouteille de Pinot Grigio bien frappée et un sachet de chips au romarin.

Lake n'avait pas vraiment de temps à consacrer aux considérations philosophiques de son interlocutrice.

— Du nouveau ? enchaîna-t-elle pour couper court à un long discours.

— Pour le moment, nous sommes dans l'expectative. Levin a appelé hier soir pour me raconter que la police s'était *encore* pointée dans la journée. Les flics s'intéressent visiblement de très près au fait que les clefs de Keaton étaient dans un tiroir où n'importe qui pouvait mettre la main dessus. Jusqu'à présent, rien n'a filtré sur cette histoire, mais le *statu quo* ne va pas être facile à maintenir. Il est même possible que la police organise elle-même une fuite sur le sujet, afin de voir ce qu'elle peut en récolter. Et, bien entendu, si elle finit par arrêter quelqu'un qui travaille à la clinique, on peut s'attendre au pire.

— Tu crois que Levin a sa petite idée ?

— Sur ce qu'il faut faire ?

— Non, je parle des clefs et de la personne de la clinique qui aurait pu les utiliser pour s'introduire dans l'appartement de Keaton ?

— Eh bien, en tout cas, il ne m'en a pas parlé. À mon avis, son cerveau n'arrête pas de turbiner, mais je suis bien incapable de te dire à quel propos. Si ça se trouve, il est obsédé par sa prochaine commande de chemises à 400 dollars.

Lake se demanda si Hayden avait envisagé que Levin puisse être le meurtrier. Mais, évidemment, elle pouvait difficilement le lui demander.

— Bon, je ne veux pas te retarder, dit Lake. Tu m'appelles si tu apprends du nouveau ? Je veux seulement m'assurer que je ne rate rien… dans la mesure où je dois m'occuper du marketing.

Elles se promirent mutuellement de se tenir informées de tout développement éventuel, puis raccrochèrent. Après s'être obligée à avaler un déjeuner correct, Lake commença à élaborer sa présentation PowerPoint. Quand elle travaillait, il lui arrivait fréquemment d'être si absorbée par sa tâche, qu'elle en ressentait une forme de bien-être. Pourtant, ce jour-là, l'exercice lui sembla extrêmement pénible. À partir de 15 heures, elle se surprit à consulter sa montre. Elle ne voulait surtout pas avoir à courir jusqu'au Waldorf.

Elle ouvrit en grand son armoire afin de choisir avec soin les vêtements qu'elle porterait pour son rendez-vous. Elle se rendit compte qu'une semaine auparavant elle se trouvait exactement au même endroit, avec un tas de fringues sur le lit, en train d'essayer de deviner ce qui pourrait plaire à Keaton. Si seulement je pouvais revenir en arrière ! se dit-elle. Si seulement je n'étais pas sortie ce soir-là !

Elle choisit un tailleur de coton bleu lavande, avec des manches trois quarts. C'était un peu formel, mais elle voulait qu'Archer la prenne au sérieux.

Un taxi la déposa à proximité du Waldorf et elle pénétra dans l'hôtel par l'entrée qui donnait sur Park Avenue. Le hall de réception était frais et calme, presque désert, et il lui évoqua l'intérieur d'une église médiévale, par une belle journée d'été. Quelques touristes papillonnaient autour du bureau du concierge ou se traînaient jusqu'aux ascenseurs, en tirant derrière eux de petites valises à roulettes noires ou en charriant des montagnes de sacs à l'effigie du magasin Disney. La plupart d'entre eux étaient habillés de façon très décontractée, en short et tee-shirt célébrant Nike, Vegas 2005 ou un pub quelconque.

Le bar-restaurant de l'hôtel consistait en un espace ouvert aménagé sur la gauche de la réception. Lake s'était déjà rendue à des soirées dans la grande salle du Waldorf, mais elle n'était venue qu'une seule fois dans ce bar, des années auparavant, peu après qu'elle eut emménagé à New York. Avec une copine qui elle aussi venait de débarquer en ville, elles avaient fait la liste des choses qu'elles pourraient faire pour s'amuser, et « visiter les bars des hôtels célèbres » en faisait partie. Elle se souvenait vaguement qu'il était décoré en bleu, mais s'aperçut en y jetant un coup d'œil qu'il était désormais habillé de boiseries couleur miel et de marbre noir.

D'après la monumentale pendule du hall de l'hôtel, il n'était pas encore 16 heures 45 et il n'y avait aucun signe d'Archer. Elle se hissa sur l'un des tabourets de cuir du bar et se commanda une eau pétillante. Le barman fit glisser devant elle une petite soucoupe remplie d'olives. Elle s'employa alors à préparer son entretien avec le journaliste.

L'horloge de l'hôtel indiquait tout juste 17 heures 30 lorsqu'elle releva la tête et aperçut Archer. Il était plus séduisant en chair et en os que sur les vidéos qu'elle avait consultées, probablement du fait de l'absence de maquillage. Il était vêtu d'un smoking dans lequel il semblait parfaitement à l'aise, comme s'il en avait porté toute sa vie et n'avait jamais eu à en louer un.

Le visage de la jeune femme avait dû s'illuminer en le reconnaissant car il marcha vers elle d'un pas résolu.

— Lake Warren ? demanda-t-il en lui tendant la main.

— Oui, répondit-elle en lui offrant la sienne.

Sa poignée de main était ferme.

— Merci d'être venu.

— Et y a-t-il effectivement un lac Warren[1], quelque part dans le monde ? demanda-t-il, les yeux pétillants – d'un bleu clair, nota Lake.

1. Pour mémoire, *Lake* signifie « lac » en français (NdT).

— Probablement, répondit-elle. Mais je n'en ai jamais entendu parler. Et, à ce que je sais, ce n'est pas là-bas que j'ai été conçue.

Il redressa la tête et sourit.

— À vrai dire, même si c'était le cas, vos parents ont bien fait de ne rien vous en dire. Les mômes détestent entendre parler de ce genre de trucs, ajouta-t-il avant de considérer le verre vide de Lake. Que voudriez-vous boire ? Je pense pour ma part prendre une bière.

Elle hésita avant de décider d'en commander une, elle aussi. Elle voulait se mettre Archer dans la poche et jugea qu'il valait mieux pour cela qu'elle règle son pas sur le sien. Ayant attiré l'attention du barman par un imperceptible signe du menton, le journaliste commanda leurs boissons et se retourna vers elle.

— J'aurais aimé pouvoir vous accorder plus de temps, s'excusa-t-il. Je suis censé me présenter dans la salle de bal pour y faire des photos dans une quinzaine de minutes. Mais, jusque-là, je suis tout à vous.

— Alors je vais être tout à fait franche avec vous, dit-elle en soutenant son regard. Je n'ai pas grand-chose à vous soumettre, mais j'ai le vague sentiment que quelque chose de bizarre se passe à la clinique.

— Comment ça, bizarre ?

Instinctivement, Lake haussa l'épaule gauche.

— Je n'en suis pas certaine.

Il porta la bouteille de bière à ses lèvres, sans s'embarrasser du verre. Elle sentait son impatience, même s'il faisait de son mieux pour la dissimuler.

— S'agit-il de quelque chose que vous auriez vu ou entendu ? S'enquit-il avant de prendre une longue gorgée.

— Ainsi que je vous l'ai dit au téléphone, je travaille en qualité de consultante en marketing pour la clinique. Pendant que j'y faisais des recherches, la semaine dernière, je suis tombée sur une copie de l'article que vous avez écrit sur les centres de traitement de la stérilité. Je l'avais emporté avec moi en pensant le lire un peu plus tard, mais l'un des associés m'a aperçue. Voyant que je l'avais entre les mains, il me l'a quasiment arraché, comme s'il ne voulait pas que j'en prenne connaissance.

Archer haussa un sourcil, blanc, comme ses cheveux.

— C'est tout ? demanda-t-il. Elle hésita et regarda dans le vague. Il y avait aussi ce « léger problème » évoqué par Keaton qui la turlupinait, mais elle ne pouvait en parler au journaliste. Elle l'observa tandis qu'il avalait une autre gorgée de bière. Ses mains étaient larges, vraiment puissantes et un peu rougeâtres, comme ses joues. Pas d'alliance. Quand il reposa la bouteille, il planta ses yeux dans les siens.

— Je sais, poursuivit-elle. Comme je vous l'ai dit, je n'ai pas grand-chose à vous soumettre. Je me suis juste dit que si vous pouviez m'expliquer le genre d'irrégularités qui peuvent exister, ça m'aiderait à déterminer s'il se passe effectivement quelque chose de louche.

Un frisson d'angoisse la parcourut des pieds à la tête. Non seulement elle venait de trahir la clinique, mais de surcroît, elle prenait conscience qu'elle s'était mise à découvert.

— Et c'est quoi le problème ? demanda-t-il, ayant manifestement remarqué la gêne de son interlocutrice.

— Je crains d'avoir découvert un nid de vipères… Je me trompe peut-être.

Il l'observa durant un instant avant de secouer la tête.

— Je ne pense pas, dit-il. Parce que vous n'êtes pas la première personne à me laisser entendre qu'il se passe de curieuses choses là-bas.

16

Elle resta bouche bée. Elle avait enfin la confirmation de ce que son instinct n'avait cessé de lui souffler ; pourtant, ses paroles la désarçonnèrent.

— Qui d'autre vous en a parlé ?

— D'abord, parlez-moi du docteur Keaton, lui demanda-t-il. Vous le connaissiez ?

En entendant le nom du médecin, elle sentit que le rouge affluait à ses joues. Elle saisit la bouteille de bière qu'elle n'avait pas encore touchée et en versa un peu dans son verre. La fraîcheur du breuvage calma sa gorge en feu.

— Il faut que vous sachiez que je ne travaille pour cette clinique que depuis quelques semaines, dit-elle en reposant son verre pour éviter de le regarder dans les yeux.

— Pensez-vous que quelqu'un de là-bas pourrait l'avoir tué ?

Lake fut à la fois surprise qu'il lui pose une question aussi directe et soulagée de ne pas avoir à tourner autour du pot.

— C'est possible, répondit-elle. Nous avons appris hier qu'il avait confié à l'une des infirmières un double des clefs de son appartement et qu'elle les avait déposées dans un tiroir de son bureau. Quelqu'un aurait pu les y prendre et en faire une copie.

— Croyez-vous qu'il puisse y avoir un lien entre sa mort et vos soupçons à propos de cet établissement ?

— C'est en tout cas ce qui m'inquiète. Même si tout cela pourrait n'être qu'une coïncidence, ajouta-t-elle.

— Vous savez, bien sûr, ce que je m'apprête à vous répondre, dit-il en haussant les sourcils. En ma qualité de journaliste, j'ai appris qu'il existait peu de coïncidences.

— Pourriez-vous, s'il vous plaît, me dire ce que vous avez appris sur la clinique ? le pressa Lake.

— OK. Il y a environ deux mois, une femme a appelé la productrice de l'émission, Rachel. Elle était tombée sur l'article que vous avez trouvé en faisant une recherche sur Internet. Elle avait eu recours aux services du centre de Park Avenue – à ceux du docteur Daniel Sherman, très exactement –, et elle prétendait que nous aurions intérêt à faire une enquête sur la clinique. Elle affirmait que l'on y exploitait des patients démunis et qu'il fallait révéler leurs pratiques. Mon article avait pour objet les cliniques de la région de Washington – j'habitais dans ce coin-là, à l'époque –, mais le sujet m'intéressait en général.

— Qu'entendait-elle par « exploiter » ?

— Elle a refusé de s'expliquer par téléphone. Elle a convenu d'un rendez-vous avec Rachel, mais celle-ci a dû le reporter à cause d'un scoop à traiter en urgence. Et puis, la veille de leur entretien, la femme a appelé pour annuler, en disant qu'elle rappellerait un peu plus tard. Ça se passait il y a quelques semaines et nous n'en avons plus entendu parler depuis.

— À quoi pensez-vous qu'elle pouvait faire référence ?

— À vous de me le dire. C'est vous qui travaillez là-bas.

— Je n'y ai jamais rien vu de suspect, mais je ne côtoie jamais les patients. De plus, le monde du traitement de la stérilité est assez nouveau pour moi. Quelque chose pourrait se passer juste sous mon nez sans que je le sache. Puis, après un silence, elle ajouta :

— Vous avez mentionné dans votre article que certaines cliniques incitaient leurs clients à recourir à des soins dont ils n'avaient pas vraiment besoin. Ça pourrait être le cas.

— Ils pourraient aussi gonfler les chiffres établissant leur taux de réussite, remarqua-t-il. C'est un facteur de choix important, lorsque les gens recherchent une clinique.

— J'ai effectivement appris dans votre article que certains centres se laissaient aller à ce type de pratiques. J'ai tout de même du mal à croire que ces chiffres ne fassent jamais l'objet d'un audit externe.

— Je sais. Mais nous parlons d'un marché pesant trois milliards de dollars, avec énormément de concurrence et très peu de réglementation.

La clinique de Park Avenue était-elle capable de telles horreurs ? Surfacturer des couples désespérés ? Gonfler ses taux de succès ? Sherman et Levin étaient sans nul doute arrogants – de même que Hoss – et, bien souvent, les gens arrogants ne jouent pas selon les mêmes règles que les autres.

— Il est donc possible que cette femme ait raison ? demanda Lake.

— C'est une possibilité, même si Rachel a eu l'impression qu'elle était un peu hystérique. Du genre grande bourgeoise de Manhattan à laquelle on n'a jamais rien dû refuser. J'ai appelé moi-même la clinique et j'ai parlé à Sherman. C'est sans doute la raison pour laquelle ils ont archivé mon article. Je présume qu'ils ont fait des recherches sur moi. Il m'a expliqué que la femme en question rencontrait des difficultés émotionnelles liées à l'échec de ses tentatives pour avoir un enfant et que ses accusations étaient sans fondement. Je l'ai pris au dépourvu et il avait l'air plutôt énervé. Il a d'ailleurs ajouté que si j'avais autre chose à lui dire, je pouvais contacter son avocat.

— Est-ce la raison pour laquelle vous n'avez pas cherché à reprendre contact avec cette femme ? Parce qu'elle était peut-être instable ?

— En partie. J'ai été par ailleurs happé par d'autres reportages, récemment. Mais, compte tenu de la mort de Keaton – et, maintenant, de votre appel –, mon intérêt s'est ravivé. Il se pourrait fort bien qu'il se passe là-bas des choses qu'il faille révéler.

Lake tritura l'étiquette détrempée de sa bouteille de bière, tandis que ses pensées s'entrechoquaient. Il était donc tout à fait possible que Keaton ait découvert que la clinique était impliquée dans des irrégularités qu'il avait menacé de dévoiler. Si les médecins qui y travaillaient s'adonnaient à des pratiques contraires à l'éthique et que la vérité venait à être connue, ils perdraient tout – pas seulement leur clinique, mais aussi leur réputation et leur carrière, voire leur licence pour exercer la médecine. Cela pouvait constituer un excellent mobile pour un meurtre.

Mais il y avait un détail qui ne collait pas. D'après Maggie, Keaton avait fait changer sa serrure au cours de l'hiver précédent. S'il avait alors découvert quelque chose qui ne lui avait pas plu sur la clinique, et craignait déjà pour sa sécurité, pourquoi y retourner l'été suivant ? Sauf s'il avait décidé qu'il était de son devoir d'en trouver les preuves.

Quand elle releva la tête, elle vit qu'Archer avait sorti une carte de crédit d'un vieux portefeuille en cuir brun et qu'il la posait sur le comptoir.

— Ça m'ennuie de devoir vous quitter, dit-il, mais l'agence qui s'occupe de la publicité de l'émission va me tuer si je n'arrive pas à l'heure.

— Je comprends. Puis-je vous inviter ? J'apprécie vraiment que vous m'ayez accordé un peu de votre temps.

— Non, non. Certainement pas. Mais vous pouvez faire une chose pour moi.

Évidemment, songea-t-elle. Les journalistes ne lâchent jamais le morceau.

— Quoi donc ? s'enquit-elle.

— Pourquoi ne pas fouiner un peu dans cette clinique ?

Lake retint sa respiration.

— Vous voulez que je les *surveille* ? Je...

— Laissez-moi m'expliquer. Ces cliniques sont comme des forteresses. Personne ne pourra les forcer à ouvrir leurs portes et faire une enquête, en l'absence de véritables preuves de leurs coupables méthodes. Le fait que vous pouvez agir de l'intérieur nous donnerait un bel avantage.

— Et que devrais-je chercher en particulier ? demanda-t-elle timidement.

— Difficile à dire, dans la mesure où cette femme ne nous a donné aucun détail. Voyez si vous pouvez découvrir leur véritable taux de réussite et comparez-le à ce qu'ils annoncent à leurs patients potentiels. À votre place, je consulterais aussi autant de dossiers de patients que possible et je noterais les soins qu'ils reçoivent. Pour voir si quelque chose paraît *abusif*.

Elle fixa le plateau en bois du bar dans l'espoir d'y lire ce qu'elle devait faire. La perspective de devoir épier la clinique la terrifiait. Elle avait déjà du mal à supporter que Brie jette un coup d'œil à son ordinateur. Or, il était tout à fait possible que le meurtrier soit en train de la surveiller.

Archer l'étudia, sentant son hésitation.

— Écoutez, je sais que cela risque de vous placer dans une position délicate. Mais il est possible que nous tombions sur une affaire qui doive être dévoilée. Et le temps joue contre nous. Si la mort de Keaton est effectivement liée à une irrégularité, ils risquent de tenter d'en détruire les preuves.

— D'accord, finit-elle par murmurer. Je vais voir ce que je peux trouver. Comment s'appelle la femme qui vous a appelé ? Autant commencer par son dossier.

— Alexis Hunt, dit-il en griffonnant sa signature au bas de la facturette que lui avait tendue le barman. Avez-vous une bonne raison d'examiner les dossiers des patients ?

— Non. Théoriquement, je n'ai pas le droit d'y avoir accès.

— Alors soyez extrêmement prudente. Et appelez-moi si vous trouvez quelque chose.

Elle sortit l'une de ses cartes de visite de son portefeuille et, quand elle la lui remit, le bout de ses doigts frôla ceux du journaliste.

— Mon numéro personnel figure également sur cette carte.

— Vous avez des enfants ? lui demanda-t-il.

— Deux. Ils sont en camp de vacances, en ce moment.

Le fait de les évoquer la remplit à nouveau d'inquiétude.

— Et vous ?

— Un beau-fils de vingt-trois ans issu de mon premier mariage. Je le considère comme mon fils, cela dit. Vous comptez partir immédiatement ?

— Je crois que je vais terminer ma bière, dit-elle.

— Très bien. Alors bonne chance. Et n'hésitez pas à m'appeler si vous avez des ennuis.

Elle le regarda s'éloigner en slalomant avec assurance entre les tables, parfaitement indifférent à l'intérêt qu'il suscitait parmi les clients du bar. Alors qu'elle reprenait son verre, elle aperçut un homme assis seul à une table qui l'observait et qui baissa aussitôt les yeux quand elle tourna la tête vers lui. Elle savait bien que les femmes seules dans les bars étaient toujours un peu suspectes, mais elle ne voulait pas quitter l'hôtel avant d'avoir structuré la multitude de réflexions qui tourbillonnaient dans son crâne.

Elle avait sans doute été folle d'accepter de jouer à l'espion pour Archer. Pour lui, c'était surtout le moyen de faire un reportage sensationnel et de se faire mousser dans son émission. Mais pour elle, l'enjeu était tout autre. Elle se trouvait déjà dans une position délicate et cette petite mission risquait de rendre sa situation encore plus difficile. Pour le moment, le meurtrier s'était contenté de lui adresser des avertissements qui démontraient qu'il la soupçonnait de savoir quelque chose. Si la mort de Keaton était liée aux irrégularités commises à la clinique et qu'elle découvrait ce dont il s'agissait, le tueur aurait alors une excellente raison de l'éliminer. Et si les pratiques illicites de son client n'étaient pas à l'origine de l'assassinat du docteur, son enquête allait l'exposer à de nouveaux dangers. Dans les deux cas, elle risquait gros.

Néanmoins, elle savait aussi que le fait de découvrir la vérité pourrait lui permettre de sortir du cauchemar dans lequel elle vivait actuellement. La police concentrerait alors son attention sur la clinique et non sur elle.

Elle se massa les tempes en tentant désespérément de trouver une solution. Elle avait achevé ses recherches pour son client, mais il faudrait qu'elle les présente le lendemain en prétendant qu'elle avait besoin de les poursuivre. Et elle devrait surtout faire très attention à n'éveiller aucun soupçon, surtout de la part de Brie la fouineuse. Les dossiers des patients se trouvaient dans la même salle d'archives que les dossiers qu'elle avait consultés pour effectuer sa présentation. Elle aurait donc un bon motif pour se rendre dans cette pièce. Mais que devait-elle y chercher précisément ?

Soudain, une idée lui vint à l'esprit. Et si elle contactait Alexis Hunt directement ? De cette manière, elle obtiendrait des informations plus claires sur les pistes qu'elle devait explorer. Il fallait qu'elle lui parle le plus tôt possible. Elle saisit son sac à main pour y prendre son BlackBerry et appela les renseignements. Il y avait un abonné du nom de A. Hunt habitant au numéro 20 de la

78e Rue Est. Archer avait mentionné que la femme en question devait être une grande bourgeoise. Cette adresse dans l'Upper East Side correspondait bien à ce profil.

Lake descendit de son tabouret en se disant qu'il était préférable d'attendre d'être dehors pour passer son coup de fil. En quittant le bar, elle eut l'impression que le type qui était assis tout seul l'observait encore, mais, cette fois, il était à demi caché par un journal. L'avait-il prise pour une racoleuse sur le retour ?

En passant la porte à tambour de l'hôtel, elle constata que les trottoirs de Park Avenue étaient encombrés de nuées de touristes qui semblaient tous impatients de trouver un taxi. Elle décida donc de s'orienter vers la 49e Rue où elle repéra un endroit tranquille et composa le numéro d'Alexis Hunt. En attendant que quelqu'un veuille bien décrocher, elle retint sa respiration. Après quatre sonneries, une femme l'accueillit par un « Allô » sec.

— Alexis Hunt ? demanda Lake.

— Qui est-ce ? répondit une voix féminine.

— Je m'appelle Lake Warren. Je… je sais que vous avez rencontré quelques problèmes avec la clinique de traitement de la stérilité de Park Avenue. J'aimerais beaucoup pouvoir m'en entretenir avec vous.

— Êtes-vous cliente de cette clinique ?

— Non, mais… il est possible que je puisse vous aider. Pourrions-nous nous rencontrer pour en parler ?

— Comment avez-vous obtenu mon nom ?

Directe, efficace, et pas amicale pour un sou.

— Kit Archer, répondit Lake, qui regrettait de devoir mentionner son nom, mais craignait qu'à défaut la femme décide de raccrocher aussitôt.

— Vous travaillez avec lui ?

— Non, mais je lui ai parlé. Nous avons les mêmes préoccupations que vous.

S'ensuivirent quelques secondes de silence.

— Très bien, dit-elle. J'habite au coin de Madison Avenue et de la 78e Rue. Combien vous faut-il de temps pour y arriver ?

— Vous voulez que je vienne *maintenant* ? demanda Lake, désarçonnée.

— Je ne dîne jamais, si c'est ce à quoi vous faites allusion.

— D'accord, je peux venir tout de suite, dit Lake. Je ne suis qu'à dix minutes de chez vous.

Lake héla un taxi et s'effondra sur la banquette arrière. Elle n'en revenait pas de son audace. Le fait d'avoir contacté Archer était déjà limite, mais celui de rencontrer une patiente transgressait carrément les règles. Sa démarche était si téméraire qu'elle se demandait si Archer n'en serait pas ennuyé s'il venait à l'apprendre. Mais les dés étaient jetés et il était trop tard pour faire machine arrière.

L'appartement d'Alexis Hunt se situait dans un immeuble ancien cossu. Le portier avertit l'intéressée de l'arrivée de Lake, avant d'indiquer à cette dernière qu'elle devait se rendre au numéro 14B, lequel se révéla être l'un des deux seuls appartements du quatorzième étage. Sur la base de son coup de fil et des maigres renseignements qu'elle avait obtenus sur elle, Lake avait commencé à dresser le portrait de sa future interlocutrice : une personne plus âgée qu'elle, que les circonstances de la vie avaient dû endurcir et rendre amère, voire furieuse contre une société qui contraignait les femmes ambitieuses à se marier tardivement et, par conséquent, à tenter de faire un enfant à un âge déjà avancé. Lake fut donc surprise quand la porte s'ouvrit sur une femme plutôt jolie et apparemment sereine qui ne semblait pas avoir plus de trente-deux ou trente-trois ans. Ses cheveux blonds, coupés au carré, encadraient de beaux yeux verts et une bouche peinte couleur cerise. Légèrement enveloppée, elle était vêtue d'une robe portefeuille blanche et verte qui flattait sa silhouette, lui donnant l'allure de ces femmes chic des faubourgs de New York qui continuent à s'habiller pour venir en ville. Elle n'avait pas du tout l'air hystérique et ressemblait plutôt à quelqu'un qui s'apprêtait à partager une recette de quiche à base d'épinards et de fonds d'artichauts.

— Entrez, je vous prie, furent ses seules paroles.

Lake franchit le seuil et la suivit dans le salon.

L'appartement correspondait à l'impression générale que donnait le bâtiment : cossu, mais décoré sobrement, dans des tons de bleu et de vert. Lake entrevoyait une petite bibliothèque au bout de la pièce et une salle à manger à l'opposé. Elle pensa qu'il y avait vraisemblablement deux chambres au bout du long couloir qui partait du salon. Bizarrement, l'espace ne paraissait pas vraiment habité : pas de courrier en souffrance ou de clefs abandonnées sur la table de l'entrée, aucun magazine oublié sur le canapé.

— Je n'ai toujours pas compris qui vous êtes et pourquoi vous m'avez appelée, commença Alexis de façon abrupte.

Elle s'installa dans un fauteuil droit ancien qui semblait être le moins confortable de la pièce. Peut-être ne souhaitait-elle justement pas de confort, pensa Lake qui, pour sa part choisit de s'asseoir sur le canapé recouvert de chintz bleu, sans toutefois s'y enfoncer.

— Je m'intéresse aux centres de traitements de la stérilité, répondit Lake. Dans ce cadre, je suis tombée sur l'article de Kit Archer et je l'ai rencontré. Il m'a parlé de la discussion que vous aviez eue avec la productrice de son émission.

— Vous êtes donc une sorte d'enquêteur ?

— Non. Non, je...

— Vous écrivez un livre ou quelque chose sur le sujet ?

— Non. Non, pas un livre. Il se trouve juste que j'ai des raisons de faire des recherches sur la clinique de Park Avenue. Monsieur Archer m'a informée que vous aviez eu quelques problèmes avec cet établissement.

Soudain, un sourire se forma sur le visage d'Alexis, fait surprenant compte tenu de sa froideur initiale. C'était un infime rictus malicieux qui aurait pu suggérer qu'elle s'apprêtait à faire quelques révélations croustillantes sur un mauvais garçon qu'elles auraient chacune fréquenté à l'université. Mais bientôt Lake comprit qu'il ne s'agissait que d'un masque, une composition fragile destinée à dissimuler la fureur de son interlocutrice.

— Pas *des* problèmes, ponctua Alexis. Un seul. Ils ont complètement détruit ma vie.

— Comment cela ?

— Veuillez m'excuser si je vous parais lente, mais je suis encore un peu désorientée, insista Alexis dont la voix était devenue plus cassante – comme si on lui avait donné un tour d'écrou. Quelles sont les raisons qui vous poussent à agir ainsi ? Et pourquoi vous attendez-vous à ce que je coopère ?

— Une autre personne – quelqu'un qui connaît bien la clinique de Park Avenue – s'est également émue de ce qui s'y passait, répondit Lake. Or, si les médecins qui y exercent sont coupables de pratiques illicites, ils doivent être dénoncés.

— Quel bel élan citoyen, remarqua Alexis d'un ton sarcastique.

Je perds du terrain, se dit Lake avec angoisse. Je dois tenter une approche différente.

— Me permettez-vous de vous demander le genre de soins que vous a administrés le docteur Sherman ? S'agissait-il de fécondation *in vitro* ?

— Oh, il vous faudrait passer la nuit ici, si je devais vous en faire la liste, répondit Alexis.

Elle affichait un rictus si dur et si faux que ses joues semblaient pouvoir se fendre à tout moment.

— Au début, j'ai subi une insémination intra-utérine, encore connue sous le joli nom de « pompe-à-jus », et qui, de fait, requiert l'utilisation d'une poire en plastique pour propulser le sperme dans votre corps. Ensuite, il y a eu les cocktails d'hormones que j'ai dû m'injecter dans le ventre. Sans oublier les suppositoires à la progestérone. Divin. Ce n'est qu'après que j'ai eu droit à une FIV.

— Mais vous semblez si jeune. Quel était le problème ?

— Je souffrais de kystes ovariens – ce dont je ne me doutais absolument pas. Non seulement, je n'en avais jamais eu aucun symptôme, mais j'étais tombée enceinte très facilement, quelques années auparavant. Or, on s'est aperçu par la suite que ma première grossesse avait défié les lois de la probabilité… et que les chances pour qu'un tel phénomène se reproduise étaient proches de zéro.

Instinctivement, Lake parcourut le salon des yeux pour voir si elle y détectait la présence d'un enfant. Sur la table située à l'extrémité du canapé trônait la photo encadrée d'un bambin, âgé d'une quinzaine de mois. Depuis sa place, Lake avait du mal à discerner les traits du bébé, mais il était impossible de ne pas remarquer l'aura de cheveux, d'un blond presque blanc, qui surplombait son front.

— Oui, dit Alexis qui avait suivi son regard. C'est ma fille, Charlotte.

— Et maintenant, elle a environ trois ans ? demanda Lake.

Mais en prononçant ces mots, un frisson d'horreur la parcourut. Elle n'avait vu aucun autre signe de la présence de l'enfant dans l'appartement.

— Non, dit Alexis. Elle est morte de méningite lorsqu'elle avait dix-huit mois.

Ces paroles firent à Lake l'effet d'un coup de poing à l'estomac.

— Je suis terriblement désolée, souffla-t-elle.

— Vous avez des enfants ?

— Deux.

Alexis fixa Lake d'un regard vide et immense. L'espace d'un instant, son visage ressembla à celui d'un personnage de film d'horreur, celui d'une mère dont les enfants se seraient fait enlever par des Martiens ou emporter à tout jamais par des lutins dissimulés dans les lattes du plancher.

— Alors, vous êtes au moins en mesure d'imaginer l'effet que ça peut faire, constata Alexis. À vrai dire, quelques personnes m'ont dit que je ne devrais pas avoir autant de chagrin, dans la mesure où Charlotte n'était pas encore un individu à part entière, quand elle est morte.

— C'est effroyable, murmura Lake. Je... je présume que vous n'avez jamais réussi à avoir un autre enfant ?

— Excellente déduction, dit Alexis, dont la bouche s'était tordue en un mauvais sourire. Oh, le docteur Sherman m'a affirmé que cela serait parfaitement possible. J'avais encore plein d'ovules – pour le citer « une ribambelle virtuelle d'œufs en pleine santé ». Et l'implantation d'un embryon éprouvette dans mon utérus n'était qu'une simple question de temps. À l'issue de la quatrième tentative, j'étais prête à changer de clinique, mais Sherman m'a pratiquement suppliée de rester chez eux. Il affirmait *savoir* que ça allait marcher. Alors je lui ai stupidement donné une autre chance – et puis une autre. Toutes ses tentatives ont lamentablement échoué.

— Mais pourquoi ne pas recourir aux services d'une autre clinique *maintenant* ? Elles ont toutes leur propre spécialité. Vous auriez peut-être plus de réussite auprès d'un établissement plus important, affilié à un centre médical.

— Je m'apprêtais à frapper à une autre porte. À Cornell, en fait. Mais mon mari a choisi ce moment pour tirer sa révérence. Il ne trouvait pas les méthodes de lutte contre la stérilité très amusantes, même si j'ai du mal à imaginer pourquoi. M'enfoncer une aiguille dans le postérieur tous les soirs, me regarder devenir grasse comme un loukoum à cause des médicaments, avant de devoir affronter une folle furieuse vagissante. Quel était le problème ?

Lake réprima une grimace de douleur.

— Pourquoi ne pas tenter de concevoir un enfant sans votre mari ? demanda Lake. La clinique a-t-elle congelé certains de vos embryons ?

— Il leur restait effectivement des embryons – des tonnes d'embryons – mais Brian ne m'a jamais autorisée à les utiliser. Il avait rencontré quelqu'un d'autre. Alors, la dernière chose qu'il souhaitait, c'était bien d'avoir un enfant de moi.

Lake se mordit la lèvre, songeuse. Il fallait qu'elle parvienne à découvrir ce qu'Alexis reprochait exactement à la clinique.

— Quand vous avez dit au secrétariat d'Archer que la clinique exploitait ses clients, vouliez-vous dire qu'elle vous avait incitée à subir des traitements qui n'avaient que très peu de chances d'aboutir ?

Alexis la regarda d'un air suspicieux. Sa méfiance reprenait le dessus.

— En partie, répondit-elle.

— Pensiez-vous à autre chose ? Vous ont-ils jamais… euh… surfacturée, par exemple ?

Alexis regarda fixement Lake pendant quelques secondes, sans faire le moindre geste.

— Je vous ai déjà donné beaucoup d'informations, finit-elle par dire. Je n'ai plus rien à vous dire.

Elle se leva alors de son fauteuil, indiquant ainsi que leur entretien avait pris fin et que le moment était venu pour Lake de partir.

— Mais j'aimerais vous aider, tenta Lake en se levant à son tour. Vraiment.

— Vous me dites que vous voulez m'aider, mais vous refusez de me dévoiler vos véritables objectifs, constata Alexis en traversant le salon avec Lake sur les talons.

Lake s'apprêtait à protester, mais elle vit que c'était sans espoir. Alexis n'en dirait pas plus. Quand elles atteignirent la porte d'entrée, elle l'ouvrit en grand.

— Je vous souhaite une excellente soirée, dit-elle sobrement tandis que Lake sortait sur le palier.

— Je vous remercie de m'avoir reçue. J'aimerais tellement savoir…

Alexis lui adressa une dernière fois son sourire contrefait.

— Comme disent les Français, *cherchez la femme.*

Puis, elle referma la porte au nez de Lake.

17

Cherchez la femme.

Qu'est-ce qu'Alexis avait bien pu vouloir dire ? Dans les vieux romans à suspens, cette phrase laisse généralement entendre qu'une femme est à l'origine du crime, mais Lake doutait qu'Alexis ait utilisé ce cliché éculé de manière littérale. Sa remarque ressemblait plutôt à une façon détournée de suggérer qu'il y avait autre chose, un secret qu'elle n'avait pas voulu révéler. Épuisée, Lake s'adossa à la paroi de l'ascenseur qui la ramenait vers le rez-de-chaussée. Elle avait été à deux doigts de découvrir le fin mot de l'histoire, mais Alexis ne lui avait pas fait assez confiance pour le partager avec elle. Il faudrait que Lake examine son dossier pour en savoir plus.

Le soleil était déjà presque couché lorsque le taxi déposa Lake devant son immeuble. C'était le moment de la journée qu'elle préférait en été. Ce soir-là, pourtant, cette lumière déclinante la rendait nerveuse. Il faudrait qu'elle se couche tôt, avec le risque de devoir une fois encore affronter le mystérieux tireur de sonnette. Avant de pénétrer dans le bâtiment, elle en scruta les alentours. Les seules personnes en vue se résumaient à deux gamins qui se passaient une balle devant l'immeuble voisin.

— Tout va bien, madame Warren ? s'enquit Bob, le portier, quand elle pénétra dans le hall.

Il avait dû repérer son coup d'œil furtif.

— Oui, Bob, je vous remercie, dit-elle. Je suis simplement un peu sur les nerfs avec tout ce qui se passe. Vous vous souvenez, le meurtre de ce docteur avec lequel j'ai travaillé.

— Mais la police ne vous a pas embêtée ? ajouta-t-il.

Génial. Elle n'avait vraiment pas besoin que Bob mentionne à Jack qu'elle avait reçu la visite des flics.

— Oh, ils interrogent toutes les personnes qui travaillent à la clinique. Il s'agit seulement d'interrogatoires de routine, vous savez.

Bob la regarda avec une mine un peu pincée, avant de sortir de la poche de son uniforme une petite carte de visite.

— Ils sont revenus aujourd'hui, annonça-t-il avec solennité.

Lake se força à sourire en saisissant le bristol.

— Oh, il ne s'agit sans doute que d'une visite de suivi, offrit-elle. Il faut qu'ils réunissent le plus de renseignements possibles sur le docteur... Eh bien, passez une bonne soirée.

Tout en se hâtant vers l'ascenseur, elle jeta un coup d'œil à la carte. C'était celle de McCarty, mentionnant son téléphone portable. Avec un stylo, il y avait inscrit : « Appelez-moi, SVP. »

Est-ce leur façon d'obtenir des aveux, se demanda-t-elle tandis que l'ascenseur l'emmenait jusqu'à son étage. Multiplier les visites à domicile en posant des questions déconcertantes qui vous donnent l'impression que vous allez craquer. À moins qu'il y ait eu de nouveaux développements – quelque chose ayant trait à Keaton ? Soudain, elle eut du mal à respirer.

Dès qu'elle eut refermé la porte de son appartement en prenant soin de la verrouiller et de placer devant la table de l'entrée, elle se versa un grand verre de vin blanc dont elle avala deux longues gorgées. Puis elle composa le numéro de McCarty sur son BlackBerry.

Son appel fut dirigé vers la messagerie. Évidemment, se dit-elle, ça fait partie de leurs méthodes de torture. La laisser mariner dans sa propre terreur avant de finir par la rappeler.

Elle se serait bien offert un autre verre de vin, mais elle n'osa pas. Il était essentiel qu'elle conserve toute sa tête. Après avoir réchauffé au micro-ondes un hamburger congelé qu'elle réservait en principe aux enfants, elle l'emporta jusque dans son bureau et

blanc impeccable et un chemisier immaculé à manches longues. Avec son casque de cheveux roux, elle lui fit penser à une allumette géante.

— Bonjour, Brie, dit Lake en essayant d'adopter un ton léger.

— Je peux vous aider ? lui répondit Brie, platement, comme si Lake était une étrangère qui s'apprêtait à lui demander son chemin.

— Oh, non, je vous remercie. Il faut juste que je mette la touche finale à ma présentation. Il y a encore deux ou trois points que je veux peaufiner.

— Vraiment ? s'écria Brie d'un ton ironique. J'aurais pensé que vous en aviez fini avec tout cela, à ce jour. Je veux dire, votre présentation doit avoir lieu *demain*.

— J'imagine que je suis un peu perfectionniste, répliqua Lake qui savait pourtant que le sarcasme n'était pas la meilleure manière d'aborder l'assistante de direction. Mais l'occasion était trop belle.

Elle s'engagea ensuite dans le labyrinthe des couloirs, en direction de la petite salle de réunion. Tous les bureaux et les salles d'examen avaient une fois encore porte close. Derrière certaines d'entre elles, elle perçut quelques voix étouffées. Elle faillit sursauter quand le docteur Sherman sortit en trombe de l'une des pièces en refermant vivement la porte derrière lui. Il lui fit un signe distrait de la tête, le visage empourpré. Elle le regarda s'éloigner d'un pas rapide avant de s'engouffrer dans le laboratoire.

Une fois dans la salle de réunion, elle posa son sac à main et son cabas sur la table. Durant quelques minutes, elle resta debout pour mieux réfléchir. Mais elle n'avait aucune raison de temporiser. Elle prit un bloc de papier et un stylo, au cas où elle devrait prendre des notes.

Alors qu'elle négociait le dernier virage menant à la salle d'archives, elle faillit percuter Harry Kline.

— Hé, lui lança-t-il chaleureusement. Comment va ?

— À merveille, répondit-elle aussi agréablement qu'elle en était capable.

Elle le soupçonnait toujours d'être celui qui avait cherché à la griller auprès des flics, en leur racontant que le meurtre avait paru la bouleverser, et elle n'avait aucune envie de discuter avec lui.

— J'ai cru comprendre que vous alliez présenter vos conclusions demain.

— C'est exact. Je suis seulement venue pour prendre quelques dossiers. Ravie de vous avoir vu.

Elle sentit son regard qui la suivait tandis qu'elle s'éloignait. Tu ne perds rien pour attendre, songea-t-elle. Il allait probablement baver aux flics qu'elle s'était montrée coupable de refuser de partager avec lui une conversation sur la météo.

À son grand soulagement, la salle d'archives était déserte – ainsi que la kitchenette voisine. Elle se dit que si quelqu'un la cherchait, il lui paraîtrait curieux que la porte soit complètement fermée. Elle se contenta donc de la repousser et de placer un petit escabeau juste derrière. De cette façon, si un intrus arrivait, elle en serait aussitôt avertie.

Elle alla se planter devant le meuble où étaient archivés les dossiers des patients. Elle ouvrit au hasard l'un des tiroirs en espérant qu'il correspondrait aux noms commençant par un H. Grâce aux étiquettes appliquées sur les chemises suspendues, elle constata qu'elle avait choisi le rangement des J et des K. Elle fit donc glisser le tiroir précédent. Le premier nom qu'elle repéra appartenait à une certaine Haver, pas loin donc de ce qu'elle recherchait. Elle passa rapidement en revue la rangée de dossiers. Voilà : Hunt, Alexis et Brian. Elle sortit la chemise du tiroir.

Elle débordait de documents. Elle les parcourut brièvement : des résultats de tests, encore des résultats de tests, des rapports sur les protocoles suivis, y compris les FIV. Ses maigres connaissances en la matière ne lui permettaient absolument pas de déterminer si les soins mentionnés étaient ou non nécessaires. Le cas d'Alexis s'était révélé complexe et il avait peut-être effectivement fallu la faire passer par toutes ces étapes.

Lake reposa le dossier sur le dessus du tiroir ouvert pour en prendre un autre au hasard. L'ayant feuilleté, elle constata qu'il n'était pas aussi épais que celui des Hunt, mais tout aussi impénétrable. Elle pensa que la seule façon de découvrir des irrégularités éventuelles consisterait à photocopier certaines pages des chemises et à les soumettre au jugement objectif d'un autre médecin. Seul problème : la photocopieuse se trouvant juste à côté du bureau de Brie, elle ne pouvait prendre un tel risque.

Et si elle s'adressait à d'autres patients ? S'il se passait effectivement des choses bizarres, Alexis n'était sans doute pas la seule à s'en être aperçue. Elle repensa à la femme qu'elle avait vu Rory réconforter – celle dont elle avait parlé avec Harry Kline. Celui-ci n'avait pas mentionné son nom, mais elle avait entendu Rory le prononcer : madame Kastner. Lake remit le dossier Hunt à sa place et, après avoir jeté un bref coup d'œil derrière elle, ouvrit le tiroir qui se trouvait en dessous. Elle y trouva une chemise au nom de Sydney et Ryan Kastner, encore plus imposant que celui des Hunt. Conformément à ce que lui avait raconté Harry, Sydney avait subi huit FIV. La plus récente avait produit dix embryons, dont cinq lui avaient été transférés, sans déboucher sur aucune grossesse.

Huit FIV, cela paraissait excessif. Sydney avait peut-être été incitée à s'y soumettre, encouragée, comme Alexis, à multiplier les essais, s'y prêtant de nouveau après chaque échec.

Au vu du désespoir qu'elle avait perçu chez cette patiente, celle-ci serait peut-être disposée à lui parler. Lake reprit le début du dossier, à l'endroit où était placé le formulaire que les clients devaient remplir sur leur situation générale, préalablement à la première consultation. L'adresse qui y était mentionnée se situait sur East End Avenue. Alors que Lake finissait de la noter en y ajoutant les numéros de téléphone correspondants, son regard fut arrêté par quelque chose qui lui parut curieux. En face de chaque nom, une série de lettres avait été griffonnée au stylo : *Rb* en face de celui de Sydney, *BRm*, en face de celui de son mari. Lake n'avait pas la moindre idée de ce que cela pouvait signifier.

Elle resta un moment perdue dans ses réflexions. Soudain, elle tourna la tête : elle entendait des pas sur la moquette du couloir. Quelqu'un approchait de la salle d'archives.

Elle referma vivement le dossier et le fourra dans le tiroir. Elle venait à peine de le repousser sans bruit quand elle entendit la porte cogner contre l'escabeau. Lentement, elle pivota en tâchant de ne pas laisser voir son trouble. Horreur… Brie se tenait, droite comme un I, dans l'embrasure.

— Que faites-vous ? aboya l'assistante de direction.

— Qu'est-ce que je *fais* ? s'étonna Lake en s'efforçant d'ajouter à sa question une note d'indignation. Comme je vous l'ai dit, je n'ai pas encore tout à fait terminé mes recherches.

— Mais ce sont les dossiers des patients qui se trouvent dans ce meuble, remarqua Brie sèchement.

Lake se retourna en se penchant un peu comme pour examiner les tiroirs.

— Ah, oui, dit-elle.

Elle traversa alors la pièce en la parcourant distraitement des yeux, avant d'ouvrir le meuble où étaient entreposées les coupures de presse. Durant tout le temps que cela lui prit, elle sentit que Brie ne la quittait pas du regard.

— Et qu'est-ce que l'escabeau fait là ? demanda Brie.

— Pardon ? dit Lake en retirant une chemise remplie d'articles et en se retournant vers Brie.

— Pourquoi l'escabeau est-il devant la porte ?

Lake regarda l'objet d'un œil étonné.

— Il était au milieu de la salle, répondit-elle. J'ai dû tout simplement le repousser.

Brie ne dit rien. Elle se contenta de rester piquée sur place, à l'observer, tandis que Lake sortait de la salle d'archives.

Son cœur battait encore la chamade quand elle parvint à la petite salle de réunion. Elle avait simulé l'indignation devant le dogue de la clinique, mais elle doutait avoir réussi à le mystifier. Et pour corser le tout, elle avait laissé derrière elle des preuves de son indiscrétion. Si Brie ouvrait le tiroir devant lequel elle avait trouvé Lake, elle constaterait que le dossier Kastner n'était pas à sa place et elle en déduirait facilement que Lake l'avait consulté – avec, de toute évidence, une idée derrière la tête.

Lake pensa que la meilleure des choses qui lui restait à faire était de quitter la clinique. Elle attrapa son sac à main en abandonnant sur la table la chemise contenant les articles de presse.

Une fois sur Park Avenue, elle pressa le pas sur l'asphalte humide et luisante, en direction du nord. Elle prendrait le bus sur la 86e Rue pour regagner au plus vite son appartement. Il avait cessé de pleuvoir et les passants encombraient de nouveau les trottoirs : des nourrices poussant des landaus, quelques femmes sveltes flanquées d'un tapis de yoga et de sacs de courses, des portiers prenant le frais sur le seuil des immeubles en brique. Comment se pouvait-il que tout parût aussi normal, alors que son propre monde avait viré au cauchemar ? Maintenant, Brie avait probablement découvert que Lake avait fouillé dans le dossier d'un patient. Et il était certain qu'elle en avait fait part à Levin. Si on l'interrogeait sur le sujet, il faudrait qu'elle dise qu'elle avait pris le dossier, avant de s'apercevoir qu'elle ne se trouvait pas devant le bon tiroir, et l'avait remis à la hâte. Pas très convaincant, somme toute.

Mais le pire, dans cette pathétique tentative d'espionnage, était le fait qu'elle n'en avait rien retiré, hormis l'idée de contacter Sydney Kastner. Sans se laisser le temps de réfléchir, elle sortit son BlackBerry de son sac et appela la patiente sur son portable. Elle fut accueillie par un « Allô » presque inaudible.

— Madame Kastner ?

— Oui ?

— Bonjour. Je m'appelle Lake Warren. Je suis consultante auprès de la clinique de traitement de la stérilité de Park Avenue et je cherche à entrer en contact avec certains de ses patients pour, euh, des recherches. Je vous serais vraiment reconnaissante si vous pouviez m'accorder quelques minutes de votre temps en acceptant de me rencontrer.

— Vous rencontrer ? Mais à quel sujet ? demanda-t-elle.

Elle semblait hésitante, mais pas inaccessible.

— J'aimerais que vous me donniez vos impressions sur la clinique. Que vous me parliez de votre expérience dans ce centre.

— Êtes-vous en train de réaliser une sorte de sondage d'opinions ?

— Non. Non, pas exactement. Nous voudrions simplement être mieux à même de satisfaire nos futurs patients. Et aussi présenter une image adéquate de la clinique au public.

— Eh bien, euh, mon mari et moi-même devons nous absenter pour une dizaine de jours, mais je pourrais vous rencontrer à mon retour, j'imagine.

Le corps de Lake se tendit. Il *fallait* qu'elle la voie avant son départ.

— Auriez-vous la possibilité de me ménager quelques minutes dans votre emploi du temps, aujourd'hui ? J'aurais voulu pouvoir terminer mon rapport cette semaine.

— Dans ces conditions, il faudrait que vous passiez à ma boutique vers 18 heures. J'ai déjà des projets pour la soirée, mais je pourrais vous accorder quelques instants après la fermeture du magasin.

— Parfait, s'exclama Lake, soulagée. Je vous en suis infiniment reconnaissante.

— Aucun problème. D'ailleurs, il y a diverses choses dont j'aimerais vous parler. Voulez-vous que je vous indique comment venir jusqu'à la boutique ?

Lake griffonna l'adresse d'un cœur plus léger. Ne te fais pas trop d'illusions, se dit-elle toutefois pour calmer son excitation. Mais elle ne pouvait s'empêcher d'espérer qu'elle allait enfin apprendre une révélation qui pourrait l'aider.

Dès qu'elle eut raccroché, elle envoya un courriel à Archer : « Rien à signaler pour le moment, mais je continue. »

Elle avait à peine remis son BlackBerry dans son sac que celui-ci sonna. Elle le ressortit d'une main fébrile en se demandant si Levin avait déjà été prévenu par Brie et s'il la traquait. Mais l'écran indiquait qu'il s'agissait d'un appel de Molly.

— Tu as eu mon message à propos du déjeuner ? demanda celle-ci. J'ai l'impression de ne pas t'avoir parlé depuis des jours et des jours.

— Je suis désolée, dit Lake. J'ai été si occupée… pour achever ma présentation.

— Alors, on peut se voir ? Je parie que tu as besoin de faire un break.

Une partie d'elle-même rêvait de pouvoir accepter, au moins pour pouvoir s'entretenir un moment avec un être humain qui n'était pas lié à cette fichue clinique. Mais elle redoutait le bavardage léger que cela lui imposerait afin de faire croire que sa vie était absolument normale.

— Je vais devoir reporter. J'ai tellement de choses à faire.

— Tu es sûre ? Et si je te dis que j'ai eu vent de rumeurs étonnantes sur ton vieil ami le docteur Keaton ?

— Que veux-tu dire ? demanda Lake prudemment.

— Juste quelques infos que je tiens d'une copine. Je crois que ça devrait t'intéresser. Et en plus, je me trouve actuellement dans ton quartier.

— Dans West Side ?

— Non, Upper East Side. Tu ne travailles plus dans cette clinique de Park Avenue ? Je suis dans un restaurant sur Madison, près de la 60e Rue.

— Bon d'accord, dit Lake. Mais je ne pourrai pas m'attarder.

Il fallait qu'elle sache ce à quoi Mollie faisait allusion.

Le restaurant indiqué par son amie était un bistrot français situé à une vingtaine de pâtés de maisons. Lake décida que le plus simple était encore de s'y rendre à pied. Durant tout le trajet, elle réfléchit à ce que pouvaient bien être ces « rumeurs » dont avait parlé Molly. Quelque chose aurait-il filtré de l'enquête de la police ?

Son amie l'attendait à l'intérieur du bistrot, devant une table placée en vitrine. Elle était vêtue d'une robe sans manches d'un vert jade qui flattait à la fois son teint et sa silhouette, et elle avait relevé ses cheveux roux. Elle avait très belle allure et semblait en pleine forme, comme si la vie lui avait paru spécialement agréable ce jour-là.

— Magnifique robe, admira Lake en se glissant dans son fauteuil.

— Merci. Toi, bien entendu, *tout* te va. Mais moi, il n'y a que trois teintes qui ne jurent pas avec ma couleur de cheveux, et je devrai m'en contenter jusqu'à ma mort.

Lake n'avait qu'une idée en tête : soutirer à Molly l'information qu'elle avait prétendu avoir sur Keaton. Mais elle s'obligea à ne pas brusquer les choses. Son amie avait le don de flairer les problèmes et Lake savait que si elle se montrait trop impatiente, ça ne ferait qu'éveiller ses soupçons.

— Alors, ça t'a fait du bien de revoir les Catskills ? lui demanda Molly en jouant avec un morceau de baguette.

Lake n'osa pas lui raconter la mésaventure de Smokey. Molly risquait de vouloir en savoir plus et de lui poser toutes sortes de questions.

— Oh, pas tant que ça, répondit Lake. Il va falloir que je m'habitue. Difficile de se retrouver seule dans une maison que l'on a partagée avec quelqu'un.

— À propos de Jack, il n'est pas repassé, dis-moi ?

— Non, Dieu merci !

Elle en avait assez de toujours devoir lui faire un rapport sur les faits et gestes de son ex-mari.

Quelques minutes plus tard, quand elles eurent commandé leurs salades, Molly commença à se dandiner sur son fauteuil, signe qu'elle était prête à lui faire sa révélation.

— Aloooors ? N'as-tu pas envie d'entendre la nouvelle ? demanda-t-elle.

— La nouvelle ?

— À propos de Mark Keaton. Ne fais pas l'innocente. C'est grâce à ça que j'ai réussi à te débaucher.

— Vas-y, alors, dit Lake qui nota que sa voix était soudain devenue plus aiguë.

Molly passa la langue sur ses lèvres charnues avant de faire la moue. Allez, ne m'oblige pas à te supplier, trépigna Lake intérieurement.

— T'ai-je déjà parlé d'une femme qui s'appelle Gretchen Spencer ? C'est une styliste que j'ai rencontrée il y a des années. Nous avons travaillé ensemble à *Harper's Bazaar* avant de nous mettre à notre compte simultanément.

— Je crois que oui.

Contente-toi d'en venir au fait, eut-elle envie de lui hurler.

— Eh bien, apparemment, elle a passé tout un week-end avec le bon docteur, deux semaines avant qu'il soit assassiné.

18

Lake sentit le rouge de la honte monter à ses joues. Certes, elle se doutait que Keaton était un coureur de jupons, mais elle s'était jusqu'à présent laissée aller à imaginer qu'il avait cherché à la séduire parce qu'elle était différente et mystérieuse et qu'elle représentait pour lui autre chose qu'un énième corps tiède pour égayer un week-end ennuyeux. Comme elle avait été stupide et naïve ! songea-t-elle.

— *Très intéressant*, ponctua-t-elle en ouvrant de grands yeux pour simuler l'excitation.

— Inutile de te dire que Gretchen est dans tous ses états après ce qui vient d'arriver, continua Molly. Elle s'est même fait cuisiner par les flics.

— *Vraiment ?* Comment ça s'est passé ? demanda Lake.

— Pas de manière extraordinaire. D'abord, elle a cru qu'ils interrogeaient tous ceux qui avaient connu la victime. Mais ils lui ont en fait demandé si elle ne se trouvait pas *avec lui* la nuit du meurtre.

Lake ne fut pas surprise d'apprendre que la police avait conclu que Keaton avait passé la nuit avec une femme, juste avant de mourir. Elle savait que les indices qu'ils avaient découverts dans l'appartement les orienteraient nécessairement vers cette piste. Mais les paroles de Molly le lui confirmaient.

— Et alors, cette Gretchen est l'un des suspects ? s'enquit Lake sur le ton du commérage.

— Eh, non. Elle a le classique alibi en béton. Et puis, Keaton l'avait déjà plus ou moins laissée tomber à cette époque-là. Du coup, elle est à l'abri de tout soupçon. Ils ont eu plusieurs rendez-vous galants et ont passé un week-end en amoureux à Saratoga, mais après, plus rien. Il ne retournait même plus ses appels. La dernière fois qu'elle l'a vu, c'était en photo, à la une du *Post*.

— Saratoga ? s'étonna Lake.

— Ouais. Même qu'ils sont descendus dans l'un des fabuleux hôtels classés du coin. Et permets-moi de te dire que Gretchen m'a affirmé qu'il baisait comme un dieu. C'est vraiment trop bête que tu aies raté ça. Bon, vu comment les choses ont tourné, c'est sans doute aussi bien ainsi.

Lake n'en pouvait plus d'entendre son amie pérorer sur cette histoire. Elle feignit donc de s'en désintéresser et changea de sujet. Durant le reste du repas, elle s'obligea à sourire, à bavarder et à manger en écoutant Molly lui raconter les détails de son boulot et du voyage qu'elle préparait. Lorsque, enfin, il fut temps de payer l'addition, son amie insista pour le faire puisque c'était elle qui avait lancé l'invitation.

Elles se quittèrent sur le trottoir.

— Tu ne serais pas amoureuse, toi ? demanda Lake en observant le visage de Molly.

— Non. Pourquoi tu me demandes ça ?

— Tu resplendis. Et je me suis posé bien des questions à propos de ce mystérieux dîner que tu as organisé.

— Quel dîner ?

— Celui pour lequel tu faisais des courses quand nous nous sommes parlé le week-end dernier.

— Oh, celui-là, c'était pour un vieil ami, répondit-elle distraitement en regardant sa montre. Il vaudrait mieux que je file. Je dois préparer mon shooting de demain. Prends soin de toi, hein ?

— Toi aussi.

— Et, Lake, tâche de prendre un peu de temps pour toi. Je sais bien que la situation est plutôt tendue en ce moment, surtout avec cette histoire de garde d'enfants, mais tu sembles épuisée. Je ne t'ai jamais vue comme ça.

Sa remarque fit à Lake l'effet d'une gifle.

— Je te remercie de tant de *sollicitude*, dit-elle avec une pointe de sarcasme dans la voix.

— Je m'inquiète, c'est tout. Il est évident que tu es soumise à une énorme pression.

— Merci, c'est gentil, répondit-elle sur un ton plus aimable, pour arrondir les angles. Je t'appelle bientôt.

Dans le taxi qui la ramenait chez elle, Lake se demanda si elle s'était montrée trop susceptible à l'égard de Molly qui, après tout, n'avait jamais mâché ses mots en sa présence. Pourtant, elle avait perçu de petits accents de sournoiserie dans la façon dont Molly s'était exprimée durant le déjeuner, comme si elle lui en voulait un peu. Était-ce sa manière à elle de lui reprocher d'avoir été si peu disponible ces derniers temps ? Alors qu'elle repensait à leur conversation, son téléphone sonna. À son grand désarroi, elle constata que l'appel émanait de Jack.

— Tu n'as pas eu mon message ? lui demanda-t-il d'un ton sec.

— Non, mentit-elle.

— Puisque je n'ai pas pu assister à la journée des parents, le directeur du camp de vacances a dit que je pouvais passer un après-midi de cette semaine. Will veut que je lui apporte différents livres. Des trucs de science-fiction qu'il lit en ce moment.

— Je présume que tu avais une bonne raison ?

— Si tu veux tout savoir, j'ai eu une urgence au boulot.

À moins qu'il se soit hâté de rentrer à New York après avoir rasé le pelage de Smokey, incapable d'affronter son regard après un tel acte.

— Tu es toujours là ? dit-il, surpris qu'elle ne fasse aucun commentaire.

— Oui, mais je ne vois pas très bien en quoi je pourrais t'aider.

— Il faut que je passe prendre les livres de Will. Ils sont sur son étagère. Il lui manque les deux derniers épisodes de la série.

— Très bien, soupira-t-elle à l'idée de devoir recroiser Jack. J'ai une obligation à 18 heures. Peux-tu me retrouver dans le hall de l'immeuble vers 17 heures 30 ?

— Ce n'est pas le meilleur moment, en ce qui me concerne.

— Désolée, mais c'est tout ce que je peux te proposer.

Il accepta son offre en soupirant bruyamment pour manifester son mécontentement.

Dès qu'elle fut rentrée chez elle, elle ouvrit son ordinateur portable pour retravailler sa présentation PowerPoint. À son grand soulagement, elle constata que sa mise en forme et l'utilisation de couleurs lui donnaient un peu plus de force. Depuis quelques jours, elle réfléchissait à l'opportunité d'associer le visage de Levin à l'image publique de la clinique. Elle ajouta donc une page concernant cette suggestion. Avec ça, se dit-elle, vu son *ego*, elle allait gagner au moins deux points auprès de lui.

La finalisation de son document lui demanda des efforts de concentration infinis. Son esprit ne cessait de revenir à la conversation qu'elle avait eue avec Molly et aux développements de l'enquête. Elle ne pouvait s'empêcher d'imaginer McCarty et Hull, le pittbull, en train d'examiner le rapport du médecin légiste et de s'interroger sur l'identité de la mystérieuse femme qui avait passé la nuit avec Keaton. S'ils en venaient à découvrir que c'était elle, comment pourrait-elle prouver qu'elle ne l'avait pas tué ?

Mais cet aspect de son entrevue avec Molly – le fait qu'il avait couché avec sa copine – n'était pas le seul point qui la turlupinait. S'agissait-il de la cruelle confirmation de n'avoir été que l'une des innombrables conquêtes du docteur ? Peut-être. Mais il y avait autre chose : cette escapade à Saratoga à laquelle Molly avait fait allusion. En août, c'était en général pour voir les courses de pur-sang que les gens se rendaient là-bas. Pour parier sur les chevaux. Keaton avait peut-être effectivement un problème de jeu. Et, malgré les soupçons qu'elle concevait désormais sur la clinique, cette dépendance pouvait être à l'origine de sa mort. Ce qui pouvait par ailleurs signifier que les hommes de main d'une organisation mafieuse quelconque étaient désormais aussi à ses trousses.

Vers 16 heures 30, incapable de travailler plus longtemps, elle abandonna sa présentation pour envoyer un fax aux enfants. Cette fois, elle leur écrivit un long message pour se faire pardonner son oubli de la veille, auquel elle ajouta de petits poèmes et quelques dessins. Quand elle eut fini, il était presque l'heure de son rendez-vous avec Sydney Kastner qu'il faudrait enchaîner à son invitation chez Steve. Et avant tout cela, il y avait sa rencontre avec Jack, qu'elle redoutait au plus haut point.

Avant de descendre dans le hall de l'immeuble, elle alla chercher les deux derniers épisodes de la série de science-fiction qu'avait réclamés Will.

Jack avait dix minutes de retard. Typique. Quand il finit par se présenter, sans un mot d'excuse, elle se leva de la banquette où elle s'était installée pour l'attendre et lui remit un petit sac en plastique contenant les livres. Il y jeta un coup d'œil pour en vérifier le contenu.

— Attends… Celui-ci n'est pas le bon, remarqua-t-il avant de mentionner le titre d'un autre ouvrage.

— Tu m'as parlé des deux derniers épisodes de la série.

— Alors, je me suis trompé.

Quand elle croisa ses yeux noisette, elle ne ressentit que du dégoût. Je ne l'aime plus, constata-t-elle. Plus le moindre sentiment d'affection.

— Très bien. Tu peux surveiller mes affaires, dit-elle en prenant les clefs de son appartement dans son sac à main.

Lorsqu'elle revint quelques minutes plus tard, elle lui tendit le livre et s'éloigna sans dire un mot.

La boutique de Sydney Kastner se trouvait à l'autre bout de Manhattan et, dans les embouteillages de la fin de journée, le taxi se traînait. Arrivé aux abords de la 86e Rue Est, il s'arrêta complètement. Au dixième coup de klaxon du chauffeur, Lake ne tenait plus en place. Si elle ne voyait pas Sydney, il lui faudrait attendre plusieurs jours avant d'apprendre ce qu'elle savait. Enfin le taxi finit par avancer et la déposa devant le magasin vers 17 heures 50.

C'était une boutique de fleuriste, minuscule mais adorable, dont la vitrine était décorée avec des fleurs et des plantes, mais aussi tout un bric-à-brac d'articles pour le jardin. En s'approchant, Lake constata à son grand désarroi que la lumière était éteinte. Mince, ragea-t-elle, je l'ai ratée. Nerveusement, elle appuya sur la sonnette. Quelques secondes plus tard, soulagée, elle entendit des pas se diriger vers la porte.

Elle faillit ne pas reconnaître Sydney Kastner. La femme angoissée et dévastée qu'elle avait vu Rory consoler, quelques jours auparavant, était désormais une créature presque elfique, au calme olympien. Elle portait une robe légère bleu pâle et sa chevelure d'un blond tirant sur le roux n'était retenue que par une fine barrette glissée sur le côté de son front.

— Merci d'avoir accepté de me rencontrer, dit Lake quand la fleuriste la fit entrer dans la boutique, dont elle verrouilla la porte derrière elles.

— Malheureusement, je ne dispose que de très peu de temps, lui rappela Sydney en observant le visage de sa visiteuse. Vous étiez là, n'est-ce pas, quand je me suis effondrée ?

— Oui. Et je vous comprends très bien.

— Voulez-vous vous asseoir une seconde ? proposa Sydney en indiquant deux chaises de jardin disposées près du comptoir.

— Oui, merci, répondit Lake. Cet endroit est féerique.

— C'est mon petit coin de paradis. Je peine à couvrir mes charges, mais je l'adore. C'est un comble, n'est-ce pas ? Je sais tout sur la manière de faire prospérer un jardin, mais je ne réussis pas à faire pousser un bébé.

— Vous avez subi un nombre relativement impressionnant de FIV. Ça doit être très éprouvant.

— Oui. J'ai eu énormément de mal à supporter les médicaments. Le plus drôle, c'est que, contrairement à beaucoup de femmes placées dans la même situation, je ne rencontre aucune difficulté à produire des ovules et des embryons viables. Mais ils refusent de s'enraciner.

— Mais dans la mesure où vous disposez déjà d'embryons, vous ne devriez pas avoir à continuer de prendre des médicaments pour les autres tentatives ?

Sydney pencha son joli visage de côté et observa Lake avec une mine étonnée.

— Je ne sais pas d'où vous tenez cela. Je n'ai pas d'autres embryons. Ils m'ont implanté les cinq que j'ai développés.

— Oh, je suis désolée, répondit Lake maladroitement.

Bizarre, se dit-elle. Elle était pourtant certaine que le dossier précisait qu'il y avait eu dix embryons viables.

— Et puis, poursuivit Sydney, il n'y aura pas d'autres tentatives. C'est d'ailleurs cela que je voulais vous dire.

Lake se tut pour réfléchir à ses paroles.

— Pourquoi ? Vous avez décidé de vous adresser à une autre clinique ? demanda-t-elle après quelques secondes.

— À vrai dire, mon mari et moi avons décidé d'adopter, souffla Sydney en souriant. Je ne l'ai pas encore dit au docteur Levin.

— C'est merveilleux, dit Lake. Félicitations.

— Au plus profond de moi, je crois que j'ai toujours *désiré* adopter un enfant. Mon plus jeune frère est un enfant adopté et je l'adore.

Cette annonce mit Lake en joie avant de laisser place à la déception. Voilà donc la révélation à laquelle Sydney avait fait allusion lors de leur conversation téléphonique. Elle avait tellement espéré que cette entrevue pourrait contribuer à la faire sortir de son cauchemar.

— Et, rétrospectivement, quelles sont vos impressions sur la clinique ? En avez-vous été satisfaite ?

— Oui… oui, ça s'est bien passé.

Lake sentait une certaine réticence de la part de la jeune femme, comme une vague de fond. Elle ne lui disait sans doute pas tout.

— Avez-vous… avez-vous eu l'impression que l'on vous incitait à poursuivre malgré vous ?

Sydney haussa ses frêles épaules, comme si elle aurait bien ajouté quelque chose, mais ne savait pas comment le formuler. Voilà… songea Lake.

— Non, jamais, finit-elle par répondre en secouant la tête. Au début, j'aurais fait n'importe quoi pour tomber enceinte. Si je vous donne l'impression d'hésiter, c'est seulement parce que cette expérience s'est révélée beaucoup plus éprouvante que je l'imaginais. Mais pas la clinique elle-même. Comme je vous l'ai dit, j'ai très mal supporté les médicaments. Et je détestais ces horribles groupes de paroles. Sans compter ce sentiment de désespoir… À chaque fois qu'une femme du groupe annonçait qu'elle était enceinte, le reste d'entre nous avait envie de hurler comme des animaux sauvages.

— Donc, rien ne vous a gêné dans la clinique ? insista Lake qui devait se surveiller pour cacher son effroi. Quelque chose que vous auriez souhaité que les médecins fassent différemment ?

— Pourquoi vous obstinez-vous à me poser cette question ? Je croyais que vous travailliez pour eux ?

— C'est le cas, répondit Lake avec fougue. Mais les améliorations proviennent souvent de critiques honnêtes.

— C'est vrai, je suppose, souffla Sydney en consultant sa montre. Écoutez, il faut vraiment que j'y aille. Je ne peux pas dire que je regrette de ne plus avoir à retourner à la clinique, mais je souhaite bon vent à toute l'équipe. Ils font du bon travail.

Sydney se leva et attrapa son sac à main derrière le comptoir avant de raccompagner sa visiteuse jusqu'à la porte.

— Qu'est-ce qui vous a convaincue de recourir à l'adoption ? demanda Lake qui cherchait – désespérément, elle le savait – à glaner une information plus précise.

— Ça va vous paraître fou, répondit la fleuriste, mais c'est le meurtre de ce médecin, le docteur Keaton.

Entendre prononcer son nom dans cet endroit aussi calme fit à Lake l'effet d'une douche froide.

— Mais… Je ne comprends pas. Comment cela a-t-il pu vous influencer ?

— Mon médecin était le docteur Levin, mais le docteur Keaton était présent lorsque j'ai subi ma dernière FIV. Je lui ai dit que si ça ne marchait pas, j'envisageais de tout laisser tomber. Il m'a surprise en me disant que c'était très bien ainsi et que, parfois, notre instinct nous dicte ce qu'il y a de mieux à faire. Juste après avoir appris que je n'étais pas enceinte, j'ai entendu dire qu'il avait été assassiné. J'ai vu dans ce drame une sorte de signe.

Lake chercha un commentaire à lui offrir mais n'en trouva aucun. Elle se contenta donc de remercier Sydney du temps qu'elle lui avait accordé et lui souhaita bonne chance pour son projet d'adoption. En s'éloignant de la boutique, elle entendit la grille s'abaisser dans un concert de bruits métalliques.

Elle héla un taxi qui se dirigeait vers l'ouest. Et *maintenant* ? Aucune révélation importante n'avait surgi de son entretien avec Sydney. Il y avait pourtant cette incohérence bizarre. Le dossier mentionnait l'existence de dix embryons viables, mais l'intéressée croyait qu'il n'y en avait eu que cinq. Il était possible que Levin lui ait menti afin de la pousser à accepter une autre prescription de médicaments destinés à stimuler son ovulation et… à gonfler la facture. Un tel scénario était tout à fait envisageable, mais Lake se demandait comment elle pourrait jamais le prouver.

Elle n'avait vraiment pas envie d'aller prendre ce verre chez les Salman. Elle savait pourtant qu'il ne serait pas inintéressant de rencontrer Steve dans un contexte extraprofessionnel. Il connaissait la clinique de l'intérieur et elle pourrait peut-être l'amener à en parler. Il était possible qu'au détour de la conversation il lui révélât des informations qu'elle pourrait utiliser.

Elle n'était allée chez eux qu'une seule fois, lorsque Sonia, la sœur de Steve, était passée à New York, quelques années auparavant. Ils habitaient au fin fond du West Side, dans l'un des gratte-ciel de luxe qui s'élevaient au nord du Lincoln Center. Quand Hilary l'accueillit sur le seuil de leur appartement, Lake constata que la « rénovation » qu'avait évoquée Steve était en réalité un énorme euphémisme. Les pièces avaient été entièrement redistribuées et redécorées. Les meubles étaient désormais modernes et étincelants – avec beaucoup de cuir blanc –, et les murs affichaient d'imposantes œuvres d'art abstrait dont les sujets donnaient l'impression de vouloir jaillir de leur toile.

— Vous avez fait un sacré boulot ! s'exclama Lake.

— Oh, nous avons eu un peu d'aide, plaisanta Hilary. Je connais un fabuleux décorateur. Je serais heureuse de vous communiquer ses coordonnées, si cela vous intéresse.

— Comment faites-vous pour que toutes ces surfaces immaculées le restent ? demanda Lake en pensant aux petits doigts de Matthew qui devait avoir maintenant près de deux ans.

— Oh, cette pièce est interdite aux enfants, répondit Hilary.

— Alors où puis-je apercevoir Matthew ?

— D'ici quelques minutes. Sa nounou est en train de lui donner son dîner. Un verre de vin blanc vous ferait-il plaisir ?

Elles s'approchèrent des baies vitrées de l'immense salon qui offraient une vue à couper le souffle sur l'Hudson et, au-delà, sur les rives du New Jersey. Sur la table basse, il y avait une bouteille de Bourgogne blanc dans un sceau à glace, ainsi qu'un imposant morceau de fromage et quelques petites serviettes en coton ficelle. Hilary fit signe à son invitée de s'asseoir sur le canapé et lui versa un verre de vin. Son pantalon corsaire, remarqua Lake, était aussi bien repassé que ses serviettes. Elle l'avait associé à une tunique sans manche, incrustée de pierres qui rappelaient la couleur bronze de ses sandales. La mine effroyable qu'elle affichait le lundi précédent était bien loin.

— Où est Steve ? s'enquit Lake.

— Oh, il a pris un peu de retard. Il y a eu un problème à la clinique.

— Ah bon ? s'étonna Lake en s'efforçant de ne rien laisser paraître de son trouble.

— L'une des patientes a fait une mauvaise réaction à un médicament, expliqua Hilary, au grand soulagement de son invitée. Je suis tellement contente de ne jamais avoir eu à en passer par là.

— Moi aussi. Toutes ces femmes me font tellement de peine, surtout celles qui doivent enchaîner les FIV.

— J'imagine, ponctua Hilary en haussant une épaule halée.

— Vous en doutez ? s'étonna Lake, sidérée par la froideur de son commentaire.

— Après tout, c'est leur choix. Personne ne les force à s'y soumettre. Et c'est un tel poids financier pour les mutuelles. Je ne comprends pas pourquoi tous ces gens n'acceptent pas mieux leur situation – ou pourquoi ils ne recourent pas à l'adoption, comme Angelina Jolie, par exemple. Il y a tant d'enfants qui en auraient besoin, à travers le monde.

Lake resta sans voix. Hilary lui avait toujours semblé un peu superficielle, mais elle n'aurait jamais pensé qu'elle était insensible à ce point. Elle se demandait si elle aurait fait preuve du même mépris à l'égard d'une personne qui se serait fait enlever une marque de naissance grâce à l'argent donné par sa mutuelle.

— Certaines femmes ont un puissant désir d'enfant, remarqua Lake.

— Dans ce cas, pourquoi ne s'y mettent-elles pas plus tôt ? Et vu le nombre d'articles sur le sujet, qu'on ne me dise pas qu'elles n'en savent rien. La fertilité diminue après trente-cinq ans. Dans un sens, je pense que ce sont les cliniques de lutte contre la stérilité qui encouragent les femmes à retarder leurs grossesses, parce qu'elles savent ainsi qu'elles pourront toujours recourir à des méthodes comme les FIV.

— Steve ne regrette pas son choix de carrière, au moins ?

— Non, mais j'estime qu'il aurait dû s'en tenir à ses projets initiaux : la chirurgie plastique. Au moins, c'est plus gai, si vous voyez ce que je veux dire.

Lake aurait préféré qu'elle se tût.

— Mais il est heureux de travailler à la clinique, n'est-ce pas ?

S'il était impliqué dans des pratiques médicales douteuses, il était possible que l'atmosphère de son foyer s'en ressente, après tout.

— On ne peut pas dire que ce qui s'y passe actuellement l'enchante.

— Qu'entendez-vous par là ?

— Le meurtre, bien sûr, s'indigna Hilary. C'est effrayant, vous ne trouvez pas ? Et vous savez ce que je crois ? poursuivit-elle. C'est une femme qui a fait le coup.

— Ah ? dit Lake en se demandant ce qui pouvait l'amener à pareille conclusion.

— C'était un horrible dragueur, enchaîna son hôtesse en la fixant de ses yeux gris, aussi froids que la banquise. Je parierais qu'il a fini par rendre une femme suffisamment jalouse pour qu'elle le tue.

Ce commentaire lui était-il destiné ? Lake se souvenait que Hilary avait saisi le coup d'œil qu'elle avait échangé avec Keaton, durant le dîner organisé par la clinique. Elle dut résister à l'envie de détourner le regard. À son immense soulagement, une femme originaire d'Amérique latine, vêtue d'un uniforme blanc, apparut soudain dans l'encadrement de la porte.

— Matthew est prêt à vous dire bonsoir, madame Salman, annonça-t-elle.

— Très bien, dit Hilary en se retournant vers Lake, de nouveau tout sourire. J'ai hâte que vous le voyiez. Emportez votre verre, si vous voulez.

Lake suivit Hilary à travers la salle à manger, puis dans une cuisine où la couleur blanche rivalisait avec l'acier brossé. Installé dans une chaise haute, Matthew tapait avec une cuillère sur la tablette qui y était fixée. L'adorable bébé un peu potelé qu'il avait été s'était transformé en un magnifique bambin aux yeux noisette. En le voyant, Lake fondit.

— Matthew ! Comme tu es devenu grand ! s'exclama-t-elle avec un immense sourire auquel l'enfant répondit aussitôt. Il est si mignon, ajouta-t-elle en se tournant vers sa mère.

— Pour le moment, oui, répliqua Hilary en croisant les bras sur sa poitrine. Mais il commence à faire des caprices, et alors, vous ne diriez pas la même chose. Puis, s'approchant de son fils, elle ajouta : « C'est la petite terreur de sa maman, hein ? »

— Steve doit être au septième ciel, remarqua Lake.

— Oh, c'est sûr. J'aimerais seulement qu'il soit un peu plus présent pour m'aider. Jenny, vous pouvez lui donner son bain, maintenant. Ensuite, vous le mettrez au lit.

— Alors, tu nous montres comme tu es grand ? lui demanda gentiment sa nounou.

L'enfant lança les bras en l'air vers sa nurse qui le souleva de sa chaise haute en souriant, avant de quitter la cuisine.

— Oh, il faut que je vous montre sa salle de jeu, déclara Hilary. Le décorateur y a fait un travail formidable.

— Avec plaisir, répondit Lake dont la tête commençait à tourner sans qu'elle fût certaine de devoir l'attribuer au vin.

Son hôtesse la précéda dans un long couloir qui desservait la chambre de Matthew et celle de ses parents. Au bout de celui-ci s'ouvrait une petite pièce moquettée dont les murs étaient couverts d'étagères et de fresques. Alors qu'elles y pénétraient, le téléphone sonna dans une autre pièce.

— Veuillez m'excuser un instant, dit Hilary. Les fresques ont toutes été réalisées par des illustrateurs pour enfants, cria-t-elle en s'éloignant.

Lake parcourut la salle des yeux. Voilà donc l'endroit où était cantonné Matthew afin de ne pas salir le salon. Quelle ironie, songea-t-elle. Cette femme qui n'avait eu aucun mal à concevoir un enfant montrait si peu de disposition à s'occuper de lui ! Soudain, elle fut envahie par une violente envie de s'enfuir.

— C'était Steve, annonça Hilary en revenant. Il est vraiment désolé, mais il ne pourra pas arriver avant une heure au moins, expliqua-t-elle en levant les yeux au ciel.

— Aucun problème, répondit Lake, à vrai dire soulagée. Reportons cela à une autre fois.

— Mais vous pouvez très bien rester, dit Hilary.

— Pourquoi ne pas plutôt reprogrammer cette soirée ? Je suis certaine que vous avez des tonnes de choses à faire.

— Mais quel est le problème ? s'exclama son hôtesse d'un ton presque agressif.

— Rien, rien. Je… À vrai dire, depuis ce matin, je me bats contre une horrible migraine.

Les deux femmes retournèrent dans le salon et Lake ramassa son sac à main avant de saluer la maîtresse de maison. Elle aurait pu rentrer chez elle à pied, mais elle n'en avait plus la force. Elle repéra un taxi et s'y engouffra avec bonheur. Elle se demandait si l'excuse de Steve était bien réelle. Essayait-il de l'éviter ? Il était possible que sa petite visite à la salle d'archives ait été rapportée à Levin, lequel en avait touché deux mots à Steve. Ces derniers jours, elle avait eu l'impression d'être dans l'eau jusqu'au cou, avec toujours la possibilité de respirer. Maintenant, elle se sentait proche de la noyade. Son seul espoir avait été la perspective de transmettre des preuves à Archer, mais elle n'avait rien découvert de précis jusqu'à présent.

En se massant les tempes, elle s'aperçut que son visage était trempé de sueur. Elle fouilla dans son sac pour tenter d'y trouver un mouchoir en papier. Juste sous son portefeuille, sa main rencontra quelque chose de curieux : un objet rond en tissu. Elle l'extirpa de son sac. D'abord, elle l'observa sans comprendre. C'était une petite pochette en toile grossière, de la taille d'une prune. Elle était fermé par un lien et l'intérieur était rempli d'espèces de brindilles qui avaient transpercé le tissu par endroits. Mon Dieu, pensa-t-elle, serait-ce de la marijuana ? Est-ce que quelqu'un l'avait cachée dans son sac ?

Elle remarqua une étiquette blanche cousue à la pochette. Elle la retourna avec précaution. Au verso, il y avait trois mots : *Herbe à chat.*

19

Elle se souvenait avoir acheté de l'herbe à chat pour Smokey, des années auparavant, mais jamais elle ne l'aurait mise dans son sac à main. Non, quelqu'un l'y avait placée. Et elle était manifestement censée lui rappeler Smokey et ce qu'il avait subi. Encore un message ? *La dernière fois, je suis resté dans ton jardin, mais cette fois-ci, je me suis approché tout près de toi.*

Un nom lui vint immédiatement à l'esprit : *Jack*. Elle lui avait confié son sac, lorsqu'elle avait dû remonter dans l'appartement pour y chercher le livre de Will, puisque son père s'était trompé de titre, au téléphone. Sa visite était peut-être juste une ruse pour pouvoir déposer l'herbe à chat dans son sac. Si c'était le cas, cela voulait dire qu'il avait également rasé Smokey.

Jack essayait peut-être de la déstabiliser pour donner l'impression qu'elle n'était pas une bonne mère. Mais son ex-mari était-il vraiment capable d'un comportement aussi excessif ?

Une autre réflexion lui traversa l'esprit : si Jack était effectivement celui qui la harcelait, elle n'avait plus aucune raison de craindre que le meurtrier de Keaton l'épie. En fait, la mort du docteur n'avait peut-être rien à voir avec la clinique et tout ce qu'elle avait entrepris pour se disculper – fouiller dans les dossiers, contacter des patients – était alors inutile, si la véritable menace venait de l'homme qu'elle avait un jour aimé.

Mais elle se souvint subitement qu'elle avait également laissé son sac à main sans surveillance à la *clinique*. Elle l'avait déposé sur la table de la salle de réunion pendant qu'elle allait fouiller dans les dossiers des patients. N'importe qui pouvait alors pu y avoir caché le petit sachet d'herbe à chat. Cette hypothèse impliquait que le tueur travaillait à la clinique, connaissait la teneur de ses relations avec Keaton et lui adressait un nouvel avertissement. Mais un avertissement pour *quoi* ? Pour qu'elle se taise ?

Lake prit un mouchoir en papier dans son sac et se tamponna le visage. Il fallait aussi qu'elle tienne compte du fait qu'elle avait abandonné son sac à main sur le canapé de Steve et Hilary, lorsqu'elle s'était rendue dans la cuisine pour voir Matthew. Or son hôtesse s'était éclipsée quelques minutes, la laissant seule dans la salle de jeu. Et si Hilary avait eu une liaison avec Keaton ? Lake se souvenait de son attitude un tantinet aguicheuse avec le médecin, dans le restaurant. Sans compter la dispute dans la voiture à laquelle Steve avait fait allusion. Son épouse s'était peut-être présentée à l'appartement de Keaton un peu plus tard et avait découvert qu'il était avec une autre femme. De rage, elle l'avait tué. Et maintenant, elle soupçonnait Lake d'être celle qui l'avait supplantée dans le lit de son amant, mais, n'en étant pas certaine, elle cherchait à la mettre à l'épreuve.

Pourtant, cette explication lui semblait à peu près aussi saugrenue que celle de Jack faisant du mal à Smokey.

— C'est ici ? dit alors une voix.

Surprise, Lake redressa la tête et vit que le chauffeur du taxi s'adressait à elle à travers la vitre en Plexiglas. Elle ne s'était même pas aperçue qu'ils étaient arrivés devant son immeuble.

Une fois sortie du taxi, elle jeta un coup d'œil furtif autour d'elle. Le quartier était désert, à l'exception d'une femme qui poussait un landau sur le trottoir. Dès qu'elle fut dans son appartement, elle enfouit le sachet d'herbe à chat dans un sac en plastique qu'elle fourra au fond d'un tiroir de la cuisine. Elle aurait bien aimé s'en débarrasser, mais elle se disait que ça n'aurait pas été très intelligent de sa part.

En refermant le meuble de cuisine, son regard fut arrêté par le calendrier collé sur la porte du réfrigérateur. Les enfants allaient rentrer à la maison d'ici quelques semaines. Elle ne pouvait imaginer les faire vivre dans cet endroit, alors qu'un tueur était peut-être à ses trousses et que la police l'avait à l'œil. Devait-elle demander à Jack de les garder dans les Hamptons un peu plus longtemps que prévu ? Elle pourrait toujours prétendre qu'elle travaillait sur un projet qui absorbait tout son temps. Mais si Jack était celui qui la tourmentait, n'était-ce pas exactement ce qu'il cherchait à obtenir : donner l'impression d'une mère dépassée par les événements ?

Je dois absolument me ressaisir, se dit-elle en commençant à se déshabiller. Il était essentiel qu'elle garde la tête froide afin de surveiller constamment ses arrières. Ça valait également pour la police. Il ne faudrait pas qu'elle panique s'ils décidaient prochainement de revenir transpirer dans son salon. Et si Jack se cachait derrière ces histoires de chat, elle allait devoir se montrer plus maligne que lui. Tout cela lui paraissait insurmontable, mais elle devait faire tout son possible pour mettre un terme à ce cauchemar. À défaut, elle perdrait Will et Amy – et peut-être bien plus.

Elle prit une douche et s'obligea à se réchauffer un autre hamburger au micro-ondes. Une fois qu'elle en eut jeté les restes à la poubelle, elle se mit à tourner en rond dans son appartement. La plus sûre façon de s'en sortir restait encore de découvrir ce qui se passait à la clinique. L'incohérence qu'elle avait relevée dans le dossier Kastner, à propos du nombre d'embryons disponibles, ne cessait de la hanter. Elle pouvait tout à fait indiquer une tentative de la clinique pour gonfler ses profits. Et elle ne pouvait ignorer l'attitude ambiguë de Keaton à cette occasion : après avoir consulté le dossier de Sydney, il l'avait encouragée à faire ce qui était bon pour elle. Cela s'était peut-être passé juste avant le dîner donné en son honneur. Ayant découvert le pot aux roses, Keaton avait-il demandé des comptes à Levin ?

Mais comment puis-je le vérifier ? se demanda Lake. Elle repensa alors aux curieuses séries de lettres griffonnées sur le formulaire rempli par Sydney. Même si elle trouvait le courage de réexaminer les dossiers, elle ne savait toujours pas ce qu'elle devait y chercher. Ces réflexions la ramenèrent à Alexis Hunt qui, à l'évidence, ne lui avait pas tout dit. Pourtant, elle avait l'impression que son unique espoir consistait à convaincre Alexis de lui révéler ce qu'elle savait. Lake jeta un coup d'œil à sa montre. Il était presque 22 heures. Elle rappellerait la jeune femme dès le lendemain matin. Et elle essaierait de lui extorquer ce qu'elle avait voulu dire par *cherchez la femme*.

Ce soir-là, elle plaça une fois encore la table de l'entrée devant la porte. Durant toute la nuit, Smokey ne cessa d'aller et venir sur le lit, comme s'il percevait la nervosité de sa maîtresse. Elle se souvenait que la dernière fois qu'elle avait regardé son réveil, il était 2 heures 27.

Le soleil la réveilla juste après six heures. Durant quelques secondes, elle s'abandonna à la douceur de sa chaleur sur son visage, avant de se redresser en sursaut au souvenir de sa terrible situation. Elle s'adossa au montant du lit et se passa les mains dans les cheveux. Elle ne voulait pas surprendre Alexis au réveil car elle sentait que celle-ci lui raccrocherait au nez. Mais elle ne voulait pas non plus risquer de la manquer, si elle partait travailler. Elle décida de l'appeler juste avant 8 heures. Avant cela, elle allait revoir sa présentation.

Après s'être habillée et avoir préparé du café, elle alluma son ordinateur. Elle n'avait jamais aimé présenter ses travaux aux clients et, durant ses premières années d'activité, elle envisageait avec angoisse cette étape de son travail. En ces occasions, elle se sentait si vulnérable qu'elle se demandait parfois si l'ombre de sa tache de naissance n'était pas devenue plus visible. Mais depuis qu'elle avait eu recours aux services d'un coach spécialisé dans la prise de parole, elle avait appris à se dominer.

Elle relut sa présentation à haute voix, mais il lui sembla qu'elle butait sur chaque mot. Or elle savait que cela ne s'arrangerait pas une fois dans les locaux de la clinique. Levin s'était montré si froid lors de leur dernière entrevue, et il était possible que Brie soit allée lui raconter qu'elle avait surpris la consultante en marketing en train de fouiner dans les dossiers des patients. Ce n'étaient pas vraiment les conditions idéales pour captiver son auditoire. Sans compter que le tueur pouvait parfaitement être l'un de ceux qui assisteraient à son exposé. Elle ne voyait pas comment elle allait réussir à se montrer confiante et professionnelle dans ce contexte.

À 7 heures 40, incapable de patienter plus longtemps, elle téléphona à Alexis. Le même ton l'accueillit, cassant et désagréable.

En bruit de fond, elle entendit une voix masculine – provenant sans doute du téléviseur ou de la radio.

— Alexis, c'est Lake Warren. Je suis passée vous voir…

— Je me souviens.

— Bien sûr. Je…

— Qu'est-ce que vous voulez ?

— Vous avez dit l'autre soir que vous ne souhaitiez pas m'en dire plus parce que vous ne saviez rien de mes objectifs. Il est vrai que je n'ai pas été très claire à ce sujet. Voyez-vous, en fait, je travaille à la clinique en qualité de consultante. J'ai eu peur de vous le révéler parce que mon client ne sait rien de ma démarche.

— Et vous voulez en venir où ? Je ne comprends pas très bien pourquoi vous me faites cette confession, maintenant.

— Parce que j'aimerais pouvoir parler encore avec vous. Je crains vraiment qu'il se passe des choses anormales là-bas. Si vous me disiez ce que je dois chercher, je serais peut-être en mesure d'en trouver des preuves.

Il y eut un long silence. Si Lake n'avait pas entendu le bruit émis par le poste de télévision ou de radio, elle aurait pu en déduire que son interlocutrice avait mis fin à leur communication.

— Vous travaillez vraiment là-bas ? Dans la clinique de Park Avenue ? finit par lui demander Alexis.

— Oui. Et je suis sincèrement désolée de ne pas vous l'avoir dit plus tôt.

— C'est bon. Je veux bien en reparler avec vous. Quand ?

— Dès que possible. Je termine ma mission là-bas. Si je veux y découvrir une preuve quelconque, il faut donc que j'agisse au plus vite.

— D'accord. Alors venez maintenant.

Dix minutes plus tard, Lake montait dans un taxi. Durant tout le trajet jusqu'à l'East Side, elle se répéta de faire extrêmement attention à la manière dont elle aborderait Alexis, en ne la brusquant pas. Cette fois, elle ne pouvait pas se permettre de revenir bredouille.

Ce jour-là, Alexis portait encore une robe portefeuille, mais celle-là était dans les tons de rose et de brun. Son appartement était tout aussi impeccable que deux jours auparavant, comme un décor immuable.

— Donc, vous travaillez à la clinique ? commença Alexis froidement, tandis qu'elles reprenaient les mêmes places que celles qu'elles avaient occupées le mardi précédent. Voilà un détail bien trop intéressant pour ne pas l'avoir mentionné lors de notre précédente conversation.

— Je suis désolée. Comme je vous l'ai dit, j'ai eu peur d'avoir des ennuis… jusqu'à ce que je comprenne l'importance que ça pouvait avoir.

— Et les affaires sont florissantes en ce moment ? demanda Alexis d'un ton ironique. J'ai lu récemment que la moyenne d'âge à laquelle les femmes se marient est en hausse. Ce genre de nouvelles doit rendre Levin et Sherman littéralement *fous de joie.*

— Je sais qu'ils veulent développer leur affaire – c'est la raison pour laquelle ils ont fait appel à moi. Je suis consultante en marketing.

— En *marketing* ? Vous n'avez donc rien à faire avec le laboratoire ou ce genre d'activités ? Avez-vous des connaissances médicales quelconques ?

— Non. J'ai eu d'autres clients actifs dans ce secteur, mais…

— Merde ! lâcha Alexis en laissant brutalement retomber sa tête, comme terrassée par le découragement. Il me faut quelqu'un qui bosse au labo.

— Pourquoi ? ne put s'empêcher de demander Lake. Vous pensez que c'est là que se situe le problème ?

— Écoutez, je ne vois vraiment pas comment vous pourriez m'aider.

Lake sentait monter son angoisse. Elle ne pouvait pas quitter cet appartement sans avoir découvert la vérité.

— Je vous en prie, laissez-moi essayer, la pressa-t-elle. Vous pourriez m'indiquer exactement ce que je dois chercher. S'il y a effectivement quelque chose de louche, je veux vous aider à le rendre public.

— *Quelque chose de louche ?* répéta Alexis d'une voix redevenue cassante, comme si le tigre en elle venait de ressortir du bois. Excusez-moi si mes yeux s'apprêtent à sortir de leurs orbites, mais, considérant ce qu'ils m'ont fait, il s'agit de la litote de l'année.

— Que voulez-vous dire ? s'alarma Lake. Que vous ont-ils fait ?

— Ils ont volé mon bébé.

Lake dut se répéter intérieurement ces mots pour parvenir à en comprendre le sens.

— Votre bébé ? bredouilla-t-elle. Mais je croyais que vous étiez incapable de concevoir un enfant ?

— J'*ai conçu* un enfant – dans une boîte de Petri. Mais lorsqu'on m'a interdit d'utiliser mes embryons, ils les ont donnés à quelqu'un d'autre.

Malgré elle, Lake porta la main à ses lèvres.

— Mon Dieu ! souffla-t-elle. Comment... comment l'avez-vous appris ?

— J'ai vu le bébé de mes propres yeux.

— À la clinique ?

— Non, dans un magasin sur Madison Avenue. J'errais dans les rues et je m'étais arrêtée chez un petit traiteur du coin pour acheter un sandwich. Il y avait quelques tables où l'on pouvait déjeuner. C'est alors que cette femme – son nom était *Melanie* – est arrivée avec un enfant dans une poussette. Et ce bébé était le sosie de Charlotte.

D'accord... se dit Lake, voici donc l'hystérie à laquelle avait fait allusion Archer.

Les lèvres roses d'Alexis se pincèrent en un mauvais sourire.

— Vous ne me croyez pas, n'est-ce pas ?

— Non, non. Ce n'est pas ça. Je suis en train de digérer tout ce que vous me racontez.

À ces mots, Alexis se leva et, l'espace d'un bref instant, Lake se demanda si elle allait fondre sur elle pour la gifler. Mais elle sortit en trombe de la pièce, la laissant seule. Quand elle revint, quelques minutes plus tard, elle tenait un petit bout de papier entre ses doigts incroyablement longs et fins. En traversant la pièce, elle saisit le portrait encadré de Charlotte.

— Tenez, dit-elle en lui tendant sa moisson.

Lake constata que le bout de papier était en fait la photo un peu trouble d'un bambin dans une poussette, éventuellement prise au moyen d'un téléphone portable. Les deux enfants étaient quasiment identiques.

— Sont-ils... *jumeaux* ? demanda Lake, la gorge sèche.

— Intéressant, n'est-ce pas ? commenta Alexis avec ironie. Mais, non. Il est impossible de produire des jumeaux à partir d'une FIV. Mais Brian et moi nous nous ressemblons beaucoup, et un frère ou une sœur de Charlotte aurait des traits similaires. Regardez les jumeaux Olson. Voilà une fratrie dont les membres sont presque impossibles à différencier.

— C'est vous qui avez pris la photo de l'enfant ?

— Oui. Quand j'ai vu ce bébé, j'ai changé de table pour me rapprocher et j'ai profité d'un moment où la femme téléphonait pour photographier la petite avec mon portable.

— Vous en avez parlé avec la femme en question ?

— Grands dieux non ! s'exclama Alexis. Je suis peut-être folle, mais pas *stupide*. Si cette Melanie avait appris ce que je venais de comprendre, elle se serait enfuie à toutes jambes dans la seconde.

— Comment avez-vous fait pour découvrir son nom, alors ?

— Elle a utilisé une carte de crédit pour payer. Quand elle est partie, j'ai demandé son nom à l'une des serveuses. J'ai prétendu qu'il me semblait avoir fait mes études avec elle et que je voulais le vérifier. Je suis une habituée de ce traiteur et la serveuse me l'a communiqué sans difficultés. Je ne sais pas ce que cette femme venait faire dans l'Upper East side. Elle habite à Brooklyn. Dans ce quartier qu'on appelle Dumbo.

Elle prononça ce mot avec un mépris évident, comme s'il était synonyme de *tas de fumier*. Pourtant, il s'agissait d'un quartier assez en vogue, situé au pied du pont de Manhattan. Lake l'avait visité à plusieurs reprises avec des amis.

— Comment... ?

— Comment est-ce que je sais où elle vit ? demanda Alexis dont la voix était revenue un peu agressive. Son mari et elle figurent dans... Oh, je vois, vous vous demandez comment je sais qu'ils ont eu recours aux services de la clinique de Park Avenue ? C'était aussi facile à trouver que leur adresse. J'ai appelé la réceptionniste en me faisant passer pour Melanie et en prétendant que je devais vérifier les dates de certains de mes rendez-vous pour les communiquer à ma mutuelle. Elle a subi deux FIV, qui ont débuté deux mois après que l'on m'a appris que Brian ne voulait pas que j'utilise mes embryons. Je ne voulais pas qu'ils soient détruits, au cas où mon ex-mari changerait d'avis. Mais les médecins savaient très bien qu'ils ne me reverraient jamais. Donc ils les lui ont donnés.

Lake poussa un long soupir. Cette histoire était horrible – et presque difficile à croire.

— Mais pourquoi Sherman aurait-il recours à ce genre de pratiques ? demanda Lake. Si cette femme ne pouvait pas concevoir d'enfants, pourquoi ne pas utiliser les ovules d'une véritable donneuse ? La clinique dispose même de sa propre base de données.

— Mais elle ne voulait probablement pas d'une donneuse, cracha Alexis. Elle m'a semblé avoir une petite quarantaine et elle espérait sans doute parvenir à faire son propre bébé. Et je suis bien certaine que Sherman a dû l'y encourager comme il l'a fait avec moi. Lui et son acolyte, Levin, adorent répéter aux femmes « Vous aller y arriver », comme si c'était eux les véritables géniteurs. Quand Sherman a découvert que ses ovules étaient inutilisables, il s'est retrouvé coincé. Donc, il a utilisé mes embryons – sans le lui dire, bien entendu.

Au cours des semaines précédentes, Lake avait lu suffisamment de documents sur la fécondation *in vitro* pour connaître les difficultés que rencontraient les patientes de plus de quarante ans. Dans le cadre d'une FIV, une femme devait subir un traitement à base d'hormones pour stimuler ses ovaires et leur faire produire des ovules en abondance. Ces œufs étaient ensuite recueillis et placés dans des boîtes de Petri remplies du sperme du partenaire de la patiente (mais pour un paquet de dollars de plus, le même sperme pouvait aussi être injecté directement dans les ovules, afin de favoriser leur fécondation). Lorsque la patiente était proche de la quarantaine ou plus vieille, comme Melanie, les chances de réussite étaient minces. À cet âge, non seulement le nombre des ovules, mais aussi leur qualité, diminuait rapidement. En pratique, vers l'âge de quarante-trois ans, seuls dix pour cent environ des œufs étaient viables. Et plus la patiente était âgée, moins elle avait de chances de produire des ovules suffisamment vigoureux pour qu'ils puissent être fécondés avant d'être réimplantés dans son utérus. C'est d'ailleurs la raison pour laquelle certaines cliniques n'acceptent pas de traiter des femmes ayant dépassé quarante ans.

— Et vous n'avez jamais signé de papier les autorisant à utiliser vos embryons ?

— Jamais.

— Avez-vous parlé à Sherman de tout cela ? s'enquit Lake.

— Bien sûr. Je l'ai appelé dès que j'ai eu confirmation que Melanie était l'une de leurs patientes. Il m'a traitée par le mépris, me disant même d'aller consulter un psychologue spécialisé – je le cite – « dans des cas comme le mien ».

— Vous a-t-il suggéré de prendre contact avec Harry Kline ?

— Le psy qui bosse chez eux ? Non. Je présume qu'ils n'y ont recours que pour les femmes qui n'ont pas encore touché le fond et qu'ils peuvent donc encore convaincre de poursuivre leurs traitements.

— Y aurait-il un moyen d'obtenir un test d'ADN ?

— Pas que je sache. Croyez-le ou non, dans ce type de cas, la loi protège le parent qui élève l'enfant – ce que je trouve abject. C'est *mon* bébé et il devrait vivre auprès de *moi*.

Lake regarda à nouveau les photos des enfants. La ressemblance entre les deux petites était stupéfiante. Si Alexis avait raison et que la clinique ait effectivement recouru à de telles méthodes pour augmenter les chances de grossesse de Melanie, il était probable que ce n'était pas la première fois – ni la dernière.

— Pensez-vous que cette femme, Melanie, ait des doutes sur le fait que l'enfant n'est pas le sien ?

— Ça m'étonnerait, répondit Alexis. Quand vous essayez désespérément d'avoir un enfant, vous ne pouvez pas vous poser ce genre de question. Et que cela ait été intentionnel ou non, Sherman a fait un excellent boulot dans le choix des correspondances. Cette Melanie a un teint aussi pâle que le mien et son mari lui ressemble probablement de ce point de vue. Il s'appelle Turnbull, un patronyme de bon Anglais, bien pâlot.

Lake fut parcourue d'un frisson. *Melanie Turnbull.* Elle avait déjà entendu ce nom-là – et très récemment.

Soudain, la mémoire lui revint : c'était le nom qui était écrit au dos du bout de papier qu'elle avait vu dans le bol noir en bois qu'elle avait admiré chez Keaton.

20

— Vous la connaissez ! s'écria Alexis qui observait avec intensité son interlocutrice et avait remarqué le changement de son expression.

— Non, non. Bien sûr que non. J'essaie juste de digérer toutes ces informations.

— Alors, que pouvez-vous faire pour moi ?

— Pardon ? demanda Lake d'un air absent.

Elle ne parvenait plus à se concentrer. Elle ne cessait de revoir le bout de papier dans le bol, sur la console du docteur. Pourquoi Keaton avait-il noté le nom de Melanie Turnbull ? Était-il tombé sur quelque chose de suspect concernant sa grossesse ? C'était peut-être ce qui l'avait décidé à ne plus rejoindre la clinique. C'était même peut-être la raison pour laquelle il avait été *assassiné*.

— Vous vouliez connaître la vérité et je vous l'ai exposée, siffla Alexis d'un air presque menaçant. Est-ce… ?

— Laissez-moi encore vous poser quelques questions, demanda Lake qui essayait de retrouver ses esprits. Le jour où vous avez appelé Sherman, vous n'avez parlé avec aucun autre médecin, n'est-ce pas ? Mark Keaton, par exemple ?

— Non, répondit Alexis, visiblement irritée de ce changement de sujet. Je n'ai jamais entendu parler de lui. Alors, allez-vous pouvoir vous introduire dans ce labo, oui ou non ?

— Je veux vous aider, mais qu'obtiendrions-nous si j'allais fouiner dans ce laboratoire ? Je ne suis pas certaine d'être en mesure d'y découvrir quoi que ce soit.

— Vous pourriez découvrir ce qu'y mijotent les laborantins, répliqua Alexis. Vous pourriez éventuellement entendre quelque chose d'important.

— Même si je parvenais à y passer un peu de temps, je doute fort qu'ils se mettent à discuter de pratiques criminelles en ma présence. Mais, écoutez, j'ai en revanche accès aux dossiers des patients. À vrai dire, j'ai examiné le vôtre avant de venir. Maintenant que je connais l'existence des Turnbull, je peux voir si une mention quelconque de leur dossier établit un lien avec le vôtre.

— Comme quoi ?

— Eh bien, j'imagine qu'il doit y avoir dans le dossier de Melanie quelque chose indiquant d'où proviennent les embryons qu'elle a reçus. En consultant les deux dossiers, il se peut que je parvienne à l'identifier.

Alexis lui jeta un coup d'œil sceptique.

— Peut-être, dit-elle avant de regarder dans le vide, comme pour mieux réfléchir.

— Il faut que vous sachiez quelque chose, ajouta Lake. Votre dossier mentionnait qu'il ne vous restait plus que deux embryons. Or, vous m'avez dit qu'il y en avait beaucoup plus.

Alexis secoua la tête avec colère.

— Les salauds, rugit-elle. Ça veut dire que si Brian revenait un jour sur sa décision, ils se contenteraient de me répondre qu'il y en avait moins que je le croyais – ou que certains d'entre eux sont devenus inutilisables.

Brusquement, les yeux d'Alexis s'embuèrent de larmes. C'était la première fois que Lake la voyait aussi vulnérable.

— Je vous promets de faire de mon mieux pour vous aider, l'assura Lake pour tenter de la réconforter. Je dois me rendre à la clinique un peu plus tard, aujourd'hui. J'essaierai d'examiner les dossiers. Je vous appelle si je découvre quoi que ce soit.

Quand Alexis raccompagna sa visiteuse à la porte, elle lui empoigna l'avant-bras en serrant si fort que Lake réprima une grimace de douleur.

— Il faut que je récupère mon bébé, souffla Alexis. Il doit bien y avoir un juge quelque part qui ordonnera qu'on me la rende, si vous parvenez à prouver ce que Sherman a fait.

Quand elle traversa le hall de l'immeuble, quelques minutes plus tard, Lake remarqua que le portier la regardait bizarrement. Elle réalisa qu'elle devait avoir une mine épouvantable. Après avoir fait quelques pas sur le trottoir en direction de la Cinquième Avenue, elle s'effondra sur les marches d'un immeuble. Était-il possible que l'histoire d'Alexis soit vraie ? Elle semblait si incroyable ! Et pourtant, la présence du bout de papier mentionnant le nom de Melanie Turnbull chez Keaton ne pouvait être une coïncidence.

Si les médecins de la clinique volaient effectivement les embryons, ils ne le faisaient certainement pas dans le but de satisfaire les patients qui en bénéficiaient. C'était de toute évidence pour gonfler leur taux de réussite et améliorer la réputation de leur établissement, en devenant ainsi les spécialistes des grossesses pour femmes vieillissantes. Ce qui leur garantissait du même coup une forte augmentation de leurs bénéfices.

Ce devait être la raison pour laquelle Keaton avait été tué. Il avait découvert d'une manière ou d'une autre que Melanie avait reçu les embryons de quelqu'un d'autre et avait décidé de la contacter.

Et si c'était *Melanie* qui, commençant à avoir des soupçons, avait cherché à lui parler ?

Lake prit son BlackBerry dans son sac à main et appela les renseignements. Il y avait un abonnement au nom de Steve et Melanie Turnbull à Brooklyn. Elle commença à composer leur numéro, mais se ravisa. Il avait été relativement facile de prendre contact avec Alexis, dans la mesure où c'était elle qui avait approché la productrice de l'émission d'Archer pour lui faire part de ses préoccupations. Mais comment aborder Melanie ? « Il se peut que votre bébé ne soit pas le vôtre et il faut que nous en discutions ? »

Non. Elle devait trouver dans le dossier de cette femme quelque chose qui la relierait à Alexis. Lake abandonna les marches où elle s'était installée et consulta sa montre. Plus que sept heures avant d'effectuer sa présentation. Elle appréhendait le moment où il faudrait qu'elle aille à la clinique, surtout après ce qu'elle venait d'apprendre. Mais elle redoutait plus encore de devoir retourner dans la salle des archives. Pourtant, elle n'avait pas le choix. Et puisqu'elle n'aurait pas l'occasion de le faire après sa présentation, compte tenu de l'heure de fermeture de la clinique, il était nécessaire qu'elle arrive là-bas suffisamment tôt.

De retour chez elle, elle relut ses documents à plusieurs reprises. La seule façon de parvenir à effectuer sa présentation consistait à se concentrer uniquement sur ses notes, en tâchant d'oublier son auditoire. Quelle cruelle ironie, songea-t-elle, lorsqu'elle en arriva aux pages suggérant de tirer parti du succès de la clinique auprès des femmes d'âge mûr.

Le nom de Melanie Turnbull lui revint aussitôt à l'esprit et l'angoisse l'envahit de nouveau à l'idée de devoir réexaminer les dossiers des patients : jusqu'à présent, cela ne lui avait rien apporté, alors que serait-elle capable d'y découvrir ce soir ? Elle se dit finalement qu'il serait peut-être plus judicieux de parler directement à Melanie.

Vers 14 heures, elle se prépara une salade – une simple boîte de thon agrémentée d'un oignon si vieux que de longs germes verts avaient commencé à en sortir ; elle l'avala sans appétit. Elle se sentait complètement dépassée et ne savait plus quoi faire. Au début, elle avait cru qu'il fallait agir afin de déjouer les plans de Levin et de Jack, mais maintenant elle en était réduite à parier sur quelques dossiers.

Sans se laisser le temps de réfléchir, elle attrapa son BlackBerry dans son sac et composa le numéro de Melanie. Une voix de femme lui répondit, plutôt agréable, apparemment heureuse, avec, en bruit de fond, de la musique classique et le babillement d'un bébé. Quel contraste, se dit-elle, avec le silence lugubre qui régnait dans l'appartement d'Alexis !

— Je suis bien chez Melanie Turnbull ? demanda Lake.

— Oui, répondit la femme. Qui est à l'appareil ?

— Je m'appelle Lake. Je... je suis une amie du docteur Mark Keaton. Je crois savoir que vous vous êtes parlé, n'est-ce pas ?

— Quoi ? s'étonna Melanie dont la voix laissait désormais percer une note d'irritation. Je ne vois absolument pas de quoi vous parlez.

— Le docteur Keaton – celui de la clinique de traitement de la stérilité de Park Avenue. Il a été assassiné la semaine dernière. Je sais que vous deviez vous entretenir avec lui de... de sujets confidentiels... à propos de votre enfant.

La femme ne dit rien pendant quelques instants, mais Lake pouvait toujours entendre les petits cris du bébé qui jouait dans la pièce.

— Comme je vous l'ai déjà dit, finit par répondre Melanie d'un ton qui avait désormais perdu toute douceur, je n'ai pas la moindre idée de ce à quoi vous faites allusion. Je vous prie de ne plus m'appeler. C'est compris ?

Et elle raccrocha. Mince... Elle venait de ruiner ses chances de découvrir quoi que ce soit. Elle aurait dû s'entretenir au préalable avec Archer pour mettre au point une stratégie plus solide. Maintenant, tout reposait sur ce qu'elle pourrait trouver dans les dossiers de la clinique.

Découragée, elle traversa le salon comme un zombie et s'effondra dans le canapé. Les rideaux étaient encore tirés et la pièce était plongée dans une douce pénombre. Elle s'allongea et ferma les yeux. Juste avant de sombrer dans le sommeil, elle sentit Smokey sauter à ses côtés et venir lui caresser le menton de son museau.

Quand elle se réveilla, la sueur couvrait son visage. Elle consulta fébrilement sa montre, inquiète d'avoir dormi trop longtemps. Il était un peu plus de 16 heures. Elle avait la curieuse impression d'avoir été réveillée par un bruit, mais le chat ne semblait pas être dans la pièce. Elle tendit l'oreille et finit par entendre la faible sonnerie de son BlackBerry qu'elle avait laissé dans la cuisine. Elle quitta le canapé en titubant et se précipita pour répondre. Il s'agissait peut-être d'Archer, se dit-elle. Mais l'écran de son portable annonçait « Correspondant inconnu ».

— Lake, prononça une voix de femme.

— Oui, répondit-elle dans un souffle.

Elle ne reconnaissait pas cette voix.

— C'est Melanie Turnbull.

Lake en resta bouche bée.

— Je n'ai cessé de repenser à votre appel, poursuivit-elle. Et je crois effectivement que nous devrions avoir une conversation.

— Merci, bredouilla Lake, toujours sidérée. Comme je vous l'ai dit, le docteur Keaton…

— Je préférerais une conversation de vive voix. Je ne veux pas parler de ça au téléphone. Et le plus tôt sera le mieux.

— Très bien, acquiesça Lake. Dites-moi où et quand.

— Ce soir. Je veux en finir avec tout ça.

Lake fit la grimace. Sa présentation ne se terminerait pas avant au moins 19 heures.

— Ce soir, j'ai une obligation. Je ne pourrai pas me libérer avant 19 heures.

— Aucun problème. De toute façon, je veux d'abord coucher ma fille. Disons vers 21 heures, alors ?

— D'accord. Où voulez-vous que nous nous rencontrions ?

— Je ne peux pas faire le trajet jusqu'à Manhattan, alors il va falloir que notre rendez-vous ait lieu à Dumbo.

Elle indiqua à Lake le nom et l'adresse d'un restaurant situé sur Front Street et proposa de la retrouver là-bas.

— Parfait, dit Lake en notant les coordonnées du lieu.

Melanie lui précisa qu'elle était grande et avait des cheveux blonds arrivant au niveau des épaules. Puis elle mit brutalement un terme à la communication.

Lake faillit éclater en sanglots de soulagement. Le fait que Melanie qui l'eut rappelée n'était pas anodin.

Il allait falloir qu'elle s'organise. Du moment qu'elle parvenait à quitter la clinique vers 19 heures 30, elle pourrait arriver au restaurant dans les temps. Un trajet en métro jusque là-bas serait pénible, avec au moins un changement, mais il serait quasiment impossible de trouver un taxi à cette heure-là, surtout au retour. La meilleure solution consistait à prendre sa voiture, ce qui allait l'obliger à également l'utiliser pour se rendre à la clinique. Il était donc temps qu'elle s'active.

Lake était déjà sur les dents, quand elle gara son véhicule dans un garage de l'East Side. Les embouteillages avaient été plus denses que prévu et elle aurait voulu arriver plus tôt. Les vêtements qu'elle avait choisi de porter – une jupe noire avec une veste rose – étaient déjà aussi froissés que si elle les avait extirpés d'une pile de linge sale. Mais, tout en se pressant vers la clinique, elle se dit que c'était bien là le plus petit de ses soucis.

Quelques patients se tenaient devant le comptoir de réception et elle dut les contourner pour se diriger directement vers le fond des locaux. La salle des infirmières était déserte, ce qui indiquait que les employés étaient en train de s'activer auprès des patients. Arrivée à l'intersection de deux couloirs, elle aperçut, de dos, deux personnes en blouse bleue qui émergeaient de la salle d'opération – sans doute Sherman et Perkins.

Dès qu'elle eut pénétré dans la grande salle de réunion, son estomac se tordit. La dernière fois qu'elle y était venue, c'était lorsque Levin avait annoncé le meurtre de Keaton. McCarty et Hull étaient alors présents, comme deux prédateurs impatients de flairer leur proie.

Après avoir vidé son cabas, elle installa son ordinateur portable de manière que les documents qu'elle afficherait se reflètent dans l'immense écran plat fixé au mur. Ensuite, elle disposa des blocs-notes et des stylos autour de la table, suivant en cela les conseils que lui avait donnés l'un de ses anciens patrons. Enfin, elle jeta un dernier coup d'œil à sa présentation PowerPoint.

— Vous êtes en avance.

Lake pivota brusquement pour voir de qui pouvait provenir ce commentaire : Brie se tenait dans l'encadrement de la porte. Génial, se dit-elle. L'assistante de direction avait probablement été envoyée pour la surveiller.

— Je voulais juste voir ce que donnaient mes documents sur grand écran, dit Lake, qui se détesta d'avoir employé un ton aussi défensif.

— Aucun problème, commenta Brie d'une voix inhabituellement plaisante.

Elle portait ce jour-là un tailleur noir ajusté et ses lèvres étaient peintes d'un gloss transparent qui les faisaient presque disparaître de son visage.

— Personne n'a encore fini de s'occuper des patients. Nous ne pourrons donc pas commencer avant 18 heures 30.

— Parfait, ponctua Lake en s'efforçant de sourire. Excusez-moi, vous avez dit « personne ». De qui parlez-vous au juste ? Je pensais que seuls les docteurs Levin et Sherman assisteraient à la présentation.

— Le docteur Levin a demandé à plusieurs autres médecins d'y assister. Il a estimé qu'il serait utile d'avoir leurs réactions, répondit Brie avec un enthousiasme suspect. Vous avez réussi à brancher votre ordinateur correctement ?

— Euh, oui. Merci.

— Eh bien, n'hésitez pas à faire appel à moi si vous avez besoin d'aide. Je serai dans le bureau du docteur Hoss.

Quand l'assistante de direction eut tourné les talons en refermant la porte derrière elle, Lake posa le bout de ses doigts sur ses lèvres, songeuse. Pourquoi se montrait-elle si arrangeante subitement ? Était-ce parce que le travail de la consultante touchait à sa fin et qu'elle serait bientôt débarrassée d'elle ? Ou avait-elle des raisons plus sinistres d'agir ainsi ? Son sursaut d'amabilité tenait peut-être à une forme de jubilation de savoir Lake dans la panade. De toute façon, elle n'avait pas le temps de s'en inquiéter pour le moment. Elle devait trouver le moyen de s'introduire dans la salle d'archives dans les quinze prochaines minutes, la bonne nouvelle étant que Brie devait apparemment s'enfermer dans le bureau de Hoss.

Lake se glissa hors de la salle de réunion après avoir regardé de part et d'autre de la porte. Ne voyant personne, elle se hâta de gagner la salle d'archives. Cette fois, elle ne s'embarrassa pas de reproduire le système d'alarme qu'elle avait imaginé avec l'escabeau lors de sa précédente équipée. De toute façon, il n'avait pas vraiment fonctionné et il était essentiel que personne ne la repère cette fois-ci. Elle se contenta donc de refermer la porte derrière elle.

Elle alla se poster directement devant les tiroirs réservés aux dossiers des patients et retrouva facilement celui des Turnbull. Il n'était pas aussi épais que la chemise réservée aux Hunt et elle en parcourut rapidement les pages. Elle constata à cette occasion que Melanie avait subi deux FIV, la seconde ayant abouti à une grossesse. Bien qu'il fût difficile de déchiffrer les annotations des médecins, elle comprit qu'apparemment, seuls six ovules avaient été recueillis lors de la première tentative, et qu'un unique embryon avait survécu plus de trois jours, c'est-à-dire, d'après ce que savait Lake, jusqu'au moment où il devenait envisageable de le transférer dans l'utérus de la patiente. Ce petit nombre n'était pas surprenant si Melanie avait la quarantaine, comme Alexis l'avait suggéré, mais il signifiait par ailleurs que les chances d'une grossesse restaient très minces. La seconde FIV, cependant, avait généré huit œufs et six embryons viables. Quelle magnifique surprise, songea Lake avec cynisme. Si Alexis disait vrai, ce beau résultat tenait compte des embryons que celle-ci avait développés, puisque Sherman avait fini par constater que ceux produits par Melanie n'allaient pas suffire.

En revanche, Lake ne voyait aucune annotation pouvant établir un lien entre plusieurs dossiers. Elle allait devoir ressortir les documents concernant Alexis et les comparer ligne à ligne avec ceux relatifs aux Turnbull. Mais avant cela, elle décida de vérifier l'âge de Melanie. D'après la date de naissance qui figurait sur le formulaire, elle était âgée de quarante et un ans lors de sa première FIV. Tandis que Lake s'apprêtait à reposer le document sur le dessus du tiroir, elle remarqua plusieurs lettres, ajoutées au stylo, à côté du nom de Melanie : *BLb*. Ça ressemblait beaucoup à ce qu'elle avait relevé dans le dossier Kastner, mais la série de lettres était différente. Elle baissa les yeux vers le nom du mari de Melanie : *BLv*. S'agissait-il d'un code permettant de relier un couple à un autre ?

Elle consulta sa montre et s'aperçut avec effroi qu'il était déjà 18 heures 28. Il aurait fallu qu'elle reprenne le dossier d'Alexis, mais elle n'en avait plus le temps. Soudain, derrière la porte, elle entendit les bruits étouffés d'une conversation. Elle s'immobilisa, mais le bruit s'estompa. Elle s'empressa de remettre le dossier à sa place, avant d'aller entrebâiller la porte et de jeter un coup d'œil prudent dans le couloir : personne. Elle sortit furtivement de la pièce et se hâta vers la grande salle de réunion. Elle sentait que l'intérieur de sa veste était maintenant trempé de sueur.

Steve fut le premier à arriver pour la présentation. À peine quelques minutes après que Lake fut elle-même revenue de sa mission d'espionnage. En le voyant, elle ressentit un certain soulagement : elle pourrait sans doute compter sur son soutien.

— Je suis vraiment désolé pour hier soir, s'excusa-t-il d'une voix douce. Il y a eu des complications avec une patiente.

— Tout s'est bien terminé, au moins ?

— Oui, heureusement. Hilary m'a dit que vous ne vous sentiez pas bien.

— Oh… juste une terrible migraine. Ça va mieux, maintenant.

— Lake, je…

C'est alors que Hoss entra dans la salle, suivie de Perkins, et Steve prit un siège sans terminer sa phrase. Ensuite, ce fut le tour de Sherman, flanqué de Brie. Enfin, Levin fit son entrée. Il salua Lake poliment, mais détourna rapidement les yeux.

— OK, commençons, proposa Levin quand tout le monde se fut installé.

Lake prit une profonde inspiration avant de rapprocher son ordinateur portable.

— Ces derniers jours ont été très éprouvants, commença-t-elle, mais il est important de mettre en œuvre le plan marketing. Vous faites un merveilleux travail et il faut le faire savoir à un nombre croissant de femmes.

Se rendant compte que sa voix était couverte, elle s'éclaircit la gorge.

— Cette présentation est la première d'une série d'exposés que je compte réaliser, poursuivit-elle. Aujourd'hui, je m'apprête à partager avec vous quelques idées préliminaires. J'y ai ajouté les premières propositions que m'ont transmises la personne que j'ai sélectionnée pour assurer la communication quotidienne de la clinique, ainsi que le génial Web designer qui doit refaire votre site Internet. Ils développeront ces propositions une fois que je leur aurai fait part de vos réactions.

Tout le monde l'observait avec attention, mais les visages restaient impassibles. Sauf celui du docteur Hoss qui gardait les lèvres pincées, comme si elle trouvait l'introduction de Lake parfaitement incompréhensible. Celle-ci s'efforça donc de l'ignorer afin de ne pas augmenter son niveau d'angoisse.

La présentation elle-même ne dura que trente minutes. Quand elle afficha ses documents à l'écran, ils lui semblèrent étrangers, comme si elle ne les avait jamais vus auparavant. Néanmoins, elle les lut à voix haute avant d'en détailler chaque point, comme elle s'était entraînée à le faire chez elle, y ajoutant quelques exemples concrets. Lorsqu'elle en vint à aborder la question de la sensibilisation des patients potentiels, elle cita divers projets sur lesquels elle avait eu l'occasion de travailler par le passé. Enfin, elle en arriva à la partie dans laquelle elle suggérait que Levin occupe un rôle plus important auprès du public. Elle sourit en décrivant le type de couverture médiatique dont il pouvait bénéficier, s'obligeant à le regarder. Il se contenta de hocher la tête.

Voilà, c'était fini. Elle glissa ses mains moites dans les poches de sa veste, en espérant que le tissu en absorberait la moiteur.

— Voilà pour la première étape, conclut-elle. Bien entendu, ce n'est qu'un début.

Il lui semblait qu'elle avait réussi jusque-là à maintenir l'attention de son auditoire, mais, maintenant, tout le monde regardait ses pieds. Elle remarqua aussi qu'aucun des blocs-notes n'avait été utilisé. Au loin, par l'une des deux petites fenêtres qui donnaient sur la ruelle entre la clinique et l'immeuble voisin, elle entendit le bruit étouffé d'un klaxon. Elle eut soudain l'impression d'évoluer dans une sorte d'univers parallèle.

— Bien, finit par dire Levin. Voilà une énorme matière à réflexion.

Lake fut sidérée par son commentaire. C'était tout ? C'était la seule remarque que suscitait sa présentation, de sa part et de celle de ses collègues ? Elle respira profondément en se forçant à sourire.

— Y a-t-il des questions ? demanda-t-elle.

— Pas pour le moment, répondit Levin, avant d'indiquer du doigt la pile de papiers placée devant elle. Ce sont des copies de votre présentation ?

— Oui. J'en ai préparé plusieurs jeux.

— Pourquoi ne pas examiner tout cela un peu plus tard afin de digérer le travail que vous venez de fournir. Nous reviendrons ensuite vers vous pour vous transmettre nos réactions.

— Euh, très bien, répondit-elle, mal à l'aise. Je vous les fais passer.

Les minutes qui suivirent furent presque insoutenables. Chaque membre de l'assistance prit son exemplaire de documents avant de sortir de la salle sans un mot. Seul Perkins lui murmura un remerciement et Steve évita son regard. La dernière personne à quitter la pièce fut Levin. Quand elle se retourna et vit qu'il s'attardait dans l'encadrement de la porte, son estomac se noua. À quoi pouvait-il donc penser, se demanda-t-elle avec désespoir.

— Vous avez besoin d'aide ? finit-il par lui demander d'un ton poli, mais aussi froid que le métal.

— Non, merci. Ça devrait aller, répondit Lake.

— Très bien, alors je vous laisse, conclut Levin avant de s'éloigner.

Elle débrancha son ordinateur et fourra ses documents à la va-vite dans son cabas. Elle avait juste envie de s'enfuir de cette maudite clinique, mais elle savait qu'elle devait s'efforcer de faire comme si de rien n'était. Comme elle passait devant le comptoir de la réceptionniste, celle-ci lui lança un regard dur, sans lui dire un mot.

Lake ne s'autorisa à repenser à sa prestation qu'une fois qu'elle eut franchi le seuil de l'établissement et qu'elle eut atteint le coin plus sécurisant du pâté de maisons. Elle se hâta vers le parking où elle avait laissé sa voiture. Décidément, quelque chose ne tournait pas rond. À son avis, la présentation s'était plutôt bien déroulée. Les stratégies qu'elle proposait de mettre en place n'avaient, certes, rien de génial, mais elles étaient plus qu'appropriées. Il était donc tout à fait curieux que personne, à commencer par Levin, n'y ait ajouté le moindre commentaire. En fait, ils l'avaient éconduite, quasiment mise à la porte. Pourquoi ? Si Levin était mêlé d'une façon ou d'une autre au meurtre de Keaton et qu'il la soupçonnait de savoir quelque chose, il avait sans doute voulu faire en sorte de l'avoir à l'œil. Mais si Brie lui avait révélé avoir surpris Lake en train de fouiner, il avait peut-être changé d'avis.

Il y avait encore des embouteillages, mais ils ne paralysaient pas la circulation et Lake gagna le boulevard périphérique en un quart d'heure. Direction Brooklyn. Sur sa gauche, dans la lumière déclinante, les eaux de l'East River bouillonnaient d'activité : des bateaux à moteur et des voiliers y évoluaient, ainsi que des sortes de bateaux-mouches grouillant de touristes qui s'accrochaient au bastingage. Aussi déroutante qu'ait pu être sa soirée jusqu'alors, elle tâcha de se concentrer sur sa prochaine entrevue avec Melanie Turnbull. Celle-ci refuserait sans aucun doute de mettre en danger sa situation de mère, mais elle avait néanmoins accepté de lui parler. Peut-être allait-il en ressortir quelque chose qui pourrait l'aider à découvrir le fin mot de cette histoire. Ensuite, elle impliquerait Archer.

Elle traversa le pont de Brooklyn avant de se diriger vers Dumbo. Avec ses rues pavées et ses entrepôts anciens – auxquels il fallait ajouter les gratte-ciel de New York en toile de fond –, ce quartier avait toujours fait à Lake l'effet d'une sorte de passerelle entre le vieux New York et *Blade Runner*. Grâce à son GPS, elle localisa sans difficulté le restaurant où elle devait retrouver Melanie. Elle rencontra en revanche quelques problèmes pour se garer, mais finit par repérer un emplacement libre à trois pâtés de maisons de là, sur Water Street.

Après être sortie de sa voiture, elle en verrouilla les portières. Il lui sembla qu'il faisait plus frais qu'en ville, probablement à cause de la proximité de la rivière. Elle referma donc sa veste sur sa poitrine tout en se dirigeant vers le lieu de son rendez-vous. Sur sa droite, le long de la berge, elle aperçut des flâneurs. Elle jeta un coup d'œil à sa montre. Elle n'était pas censée retrouver Melanie avant au moins vingt minutes. Au lieu de poursuivre vers le restaurant, elle s'orienta donc vers l'ouest afin de se rapprocher de la rivière. Elle finit par arriver devant un petit chemin menant à un parc qu'elle commença à suivre. Quelques mètres plus loin, le sentier débouchait sur une vaste étendue bordée, sur la gauche, le long de l'East River, par une petite plage de galets que venait lécher l'eau. Depuis l'endroit où elle se trouvait, on aurait plutôt dit un lac qu'une rivière. Sur la droite, de larges terrasses avaient été aménagées et une douzaine de personnes s'y étaient installées pour profiter de la vue sur les lumières scintillantes de Manhattan. L'espace d'un moment, elle rêva qu'elle allait rouler jusqu'au camp de vacances pour y chercher les enfants et partir avec eux à tout jamais.

Elle revint sur ses pas et remonta Water Street avant d'atteindre Front Street. Le restaurant avait des airs de taverne, avec ses vieilles tables en bois et ses chandelles allumées derrière les fenêtres. Elle choisit un emplacement qui lui permettait d'observer la porte d'entrée et commanda un verre de vin.

Une fois encore, elle se repassa mentalement l'épisode de sa présentation. Les blocs-notes et les stylos qu'elle avait disposés autour de la table lui semblaient maintenant tellement ridicules. Personne n'avait pris la moindre note. Elle avala la dernière gorgée de son vin. Il était préférable qu'elle s'arrête là, mais elle risquait de devenir folle en repensant à la clinique. Elle fit donc signe au barman afin qu'il lui apporte un deuxième verre de bordeaux.

Cette fois, elle sirota sa boisson lentement, en essayant de se calmer. À un moment, elle releva la tête pour parcourir des yeux le restaurant. À son arrivée, elle avait remarqué une table de cinq femmes en goguette qui paraissaient fêter quelque chose. Elle constata qu'elles avaient réglé leur note et étaient parties. Elle consulta sa montre : 21 heures 30.

Plongée dans ses pensées, elle n'avait pas vu que l'heure de son rendez-vous était passée depuis longtemps. Soudain, elle prit conscience de l'évidence : Melanie Turnbull ne viendrait pas.

21

Mon Dieu, pensa-t-elle, j'espère que je me trompe. Mais après avoir vérifié auprès de la patronne du restaurant qu'aucune grande femme blonde, seule, ne s'était présentée, elle dut se faire une raison. Elle extirpa donc son BlackBerry de son sac à main pour appeler Melanie. Répondeur… Elle lui laissa un message expliquant qu'elle concluait à un simple retard et qu'elle continuerait à l'attendre jusqu'à ce qu'elle parvienne à se libérer. Mais elle se doutait de ce qui s'était passé : Melanie était revenue sur sa décision et ne viendrait pas.

Lake se passa les doigts dans les cheveux. Elle avait tant misé sur cette rencontre, certaine qu'elle lui permettrait de dénouer l'horrible écheveau dans lequel elle était emmêlée. Pourtant, le ton hésitant de Melanie aurait dû lui faire comprendre que celle-ci risquait de lui poser un lapin. Lake décida cependant de s'attarder encore une vingtaine de minutes au cas où, ayant entendu son message, Melanie changerait d'avis…, tout en sachant, au plus profond d'elle-même, que c'était peine perdue.

— Voudriez-vous voir le menu ?

La serveuse était une jolie fille à l'accent australien. Lake venait d'avaler deux verres de vin sans rien manger. Non seulement son estomac gargouillait, mais la tête lui tournait un peu. Malgré tout, la perspective d'un repas ne la tentait pas vraiment. Elle offrit un faible sourire à la jeune fille en secouant la tête pour décliner sa proposition.

Puisqu'elle était coincée dans ce restaurant, elle se mit à réfléchir à ce qu'elle allait devoir faire ensuite. Archer serait probablement content d'apprendre que Melanie elle-même avait demandé à la rencontrer. Son initiative cachait nécessairement quelque chose d'important. Et la suite de lettres qu'elle avait remarquée dans les dossiers Kastner et Turnbull l'intéresserait sans doute. Le journaliste pourrait peut-être laisser entendre à la police qu'il semblait se passer de curieuses choses à la clinique, les incitant ainsi à y regarder de plus près. Mais si les flics ne disposaient que du témoignage d'une femme à moitié hystérique, ils ne pourraient jamais obtenir le droit d'accéder aux dossiers des patients. Lake avait l'impression que sa tête allait exploser, comme si elle était prise dans un étau. Elle prendrait sa décision une fois rentrée chez elle.

À 21 heures 50, elle paya son addition et quitta le restaurant. Le ronronnement monotone des automobiles sur le pont de Brooklyn situé à deux pas lui sembla faire écho à son agitation.

Arrivée dans Washington Street, elle prit sur la gauche pour atteindre Water Street. Les rues étaient désertes, à l'exception d'un jeune couple dans une voiture qui venait de démarrer pour partir. Le quartier était très agréable, mais il semblait totalement dépourvu d'animation : pas un café, ni même une laverie automatique. Et, à cette heure tardive, il n'y avait plus beaucoup de passants. Elle crut avoir entendu un bruit derrière elle – le raclement d'une chaussure sur le trottoir – et elle tourna vivement la tête. Personne.

Dans Water Street, elle prit sur la droite. Si seulement elle avait pu se garer un peu plus près du restaurant ! De l'autre côté de la rue, tout le pâté de maisons était occupé par un vieil entrepôt en briques rouges, dotés de profondes arcades. Sur son trottoir, elle repéra une galerie – déjà fermée – dans laquelle avait été installé un immense manège. Les chevaux de bois avaient été saisis en plein galop et leur œil vide et blanc se détachait dans la pénombre. Au coin de la rue, les derniers étages de l'immeuble voisin avaient été aménagés en appartements, mais, bien que certains d'entre eux fussent allumés, elle n'y aperçut aucun signe de vie. Elle avait l'impression de traverser le décor abandonné d'un studio de Hollywood. Elle était de plus en plus impatiente de retrouver sa voiture et de rentrer chez elle.

Elle entendit de nouveau un bruit. Cette fois, elle en était sûre, il s'agissait de pas sur la chaussée. Elle se retourna. À quelques dizaines de mètres, un homme seul avançait sur le trottoir. Il était vêtu d'un pantalon sombre – un jean, sans doute –, d'un sweat-shirt et de chaussures de sport. Il portait aussi une espèce de casquette dont la visière lui cachait une partie du visage. Son cœur se mit à battre plus vite et elle pressa le pas.

Aussitôt, elle entendit l'homme accélérer lui aussi. Ses foulées devinrent plus lourdes et plus rapides, dans son dos. Sans s'arrêter, elle jeta un coup d'œil par-dessus son épaule. L'homme marchait désormais à longues enjambées et, malgré son couvre-chef, elle voyait qu'il ne la quittait pas des yeux.

Elle était en danger – elle n'avait plus aucun doute là-dessus. Elle se mit à courir et entendit, derrière elle, l'homme s'élancer à sa poursuite. Sa voiture était encore à environ trois cents mètres et elle ne voyait pas comment elle pourrait échapper à son poursuivant.

— Au secours ! cria-t-elle. Au secours !

Mais le grondement distant des métros passant sur le pont de Manhattan couvrait sa voix.

Les derniers mètres qui la séparaient de sa voiture étaient plongés dans une totale pénombre. Sur sa gauche, juste avant la rivière, elle aperçut un petit café vers lequel elle se rua, son cœur battant la chamade. Mais en s'approchant elle constata que les tables du bistrot avaient été rangées le long de la façade et qu'à l'intérieur les lumières étaient presque toutes éteintes. Malgré le point de côté qui lui perçait le flanc droit, elle se retourna une fois encore. L'homme gagnait du terrain. Il ne lui restait plus qu'une solution : gagner le parc. Là-bas, il y aurait forcément des passants venus profiter du calme de la rivière. Elle s'engouffra dans le sentier qu'elle avait emprunté à son arrivée dans le quartier et courut vers la rive.

— Au secours ! hurla-t-elle encore.

Le parc était désert. Elle parcourut désespérément les terrasses des yeux pour y repérer une issue, mais elles étaient hermétiquement cernées par une clôture métallique. Elle se précipita en direction des marches qui descendaient vers la plage de galets où elle poursuivit tant bien que mal sa course.

Elle sentait l'homme se rapprocher comme un champ magnétique dans son dos.

— Allez-vous-en ! lui cria-t-elle.

De l'autre côté de l'East River, Manhattan brillait de tous ses feux et un flot de voitures s'écoulait sur le boulevard périphérique, mais elle savait que pas un seul de leurs conducteurs ne pourrait l'entendre.

Soudain, son corps fut attiré en arrière. L'homme venait de saisir le tissu de sa veste d'une poigne solide. Elle ne pouvait le voir, mais elle sentait son odeur : les relents d'un aftershave écœurant. Elle se débattit et tenta de se retourner. L'homme relâcha son emprise pour lui empoigner l'avant-bras. Elle avait l'impression que son esprit s'était détaché de son corps. Elle parvenait encore à analyser la situation et à réfléchir et pourtant la terreur paralysait presque ses membres. Il faut que je me débatte, s'ordonna-t-elle. Elle tenait son sac de sa main libre ; elle en laissa glisser la bandoulière le long de son bras et, avant que celle-ci tombe, elle l'enroula autour de ses doigts et en assena un coup violent à la tête de son agresseur.

Le choc le prit par surprise et il tituba en arrière. Dans le même temps, sa casquette vola et elle aperçut son visage à la lueur d'un réverbère. Elle avait déjà vu cet homme, mais où ? La situation dans laquelle elle se trouvait ne lui permettait pas vraiment d'y réfléchir.

Elle appela une fois encore à l'aide, en vain.

Profitant de la stupeur de son agresseur, elle tenta de le contourner, mais il s'élança pour lui bloquer le passage. Elle essaya alors de fuir du côté opposé, mais il s'interposa à nouveau, et, cette fois, un mauvais sourire déformait ses lèvres. Morte de peur, elle regarda derrière elle : la rivière. Comme elle se retournait, l'homme se jeta sur elle, la faisant trébucher sur les galets.

Son assaut lui avait coupé le souffle et elle peina à retrouver sa respiration. Alors qu'il s'avançait vers elle pour la terrasser définitivement, elle jeta son sac de toutes ses forces dans sa direction.

Celui-ci atteignit son épaule avant de rebondir sur les cailloux. Il sourit encore avant de sortir quelque chose de la poche de son pantalon. La lumière fit étinceler l'objet et elle comprit qu'il s'agissait d'un couteau – une longue lame lisse et terrifiante.

C'est alors qu'elle entendit un bruit provenant des arbres qui bordaient le parc. Il détourna la tête pour voir ce que cela pouvait être. Lake profita de ces quelques secondes d'inattention pour se redresser, avant de se remettre sur pieds tant bien que mal. Elle prit une courte inspiration et claudiqua jusqu'à la berge. L'homme s'élança à ses trousses en trébuchant sur les galets, prêt à se jeter sur elle. Mais avant qu'il pût le faire, elle prit son élan et sauta dans la rivière. Elle fit quelques pas dans l'eau et, soudain, perdit pied. Elle s'enfonça dans les flots sombres qui l'engloutirent jusqu'au cou. Derrière elle, l'homme poussa un cri de stupéfaction.

L'eau froide agit comme une décharge électrique sur ses muscles. Elle pataugea encore sur quelques mètres pour s'éloigner de la rive puis se retourna. Son agresseur se tenait au bord de la rivière, les poings serrés. Elle apercevait encore le couteau dont la lame jaillissait de sa main droite.

Allait-il se lancer à sa poursuite ? Tout en nageant, elle ôta ses sandales, puis se débattit pour enlever sa veste. Elle s'employa alors à faire de longues brassées régulières, en longeant le rivage. Elle se dirigeait vers le sud et elle sentit qu'un courant relativement puissant la poussait dans cette direction – un courant, ou plutôt la marée descendante, réalisa-t-elle soudain, car l'East River se jetait dans l'océan Atlantique. Sa frayeur enfla. Qu'arriverait-il s'il la faisait dériver vers le port ? Elle se noierait, c'était certain – à moins qu'elle ne se fasse déchiqueter par un cargo. Il fallait qu'elle reste aussi près de la rive que possible.

Un peu plus loin devant elle, elle aperçut sur la berge de gros blocs de pierre sombres qui, dans la pénombre, ressemblaient presque à des sculptures rupestres. Juste au-delà, des poteaux de bois soutenaient une petite jetée s'avançant au-dessus de la rivière. Si elle parvenait à s'en approcher, elle pourrait s'y agripper. Après une bonne vingtaine de brasses, elle se retourna pour scruter l'endroit d'où elle avait plongé. Dans la faible lueur que dispensaient les réverbères, elle distingua la silhouette de son agresseur qui n'avait pas cessé de la suivre des yeux. Subitement, il pivota et traversa en courant la plage de galets, avant de disparaître dans l'ombre. Allait-il tenter de l'attraper un peu plus loin sur la rive ?

Elle continua à nager et dépassa les blocs de pierre. Finalement, épuisée, elle atteignit les poteaux de bois. Ils étaient gluants et dégageaient une horrible odeur de pourriture, mais elle enlaça l'un d'eux et s'y accrocha de toutes ses forces. Quel soulagement de pouvoir se reposer un instant. Pourtant, elle n'avait pas nagé très longtemps, mais ses vêtements l'embarrassaient. Au large, un remorqueur passa, tirant derrière lui un énorme cargo blanc et noir dont la coque portait des caractères cyrilliques. Tout cela doit être un cauchemar, se dit-elle, au bord du désespoir. Je suis en train de patauger dans l'East River. Elle ne voulait pas imaginer ce qu'il y avait sous ses pieds. Des poissons ? des serpents ? pire ?

L'homme avait disparu. Peut-être était-il en train de gagner le parc situé juste au-dessus. Un peu plus tôt, elle avait remarqué qu'il était entouré d'une clôture métallique, mais il aurait pu facilement l'escalader. À cet instant, il lui sembla entendre un bruit sur la jetée que soutenaient les poteaux où elle s'était agrippée. Elle nagea jusqu'à un autre pylône au centre du promontoire.

Le bruit disparut au bout d'un moment. Si c'était son agresseur, il avait dû constater qu'il ne pourrait pas l'atteindre depuis la jetée. Et *maintenant*, qu'allait-elle faire ? Il était tout à fait possible qu'il soit retourné dans le parc pour l'y guetter. Elle n'avait donc pas d'autre choix que d'attendre dans l'eau, en priant pour qu'il ne l'attende pas. Ensuite, elle nagerait vers la plage de galets et s'enfuirait.

Puisqu'elle était coincée là, elle réfléchit au visage qu'elle avait entrevu. D'où connaissait-elle cet homme ? C'était récent, elle le savait. Très récent. Mais elle ne parvenait pas à se rappeler où elle l'avait vu.

Elle frissonna. L'eau n'était pas très froide, mais elle avait lu que si elle y restait trop longtemps, elle finirait par souffrir d'hypothermie. Elle agita les jambes pour tenter d'accélerer sa circulation sanguine.

Les minutes suivantes lui parurent une éternité. Au loin, sur la rivière, elle apercevait le bal incessant des cargos, tractés par des remorqueurs. Elle s'agrippait à son poteau du mieux qu'elle pouvait. Oh, faites que je ne meure pas ici implora-t-elle. Que deviendraient Amy et Will ?

Après une vingtaine de minutes environ, elle abandonna son pylône et remonta un peu le courant pour tenter d'apercevoir le parc. Aucun signe de son agresseur. Mais elle ne voulait pas prendre le risque de regagner la terre ferme trop tôt. Elle retourna donc sous la jetée. Ses bras lui faisaient horriblement mal, et de grosses larmes tièdes se mirent à couler le long de ses joues.

Au bout de dix minutes, elle comprit qu'elle devait sortir de l'eau. Elle s'était mise à trembler de tous ses membres et ses bras étaient désormais presque tétanisés de devoir agripper le poteau aussi fermement. Elle inspira profondément et commença à nager aussi calmement qu'elle le pouvait, en direction de la plage de galets. La marée descendait encore et, après quelques brasses, l'effort à fournir pour lutter contre le flot la laissa sans force.

Soudain, elle entendit des bruits provenant de la rive. Effrayée, elle cessa aussitôt de nager, se contentant d'agiter les jambes pour maintenir sa tête hors de l'eau. Cela semblait venir du parc. L'homme y était-il revenu ? Après quelques secondes, elle se rendit compte qu'il s'agissait de rires. Elle tendit le cou et tenta de discerner ce qu'elle pouvait dans l'obscurité. Elle distingua quatre ou cinq silhouettes assises sur les terrasses, en train de discuter et de plaisanter. Probablement un groupe d'adolescents.

Elle se remit à nager, plus vigoureusement cette fois, en luttant de son mieux contre le courant. Enfin, elle atteignit la berge. Elle n'essaya même pas de reprendre pied et se propulsa directement sur les galets de la plage, comme une loutre de mer.

— Hé ! entendit-elle l'un des adolescents crier, avant d'ajouter, Oh, mince…

Tandis qu'elle se mettait debout tant bien que mal, gênée dans ses mouvements par ses vêtements qui lui collaient à la peau, cinq personnes se précipitèrent vers elle. Quand ils furent un peu plus près, elle constata qu'ils devaient avoir une vingtaine d'années – trois garçons et deux filles.

— Ça va ? lui cria l'une des filles. Qu'est-ce qui vous est arrivé ?

— On… on m'a poursuivie. Un homme… J'ai dû me jeter à l'eau, haleta Lake.

Les cinq jeunes la regardèrent avec de grands yeux, comme s'ils avaient du mal à la croire. Ils auraient sans doute mieux compris qu'elle soit en mission de reconnaissance pour le gouvernement américain, à la recherche de sous-marins espions.

— J'ai été agressée, ajouta Lake en tordant le tissu de sa jupe.

Elle parcourut des yeux les environs à la recherche de son agresseur.

— Il faudrait appeler la police, remarqua la fille, avant de sortir un téléphone portable de la poche de sa jupe en jean et de l'ouvrir.

— Non ! s'écria Lake, les faisant sursauter. Je veux dire… Je vais le faire, mais pas maintenant. Il faut que je parte d'ici au cas où il reviendrait. Et vous… vous aussi vous devriez filer. Il n'est pas prudent de s'attarder ici.

Plusieurs membres du groupe jetèrent un coup d'œil inquiet vers le parc.

— Ouais, on ferait mieux de filer, acquiesça l'un des garçons.

— Pourriez-vous me raccompagner jusqu'à ma voiture ? demanda Lake. Elle est garée à quelques centaines de mètres d'ici.

— Bien sûr, lui répondit le même garçon.

Mais elle avait à peine prononcé ces mots qu'elle réalisa qu'elle n'avait plus son sac à main. Elle parcourut les galets des yeux. Il était là, à l'endroit où il avait atterri après qu'elle l'eut jeté contre son agresseur. Pieds nus, elle s'approcha maladroitement pour le ramasser. Rien n'y manquait, à l'exception d'un petit carnet qui avait glissé un peu plus loin sur les cailloux : son BlackBerry, ses clefs de voiture, son porte-monnaie. En se retournant vers les adolescents, elle constata qu'ils la fixaient tous avec une mine effarée, visiblement désorientés par cette apparition.

Elle les pressa une fois encore de s'en aller et tous se hâtèrent vers la sortie du parc. L'une des filles empoigna nerveusement la main du garçon qui avait parlé et qui semblait, pour sa part, plus perplexe qu'inquiet. Ils doivent penser que je viens de me disputer avec mon petit ami, se dit Lake, et que je me suis jetée dans la rivière par dépit. Peu importait. Elle tremblait des pieds à la tête et des crampes lui labouraient l'estomac. Elle voulait juste retrouver la sécurité de sa voiture.

Tout en essayant de ne pas écorcher ses pieds nus sur les pavés de la rue, elle ne cessa de scruter les alentours. Il n'y avait aucun signe de son agresseur. À quelques mètres de son véhicule, toujours flanquée du groupe de jeunes gens, elle prit sa clef pour le déverrouiller. Elle s'y engouffra après avoir remercié ses cinq sauveteurs pour leur aide. Son sac de gym reposait sur la banquette arrière, avec une paire de chaussures de sport, mais elle ne prit pas le temps de les enfiler. Elle démarra le moteur et fila. Dans le rétroviseur, elle vit l'un des garçons hausser les épaules d'un air incrédule. C'était quoi, ce truc ?

Elle avait du mal à rassembler ses esprits. Après avoir tourné sur la droite dans une rue presque déserte, elle accéléra pour quitter Dumbo. Quand elle atteignit enfin une rue plus fréquentée, elle se gara et entra l'adresse de son domicile dans son GPS afin de retrouver plus facilement le chemin du pont de Brooklyn.

Après s'être crue sauvée, elle se rendit compte, tout à coup, qu'elle avait peur de rentrer chez elle. Et si l'homme l'y attendait ? Et puis, elle ne pouvait pas se permettre de se présenter dans cet état devant le portier. Elle voyait déjà les conséquences que ça aurait pu avoir sur la garde des enfants : « Le portier nous a rapporté avoir vu la mère arriver dans l'immeuble, complètement trempée et dégageant une odeur de gasoil mêlée de relents d'égouts. »

Toujours frissonnante, elle déclencha le chauffage de sa voiture en essayant de se concentrer. Le nom de Molly lui vint à l'esprit. Elle allait se rendre chez son amie. Celle-ci possédait un appartement dans Chelsea et pourrait prendre soin d'elle et l'aider à déterminer ce qu'elle devait faire. Elle lui révélerait peut-être toute l'histoire. Il devenait évident qu'elle ne pourrait pas s'en sortir sans aide.

Une fois sur le pont de Brooklyn, Lake s'orienta vers le boulevard périphérique en direction du nord. Toutes les deux secondes, elle regardait dans son rétroviseur, sans pouvoir déterminer si elle était suivie ou non. Elle ne voyait que des taches de lumières. Ayant dû stopper à un feu rouge, elle en profita pour prendre son BlackBerry et appeler Molly. Elle n'obtint que sa messagerie.

— Molly, gémit-elle. Je… Il faut que je te parle. Rappelle-moi s'il te plaît, d'accord ? Le plus vite possible.

Elle essaya ensuite de joindre son amie sur sa ligne fixe, mais raccrocha en constatant qu'elle n'obtenait pas plus de réponse.

Où pouvait-elle bien être ? Elle avait une vie mondaine assez intense, mais elle lui avait toujours affirmé qu'elle n'aimait pas se coucher après minuit. Lake vérifia sa montre : 23 heures 34. Persuadée que son amie rentrerait bientôt chez elle ou, du moins, retournerait son appel par curiosité, elle décida de se diriger vers son quartier. Elle attendrait devant son immeuble jusqu'à ce qu'elle rappelle, avant de s'effondrer sur son canapé-lit. Il y avait certes une faible probabilité que Molly ait découché pour passer la nuit dans les bras d'un amant, mais Lake n'avait pas d'autre choix.

Elle se dirigea donc vers la 21e Rue Ouest, tout en continuant à vérifier son rétroviseur. Pendant près d'un kilomètre, elle constata qu'aucune voiture ne la suivait. Elle en déduisit qu'il y avait peu de risque qu'elle ait été prise en filature. L'homme qui l'avait attaquée avait manifestement jeté l'éponge. Elle repensa à son visage. Subitement, elle sut où elle l'avait vu : c'était l'homme qui était assis au bar du Waldorf, celui qui l'avait observée après qu'Archer l'eut quittée. Il devait donc la surveiller depuis plusieurs jours. Avait-il été engagé par quelqu'un de la clinique ? Avait-il égorgé Keaton avec le même couteau ?

Perdue dans ces pensées, elle dépassa le pâté de maisons où habitait Molly et dut faire demi-tour. Quand elle arriva enfin devant son immeuble, elle se gara en double file afin de pouvoir l'apercevoir quand elle rentrerait. Elle tendit le cou pour vérifier nerveusement ses arrières. Quelques véhicules la dépassèrent sans s'arrêter.

Elle avait cessé de trembler, mais elle se sentait horriblement mal dans ses vêtements trempés. Sans quitter des yeux l'immeuble, elle attrapa sur la banquette arrière le sac qui contenait ses affaires de sport et en retira la paire de chaussures de gym et un tee-shirt.

Elle se tassa sur son siège pour enfiler celui-ci après avoir ôté son chemisier et son soutien-gorge. Ensuite, elle mit ses tennis.

Dix minutes s'écoulèrent. Elle essaya une fois encore le numéro de Molly. Toujours pas de réponse. En jetant un coup d'œil à sa messagerie électronique, elle vit qu'Archer lui avait envoyé un courriel quelques instants auparavant. Il était rentré de son voyage plus tôt que prévu et voulait faire le point avec elle, dès le lendemain.

Un mouvement près de l'immeuble attira l'attention de Lake. Une femme aux longs cheveux dont elle ne voyait que le dos s'approchait du bâtiment. Enfin… Molly. Mais alors que la femme atteignait la porte d'entrée et s'arrêtait pour parler avec le portier, Lake s'aperçut que ce n'était pas son amie. Que vais-je faire si elle ne rentre pas ? s'inquiéta-t-elle. Devait-elle aller dormir à l'hôtel ? Elle voyait d'ici la mine que lui ferait le réceptionniste quand il sentirait l'odeur pestilentielle qu'elle dégageait.

Après un bref échange, le portier salua la femme et elle pénétra dans l'immeuble. Deux hommes passèrent ensuite sur le trottoir, sans s'arrêter. Puis un taxi se gara devant l'entrée. Faites que ce soit Molly… Elle aperçut le passager qui se penchait vers le chauffeur pour payer sa course mais, après quelques secondes, elle vit qu'il s'agissait d'un homme. Il ouvrit la portière et sortit du véhicule avec assurance. La lumière du réverbère éclaira son visage, tandis qu'il remettait sa monnaie dans la poche de son pantalon.

Lake n'en croyait pas ses yeux : c'était Jack.

22

Il est à mes trousses…

Cette réflexion explosa dans son cerveau avant même qu'elle ait véritablement enregistré la présence de son ex-mari sur le trottoir. C'était donc lui qui avait organisé l'agression à laquelle elle venait d'échapper, tout comme il avait manigancé le rasage de Smokey et dissimulé le sachet d'herbe à chat dans son sac. Et comme il se doutait qu'elle appellerait Molly à la rescousse, il se présentait maintenant devant son immeuble.

Mais, tandis qu'elle s'aplatissait sur la banquette, une autre partie de son cerveau repoussa ces élucubrations. Jack avait négligemment noué un pull autour de ses épaules et son visage affichait la suffisance et une forme d'impatience enthousiaste. Non, il n'était pas à sa recherche. C'était l'expression d'un homme qui avait des *projets* pour la soirée. Si Jack se trouvait là, c'était pour voir Molly.

Son estomac se tordit à cette idée. Elle se redressa juste un peu pour l'épier par-dessus son volant. Son ex-mari avait pénétré dans le hall de l'immeuble et le portier parlait au téléphone. Quand il eut raccroché, il fit un signe de tête à Jack, avec un sourire suggérant une certaine familiarité. Jack le dépassa pour se diriger vers les ascenseurs.

Les pensées de Lake s'entrechoquaient dans son cerveau. Depuis combien de temps cela durait-il ? Molly était-elle à l'origine de la faillite de leur mariage ? Les imaginer ensemble, en train de faire l'amour lui donnait la nausée. Mais simultanément elle ressentait ce curieux sentiment de soulagement que génère souvent la lucidité.

Voilà donc pourquoi Jack avait vidé les lieux aussi subitement. Cela expliquait également les questions incessantes de Molly sur leur divorce et sur les éventuelles tentatives de Jack pour revenir vers elle – ces questions dépassaient en effet de plus en plus les légitimes préoccupations d'une véritable amie. De toute évidence, Molly n'avait cherché à préserver leur amitié que pour l'avoir à l'œil et connaître des détails de leur séparation que son ex-mari préférait peut-être ne pas lui donner. Quelle *perversité* ! songea Lake.

Et cette relation n'était peut-être que la partie immergée de l'iceberg. Elle se demandait si les deux amants avaient aussi décidé ensemble d'engager cette démarche concernant la garde d'Amy et Will. Le mariage de Molly s'était soldé par un divorce avant qu'elle ait pu concevoir d'enfants et elle avait un jour avoué à Lake qu'elle regrettait cette situation. Désormais, grâce à Jack, elle avait accès à une jolie petite famille préfabriquée.

Heureusement qu'elle ne lui avait jamais confié ce qui s'était passé avec Keaton ! Si elle l'avait fait, son cas aurait déjà été réglé. Elle passa rapidement en revue tout ce dont elle avait discuté avec Molly : le fait qu'elle soupçonnait son ex-mari de vouloir fouiner dans l'appartement, son vague flirt avec un homme auprès duquel elle travaillait, l'interrogatoire de tous les membres de la clinique par la police. Rien qui pût véritablement l'incriminer.

Il fallait qu'elle file de là. Jack et Molly en avaient vraisemblablement pour la nuit, mais peut-être décideraient-ils, malgré l'heure tardive, de ressortir pour aller prendre un verre ou dîner au restaurant. Elle démarra sa voiture et, après avoir fait plusieurs centaines de mètres, se gara en double file dans une petite rue afin de réfléchir à l'étape suivante. Depuis sa rupture avec Jack, elle s'était éloignée de ses amis les plus proches et, décemment, elle ne pouvait les appeler à la rescousse sans crier gare. Elle baissa les yeux vers l'écran de son BlackBerry. Le courriel d'Archer y était toujours affiché. Ça paraissait absurde de l'appeler, mais, pour le moment, c'était encore la solution la moins insensée. Au moins, il serait intéressé par ce qui venait de lui arriver et par ce que cela pouvait révéler sur la clinique.

Il répondit au bout de la troisième sonnerie. Elle entendit le bruit de la télévision en fond sonore et en déduisit qu'il devait être chez lui.

— J'espère que je ne vous appelle pas trop tard, s'excusa-t-elle. C'est Lake Warren.

— Oh, bonsoir. Je comptais vous appeler demain. Alors, du nouveau ?

— Je me suis fait agresser, ce soir. Et je pense que ça a un lien avec la clinique. Je... J'espérais pouvoir vous parler. Pour être honnête, je suis morte de peur.

— Vous êtes blessée ? s'écria-t-il d'une voix inquiète. Vous avez vu un docteur ?

— Je n'ai rien. Je suis juste choquée. Et, comme j'ai terminé dans l'East River, je suis également trempée comme une soupe.

— L'*East River* ? ! Mon Dieu, Où vous trouvez-vous ?

— Je suis dans ma voiture. Dans Chelsea. Je ne sais plus vraiment quoi faire.

— J'habite dans le Village – Jane Street. C'est tout près. Êtes-vous capable de conduire jusque-là ? Où préférez-vous que je vienne vous chercher ?

Un sentiment de soulagement l'envahit : il allait l'aider !

— Non, non. Je peux très bien rouler jusqu'à chez vous.

Il lui suggéra de laisser son véhicule dans un parking situé à proximité de son immeuble, dans la mesure où il était quasiment impossible de se garer dans son quartier.

— Appelez-moi quand vous serez dans le parking. Je viendrai vous chercher, ajouta-t-il.

— Oh, ce n'est pas nécessaire, dit-elle. Donnez-moi juste votre adresse exacte et je vous y rejoins d'ici quelques minutes. Et... Merci...

À sa grande surprise, elle l'aperçut qui l'attendait dans le parking lorsqu'elle arriva. Il était vêtu d'un pantalon en coton beige et d'une chemise à rayures bleues et blanches qui n'avait pas dû voir un fer à repasser depuis longtemps. Dès qu'elle sortit de sa voiture, il secoua la tête d'un air inquiet en la voyant.

— J'habite à quelques mètres d'ici, lui dit-il en posant délicatement son bras contre son dos tandis qu'ils marchaient sur le trottoir.

Malgré la présence de réverbères, la rue était sombre du fait du feuillage des platanes qui la bordaient et absorbaient une partie de la lumière. Durant tout le trajet jusqu'à chez lui, elle nota sa vigilance et la manière dont il scrutait les alentours. Il sortit ses clefs avant même qu'ils aient atteint le perron de l'immeuble. Son appartement était situé au rez-de-chaussée et il s'effaça pour la laisser entrer, non sans avoir jeté un dernier coup d'œil à la rue, avant de refermer la porte.

— Racontez-moi ce qui s'est passé ? s'écria-t-il dès qu'ils eurent pénétré dans le salon – une grande pièce confortable, pourvue d'un immense canapé rouge, couvert de livres et de journaux divers.

— Un homme m'a attaquée dans l'un des parcs qui longent les berges de l'East River – dans le quartier de Dumbo, répondit Lake. Il m'a fait tomber, avant de sortir un couteau. Je sais bien que ça va vous paraître dingue, mais la seule façon de lui échapper consistait à sauter dans la rivière. J'ai nagé jusqu'à un endroit où il y a une jetée, en contrebas d'un autre parc, et je me suis cachée là jusqu'à ce que je sois sûre que le type soit parti.

— Vous êtes certaine que vous n'avez pas besoin de soins ?

— Oui, mais j'ai eu vraiment peur, répondit-elle d'une voix couverte. Je suis plutôt bonne nageuse, mais je ne sais pas si j'aurais pu tenir très longtemps. Je craignais de m'épuiser et de me faire entraîner par la marée.

Et soudain, sans crier gare, elle se mit à pleurer. De longs sanglots agitèrent ses épaules, rythmés par quelques halètements étouffés. Sa réaction était à la fois attribuable au soulagement de s'en être finalement tirée saine et sauve, mais aussi, elle en était consciente, au fait que, malgré cela, elle était toujours en danger.

— Allons, lui dit gentiment Archer en passant un bras autour de ses épaules pour l'attirer contre lui. Tout va bien, maintenant.

— Je ne pense pas, non, renifla-t-elle en essuyant ses larmes d'une main. Je crois que quelqu'un de la clinique m'en veut et cherche à me réduire au silence.

— Pourquoi pensez-vous cela ?

— Et bien, j'espère que vous n'allez pas m'en vouloir, mais j'ai retrouvé Alexis Hunt par mes propres moyens. Je voulais découvrir pourquoi elle estimait qu'il se passait des choses anormales à la clinique. Je me suis dit que si je devais examiner les dossiers des patients, il valait mieux que je sache quoi y chercher.

— Ah… ponctua-t-il.

Il détourna la tête, mais elle aperçut son expression sceptique.

— Et ce qu'elle m'a raconté est plutôt édifiant, poursuivit Lake. Elle est convaincue que la clinique a utilisé ses propres embryons pour féconder une autre femme. Quelqu'un qui s'appelle Melanie Turnbull. Parfois, les couples autorisent ce genre de choses, mais ce n'était pas le cas d'Alexis. Elle m'a dit que, grâce à cela, la femme en question avait réussi à avoir un bébé, mais qu'elle ne savait sans doute pas qu'il était issu de l'embryon d'une autre. Inutile de vous dire qu'Alexis est dans tous ses états.

Archer la regarda avec de grands yeux, totalement sidéré.

— Est-ce qu'ils auraient pu faire une erreur ? demanda-t-il. Intervertir malencontreusement les embryons dans le laboratoire ?

— Non, tout cela paraît beaucoup trop suspect. L'établissement adore se vanter de son taux de réussite auprès des femmes âgées. Je crois plutôt qu'ils font ça pour améliorer leurs chiffres en ce qui concerne les femmes de plus de quarante ans. Par ailleurs, à ma connaissance, il existe au moins deux cas – Alexis en fait partie – dans lesquels ils ont affirmé aux patientes qu'elles avaient produit moins d'embryons qu'en réalité.

Il posa une main sur son visage en poussant un long soupir.

— J'ai manifestement mis le doigt sur quelque chose de louche, continua Lake. Si je me suis rendue à Brooklyn, c'était pour y rencontrer Melanie Turnbull. Au début, elle n'a rien voulu entendre de ce que j'avais à lui dire, et puis, finalement, elle a accepté de me rencontrer dans un restaurant situé près de chez elle. Je l'y ai attendue pendant une heure, mais elle ne s'est pas montrée. Et alors que je retournais vers ma voiture, cet homme a commencé à me suivre – puis à me poursuivre. Et vous savez quoi ? Il était également au bar du Waldorf le soir où je vous y ai retrouvé. Il avait aussi dû me suivre jusque-là.

— Pensez-vous que cette Melanie ait pu contacter la clinique pour les avertir que vous l'aviez appelée et qu'ils aient alors demandé à ce type de vous tuer ? Un type qu'ils avaient déjà engagé pour vous surveiller ?

— Oui, ça me paraît plausible.

Soudain, le reste de ses forces l'abandonna.

— J'ai tant de choses à vous raconter ! Mais j'aimerais d'abord pouvoir me changer, si ça ne vous embête pas. Après cette baignade dans la rivière, j'ai un peu peur de couver le choléra ou quelque chose dans le genre, dit-elle en s'efforçant de sourire.

— Bien sûr. Voulez-vous prendre une douche ? Je crois que ce serait encore mieux.

— Avec plaisir, répondit-elle.

— Suivez-moi, dit-il en se levant. La salle de bains principale se trouve à l'étage. Puis, se ravisant : « Attendez, et la police ? Que leur avez-vous raconté jusqu'à présent ? »

— Rien, dit-elle dans un murmure.

— Rien ? ! Qu'entendez-vous par là ?

— Je ne l'ai pas contactée. Pas encore.

— Mais il faut le faire !

— J'ai… J'ai une bonne raison pour ne pas l'avoir fait. Est-ce que je peux vous l'exposer un peu plus tard, d'accord ?

Il l'observa avec curiosité.

— Très bien, se contenta-t-il d'ajouter, avant de la guider jusqu'à un escalier qui menait à sa chambre. Donnez-moi une seconde. Je vais tâcher de vous trouver une serviette propre.

Tandis qu'il fouillait dans une armoire, elle parcourut la chambre des yeux. Bien qu'avec son grand lit en chêne massif et sa table de nuit croulant sous les livres elle ne ressemblât en rien à la chambre d'amis impeccable qu'elle avait vue chez Keaton, un trouble l'envahit brièvement. La dernière fois qu'elle s'était aventurée dans la chambre à coucher d'un inconnu, celui-ci avait été sauvagement assassiné. Et sa vie avait basculé dans l'horreur.

Archer revint dans la pièce avec une grande serviette et lui indiqua la salle de bains, avant d'ajouter qu'il l'attendrait en bas et qu'elle pouvait prendre son temps.

— Thé ou cognac ? lui demanda-t-il avant de refermer la porte de la chambre à coucher.

— À vrai dire, je me sens capable d'avaler les deux, si vous n'y voyez pas d'inconvénient, répondit-elle en souriant.

La minute suivante, elle était sous la douche, après avoir réglé le mitigeur sur la température la plus chaude que pouvait supporter sa peau. Elle était un peu mal à l'aise de se trouver ainsi, nue, dans la salle de bains d'un parfait étranger, mais qu'il était bon de pouvoir enfin se débarrasser de l'odeur que lui avait laissée son passage dans la rivière ! Tout en se shampouinant, elle laissa courir ses yeux sur les parois de la douche. Rien n'indiquait qu'une femme fût récemment passée par là. Soudain, ses pensées la ramenèrent à Jack et Molly. Elle était tellement impatiente de parler à Archer qu'elle en avait oublié cet épisode de sa nuit de cauchemar. Ces derniers mois, elle n'avait cessé de ressasser les causes de l'échec de son mariage et les raisons pour lesquelles son mari l'avait abandonnée. La réponse avait-elle été sous ses yeux durant tout ce temps ?

Quand elle émergea de la salle de bains un quart d'heure plus tard, dans un brouillard de vapeur, elle constata qu'une robe avait été déposée sur le lit. Ah, se dit-elle, il a donc quelqu'un dans sa vie et voilà ce qu'elle porte. Elle enfila le vêtement, remit ses chaussures de sport et emporta ses affaires mouillées avec elle, roulées en boule. Archer lisait dans un fauteuil. Sur la table basse, un plateau avec une théière, une tasse et un verre de cognac l'attendait.

— Vous vous sentez mieux ? demanda-t-il en relevant la tête.

— Oui, beaucoup. Je suis confuse de vous imposer tout ça. Je vous connais à peine. Et merci pour la robe, au fait.

Elle ramassa ses cheveux humides derrière ses oreilles et s'assit sur le canapé.

— J'espère que vous n'êtes pas du genre Earl Grey, lui dit-il en indiquant du menton la théière. Je n'avais que de l'English Breakfast.

— C'est parfait, répondit-elle en remplissant sa tasse.

— Pourquoi ne pas me raconter votre histoire en commençant par le début, proposa alors Archer. Je veux que vous me disiez tout.

Il ne semblait pas prêt à la laisser en paix avant qu'elle lui ait tout expliqué. Après tout, il était journaliste. Elle le savait avant de venir chez lui.

Elle se mit donc à lui raconter son histoire, en commençant par son appel à Alexis. Elle lui parla également de sa présentation et de la façon dont Levin l'avait éconduite.

— Il a visiblement cherché à m'humilier, remarqua Lake. Et ce rendez-vous avec Melanie était manifestement un stratagème pour m'attirer dans une ruelle sombre de Brooklyn.

— Vous en êtes sûre ? Il est possible qu'elle ait eu d'excellentes intentions, mais qu'elle ait finalement pris peur. Je me demande même s'il ne lui est rien arrivé.

Lake n'avait pas envisagé cette possibilité, mais, après quelques secondes, elle secoua la tête en signe de doute.

— C'est possible, bien entendu, mais je ne le pense pas. Il est vrai que je n'ai rien remarqué lorsqu'on m'a suivie jusqu'au Waldorf, mais je suis quasiment certaine que personne ne m'a prise en filature jusqu'à Brooklyn, cette nuit. Je me souviens que, quand je me suis garée, il n'y avait aucune voiture derrière moi. Je crois plutôt que Melanie a prévenu quelqu'un de la clinique après que je l'ai appelée, et que cette personne lui a demandé d'organiser notre entrevue. Cela dit, je doute qu'elle ait su que c'était pour me tuer.

Archer tapota doucement ses lèvres de son poing – un geste qu'elle l'avait déjà vu faire.

— Mais que croient-ils que vous détenez contre eux ? dit-il comme pour lui-même. La seule chose que vous savez, c'est ce qu'Alexis vous a raconté, et il est probable que la police ne pourrait rien faire sur la base de ces seules informations.

Lake massa ses tempes humides en soupesant toutes ces réflexions. Que pensaient-ils qu'elle savait ? Est-ce que ça avait trait à Keaton ? Levin avait-il compris qu'elle se trouvait avec lui cette nuit-là ? Supposait-il qu'il lui avait raconté qu'il ne voulait plus rejoindre la clinique ?

— Et en parlant de police, intervint Archer en l'arrachant à ces pensées, expliquez-moi pourquoi vous ne l'avez toujours pas contactée ?

Elle prit une profonde inspiration. Il fallait qu'elle trouve une explication qui convaincrait le journaliste, sans éveiller ses soupçons.

— La nuit au cours de laquelle Mark Keaton a été tué, plusieurs médecins de la clinique et moi-même avons dîné avec lui, commença-t-elle. Durant les interrogatoires, les inspecteurs m'ont pas mal cuisinée. Keaton avait la réputation d'un coureur de jupons et ils ont dû se demander si je n'avais pas une liaison avec lui – liaison qui m'aurait conduite à le tuer. Je ne veux pas attirer leur attention. Je fais face en ce moment à une procédure délicate concernant la garde de mes enfants et mon ex-mari est à la recherche de la moindre information qui pourrait me discréditer.

Archer resta silencieux et se contenta de l'observer. Son visage était absolument impassible, mais elle lisait dans ses yeux la question qui le taraudait : avait-elle *effectivement* eu une liaison avec Keaton ? Et la question suivante : l'avait-elle *effectivement* tué ? Elle avala une gorgée de thé pour ne plus avoir à soutenir son regard.

— Mais si vous n'impliquez pas la police, finit-il par lui faire remarquer, ce type ne sera jamais arrêté. Et il se peut qu'il tente à nouveau de vous éliminer. Voyez ce qui est arrivé à Keaton. Tout cela pourrait fort bien être lié.

— Je sais qu'il pourrait recommencer – et ça me terrifie, reconnut Lake. Mais je ne vois vraiment pas ce que le fait de contacter la police pourrait y changer. Ce n'est pas comme s'il avait laissé ses empreintes dans tout le parc. Les flics ne pourront jamais le retrouver.

— Des gens auraient pu le voir monter dans une voiture.

Il fallait qu'elle parvienne à changer de sujet.

— Peut-être, dit-elle sans conviction. Mais si les deux inspecteurs que j'ai rencontrés apprennent que je me suis fait agresser, ils vont se dire que ma situation n'est pas très claire. Vous vous souvenez de ce que vous m'avez dit à propos des coïncidences ? Même si je raconte à la police que je soupçonne la clinique d'avoir organisé mon agression, ça me place au centre de l'enquête.

— Mais ça les incitera aussi à enquêter sur la clinique. Ils pourraient finir par arrêter du monde, là-bas – y compris votre agresseur de cette nuit.

Lake secoua la tête.

— Comme vous l'avez vous-même remarqué, les flics ne pourront jamais se contenter de se présenter à la clinique en exigeant qu'on leur ouvre les portes des bureaux et des placards. Il leur faut des preuves. Or il n'y en a aucune. Tout ce que nous possédons, c'est le témoignage d'Alexis et, comme votre productrice l'a noté, elle semble parfois proche de l'hystérie.

— OK. Parlons des preuves, alors, proposa-t-il en s'enfonçant dans son fauteuil. Vous n'avez rien découvert dans les dossiers des patients ?

Elle sentit aussitôt ses muscles se détendre en constatant qu'il abandonnait enfin le sujet des flics.

— Rien qui puisse indiquer ce qu'ils trament, répondit-elle. Mais, lorsque j'ai examiné le dossier de Melanie, en début de soirée, j'ai remarqué de curieuses annotations. Or, j'avais déjà vu des notes similaires dans des documents concernant d'autres patients.

Lake retira alors de son sac le bout de papier sur lequel elle avait recopié les séries de lettres. Elle le tendit à Archer en lui précisant qu'elles figuraient en face du nom des patients sur le formulaire d'informations.

— Une idée de ce que ça peut vouloir dire ? lui demanda-t-il.

— Pas la moindre.

— Cela pourrait-il avoir trait au problème de fécondité particulier rencontré par Melanie ? ou à un traitement prescrit par l'un des médecins ?

— Je ne suis pas une spécialiste, mais j'ai fini par acquérir une certaine connaissance de la terminologie qu'ils utilisent. Ces lettres ne correspondent à rien de ce dont j'ai entendu parler. Je me demande s'il s'agit d'un code indiquant que les embryons d'Alexis ont été transférés à Melanie. Malheureusement, je n'ai pas été en mesure de réexaminer le dossier Hunt. Brie, l'assistante de direction, m'a surprise en train de fouiner dans les dossiers la première fois et je ne voulais pas prendre le risque que ça se reproduise.

— Elle vous a vue regarder dans les dossiers ? s'écria Archer en se redressant sur son siège, comme si une alarme venait de se déclencher dans son cerveau.

— Oui. J'ai inventé un boniment, mais je serais étonnée qu'elle l'ait avalé.

— Et cela ne pourrait-il pas expliquer votre agression de ce soir ? demanda le journaliste, dont les yeux bleus s'étaient mis à briller. Il se peut que vous n'ayez découvert aucune preuve, mais ils pensent le contraire maintenant.

— Vous avez peut-être raison, dit-elle d'un ton hésitant. J'ai supposé que c'était Melanie qui se cachait derrière mon agresseur.

Archer regarda une fois encore les séries de lettres.

— Pourriez-vous faire une nouvelle tentative pour voir le dossier d'Alexis Hunt ? demanda-t-il. Si les lettres correspondent à celles que vous avez repérées dans celui de Melanie, nous aurions quelque chose à nous mettre sous la dent.

Cette perspective la fit frissonner.

— Après l'expérience de ce soir, je ne sais pas si j'en serais capable.

Le journaliste passa les doigts dans sa toison de cheveux blancs.

— L'enjeu est si énorme.

— Même si je n'étais pas aussi effrayée, je ne suis pas certaine d'être encore la bienvenue à la clinique. Levin a eu un comportement si étrange hier soir.

— Il faut que nous trouvions un moyen de les démasquer. Et si Alexis Hunt disait vrai ? Si c'est le cas, elle n'est sans doute pas la seule à avoir été victime de leurs agissements.

Lake reprit une gorgée de son thé. Tout en digérant ses paroles, elle prit conscience que c'était la première fois qu'elle envisageait la situation dans son entier. Obsédée par le guêpier dans lequel elle se trouvait, inquiète de sauver sa propre peau et de conserver la garde de ses enfants, elle en avait oublié que beaucoup d'autres vies étaient en cause. Et si c'était à moi qu'une telle chose était arrivée ? Qu'aurais-je fait en découvrant qu'une autre femme avait porté mon enfant et qu'elle l'élevait ?

— J'ai peut-être une idée, continua Lake. Il y a à la clinique une jeune infirmière qui semble vraiment de bonne foi. Elle s'appelle Maggie. Je pourrais essayer de la convaincre de vérifier le dossier Hunt pour moi.

— Vous pensez pouvoir lui faire confiance ?

— Oui, répondit Lake. Si je parviens à la joindre.

Elle reposa sa tasse et avança la main vers le verre de cognac. Dès qu'elle y eut trempé ses lèvres, elle se sentit transportée dans l'appartement de Keaton. Elle se rappela la première gorgée de cognac qu'elle avait avalée là-bas, avant d'en reconnaître le goût sur la bouche du docteur. Ce souvenir généra une autre image : celle de Keaton gisant ensanglanté sur son lit. Elle faillit s'étouffer en déglutissant et reposa brusquement le verre sur la table basse.

— Ça va ? s'inquiéta Archer.

— Oui, oui, souffla Lake faiblement. Je suis juste épuisée.

— On ne saurait vous en blâmer, remarqua-t-il en consultant sa montre. Doux Jésus, il est plus d'une heure. Écoutez, pourquoi ne pas dormir ici ce soir ? Je vais vous préparer un lit sur le canapé et, demain matin, nous élaborerons une stratégie.

Elle ne protesta pas. Aussi bizarre que la situation puisse être, elle se savait en sécurité dans cet appartement. Au moins pour la nuit.

Tandis qu'Archer montait chercher des draps et une couverture, elle débarrassa le canapé de ses coussins en kilim. Il redescendit non seulement avec le linge de lit, mais aussi avec un long tee-shirt destiné à lui servir de chemise de nuit. Elle se proposa de l'aider à préparer sa couche, mais il insista pour le faire seul. Était-il véritablement aussi gentil qu'il en avait l'air ? se demanda-t-elle en le regardant s'agiter. Ou sa délicatesse ne tenait-elle qu'à la perspective d'en apprendre plus sur une histoire juteuse ?

— Voilà, c'est prêt, annonça-t-il en étendant la couverture.

— Je ne sais pas comment vous remercier, dit-elle en s'efforçant de lui offrir un sourire chaleureux.

Mais, soudain, une ombre passa dans les yeux du journaliste.

— Qu'y a-t-il ? lui demanda-t-elle, anxieuse.

Il était évident que quelque chose l'embêtait.

— Vous avez un bleu sur le visage. Il date de ce soir ?

Elle se passa fébrilement la main sur la joue. Après avoir pris sa douche, elle avait oublié de remettre un peu de fond de teint et c'était sa tache de naissance qui avait attiré son attention.

— Oh, répondit-elle en rougissant. Ce n'est que la trace laissée par une tache de naissance.

— Ah. Elle ne fait qu'ajouter à votre charme, sourit-il. Eh bien, bonne nuit. Essayez de prendre un peu de repos.

Quelques minutes plus tard, elle reposait entre des draps frais, dans une totale obscurité. Elle entendit encore quelques instants Archer s'affairer à l'étage, puis le silence s'installa, à peine rompu par le léger ronronnement du système d'air conditionné.

Elle espérait qu'elle allait réussir à s'endormir. Tout son corps lui faisait mal, du fait, notamment, de sa chute sur les galets et d'avoir dû si longtemps s'agripper à ce poteau, sous la jetée. Pourtant, malgré son horrible journée, elle se sentait surexcitée. Le souvenir de l'épisode dans la rivière revint la hanter, faisant brusquement ressurgir le sentiment de panique qui l'avait alors envahie, et elle secoua la tête sur son oreiller pour le faire disparaître. Il ne faut pas que je repense à ça, s'enjoignit-elle, pas maintenant. Cette sensation fut supplantée par une autre qui la saisit par surprise : une certaine satisfaction. Ce soir, elle avait réussi à sauver sa peau. Un homme l'avait attaquée avec – elle en était certaine – l'intention de la tuer. Mais elle était parvenue à déjouer ses plans. Elle savait qu'elle devait se raccrocher à cette victoire comme à un talisman. Il fallait qu'elle trouve le courage de continuer à combattre ceux qui étaient après elle.

Au matin, elle appellerait Maggie. Elle lui demanderait de vérifier les informations portées sur le formulaire d'Alexis Hunt et, notamment, la série de lettres qui y avait été ajoutée au stylo. Ce ne serait pas facile, mais il fallait qu'elle parvienne à la convaincre de lui apporter son aide.

Enfin, elle ferma les paupières, épuisée. Elle sombra dans le sommeil aussitôt et se mit à rêver – d'Amy. Avec sa fille, elle marchait le long d'une étendue d'eau qu'elle ne reconnut pas. Soudain, quelqu'un cherchait à emmener Amy en disant que Lake n'était pas sa mère. Mais, elle me ressemble tellement criait-elle, terrifiée à l'idée de la perdre.

Elle se réveilla en sursaut avec le sentiment d'être en train de déraper dans un virage. Une idée prit subitement forme dans son cerveau, avant de se développer comme une éponge au contact de l'eau.

Elle savait ce que voulaient dire ces lettres.

23

Le matin, un bruit de cuisine la réveilla : de l'eau qui coulait dans un évier, une poêle qui raclait le brûleur d'un fourneau… Dans son demi-sommeil, elle crut tout d'abord qu'il s'agissait de Will qui se préparait un petit déjeuner en transgressant l'interdiction formelle qui lui avait été faite d'utiliser la cuisinière. Puis elle se rappela où elle était – et ce qui s'était passé.

Dans la faible lumière que dispensaient les fenêtres du salon, elle repéra son sac à main et la robe que lui avait prêtée Archer, la veille. Elle les ramassa avant de se glisser dans la salle d'eau que lui avait indiquée le journaliste avant d'aller se coucher. Tout en ouvrant le robinet pour se laver le visage, elle vérifia l'écran de son téléphone portable. Elle y trouva un message urgent de Molly qui avait donc fini par répondre à son appel à l'aide.

— Est-ce que ça va ? s'inquiétait-elle. Rappelle-moi.

Le son de sa voix fit pâlir Lake.

— Ah, vous voilà réveillée, dit Archer quand elle revint dans le salon.

Il se tenait dans l'embrasure de la porte de la cuisine, vêtu d'une chemise propre et d'un costume sombre, sans cravate.

— Que diriez-vous d'un copieux petit déjeuner ?

— J'en rêve ! s'écria-t-elle en s'avisant soudain qu'elle n'avait pas dîné la veille et que son estomac criait famine.

Comme le reste de l'appartement, la cuisine ressemblait à son propriétaire. Bien que les ustensiles qui s'y trouvaient fussent ultramodernes, la pièce restait chaleureuse, sans ostentation. Des piles de magazines et de courrier s'entassaient sur le comptoir, le réfrigérateur était recouvert de cartes postales, un saladier rempli de bananes était posé sur une table en bois. Elle apercevait un bout de jardin par une porte entrouverte qui laissait passer une légère brise.

— Au menu, muffins anglais, yaourt – nature ou aux myrtilles – muesli, ainsi que des céréales pompeusement dénommées *Banana crunch* auquel mon beau-fils est accro, mais qui contiennent, je le crains fort, des tonnes de sucre.

Lake sourit.

— Le yaourt nature me paraît très tentant. Avec un muffin, s'il vous plaît. Mais ne vous dérangez pas, je peux me servir.

— Non, non. Asseyez-vous. Il y a du café sur la table.

— Votre appartement est vraiment très agréable, admira Lake en se glissant dans un fauteuil. Depuis combien de temps y vivez-vous ?

— Ça va faire cinq ans. Quand je me suis marié, ma femme a insisté pour faire partie de la société de l'Upper East Side – vous voyez le truc. Je n'ai jamais vraiment pu m'y faire et, quand nous nous sommes séparés, j'ai trouvé cet endroit. Et j'en ai été ravi. Il y a un bureau à l'étage et une chambre pour Matt, mon beau-fils. En fait, il a habité ici pendant que je travaillais à Washington.

— À quoi ressemble-t-il ?

— À un type bien. Vraiment, répondit-il en lui apportant son yaourt. Il a vingt-deux ans et il étudie en ce moment à la fac de droit de Columbia. Et si j'ajoutais quelques tranches de bananes ? Comme vous pouvez le constater, je n'en manque pas. Visiblement, ma femme de ménage estime que je souffre d'un manque de potassium.

Elle sourit encore et se versa une tasse de café.

— Non merci. Je le préfère nature.

Après avoir fait griller le muffin, puis l'avoir beurré, il le déposa dans une assiette qu'il fit glisser devant elle. Puis il s'assit de l'autre côté de la table. Tout cela est si étrange, pensa-t-elle. C'est le seul homme, à part Jack, à avoir pris le petit déjeuner avec moi en quinze ans.

— Nous devons élaborer un plan, annonça-t-il d'une voix ferme.

Subitement, la détermination de Kit Archer refaisait surface.

— Je sais. Et il faudra bien que je rentre chez moi, souffla-t-elle. Il faut que je nourrisse mon pauvre chat.

Mais l'homme du parc ne risquait-il pas de surveiller son immeuble, maintenant ?

— Où habitez-vous ?

— L'Upper West Side.

— Si vous êtes d'accord, je vais vous raccompagner là-bas et m'assurer qu'il ne vous arrive rien. Ensuite, j'irai au bureau.

— Écoutez, vous n'avez pas à…

— Stop ! Il est hors de question que je vous laisse rentrer chez vous toute seule – pas après ce qui s'est passé la nuit dernière.

Elle en conçut un immense soulagement.

— Je vous en remercie.

— Mais ce n'est que la première étape. De là, vous devrez appeler cette infirmière dont vous avez mentionné le nom. Et dès que possible. Y a-t-il un risque qu'elle soit mêlée à tout cela ?

Lake secoua la tête.

— À ce stade, je ne suis plus sûre de rien, mais Maggie me semble être une personne plutôt honnête.

— Très bien, alors, expliquez-lui ce qui vous est arrivé. Faites-lui clairement comprendre que la situation est très sérieuse et que vous avez besoin de son aide.

— Je ferai de mon mieux pour essayer de la convaincre.

— Bien. Depuis combien de temps travaille-t-elle là-bas ?

— Près de trois ans, je crois. C'est à elle que Keaton avait confié ses clefs afin qu'elle récupère son courrier.

— Ce ne sera pas facile de l'amener à trahir ses patrons, remarqua Archer en tapotant doucement ses lèvres de son poing. L'idéal serait de pouvoir lui offrir une preuve quelconque de leurs méfaits – quelque chose qui rendrait votre histoire crédible.

— Je pense que j'ai quelque chose, dit prudemment Lake. Pas une véritable preuve, mais une indication claire que la clinique a utilisé les embryons d'Alexis pour quelqu'un d'autre – et qu'elle l'a déjà fait pour d'autres patients.

Il releva le menton, intéressé.

— Je crois savoir ce que veulent dire les séries de lettres.

— Vous plaisantez ? ! s'étonna-t-il. Expliquez-moi.

— Cela semble si évident, maintenant, mais pour en arriver là, il a fallu que je sois étendue dans le noir et que je les revoie mentalement. Je pense que les premières lettres se réfèrent à la couleur des cheveux : *BR* pour brun, *BL* pour blond, *R* pour roux et *N* pour noir, peut-être, mais je n'ai jamais vu ce cas. Les autres lettres correspondent à la couleur des yeux : *b* pour bleu, *m* pour marron, *v* pour vert.

Archer la regarda, médusé.

— Dieu du ciel… Comme ça…

— … ils font tout leur possible pour trouver des ressemblances. Aucune raison médicale ne les contraint à noter ce genre de détails physiques et, même si c'était le cas, pourquoi les coder ainsi ? Alors que si la clinique subtilise effectivement les embryons pour les donner à d'autres femmes, cette information devient essentielle. Il faut s'assurer que le bébé ressemble à ses parents. Or, les premières choses que vous observez pour établir un lien de parenté entre un enfant et ses parents, ce sont la couleur des yeux et celle des cheveux. D'après ce que je sais, il est assez rare que des parents ayant les yeux bleus aient un enfant aux yeux marron. Et bien des gens considèrent que c'est purement et simplement impossible.

— C'est exact, les yeux bleus correspondent à un gène récessif.

— Si la couleur des yeux et des cheveux de leur enfant était trop différente de la leur, les parents risqueraient de commencer à se poser des questions. Ils pourraient même recourir à un test ADN pour apaiser leurs doutes. Et en cas d'incohérences dans les résultats, ils pourraient aller jusqu'à paniquer et exiger des explications.

— Mais que se passe-t-il lorsque les mômes grandissent et que leurs traits n'ont plus rien à voir avec ceux de leurs parents ?

— Si les couleurs sont similaires, j'imagine que ça passe. Et puis, à ce moment-là, l'attachement est déjà totalement acquis. Même si les parents ont des raisons de s'interroger, ils préféreront ne pas tout remettre en question.

— Oui, mieux vaut ne pas ouvrir la boîte de Pandore. Et vous avez découvert tout ça la nuit dernière, sur mon canapé ?

Lake sourit.

— Je présume que mon subconscient doit y réfléchir depuis quelque temps déjà. Quand j'ai parlé avec Alexis, elle a insisté sur le fait que le bébé qu'elle avait vu avec Melanie Turnbull lui ressemblait énormément. Sa remarque a dû faire son chemin dans mon cerveau depuis.

Archer secoua la tête avec une expression de dégoût.

— Pfff, tout ça pour améliorer leur taux de réussite. C'est ignoble. Vous pensez que tout le monde là-bas est dans le coup ?

Elle repensa à l'attitude de Steve et l'inquiétude l'envahit.

— Je ne sais pas, répondit-elle en avalant une gorgée de café. Il est possible que seules quelques personnes soient impliquées, à l'insu de toutes les autres. Les infirmières, par exemple, pourraient tout à fait n'être au courant de rien.

— Mais ces codes ne sont-ils pas de nature à éveiller leur curiosité ?

— Il se peut qu'elles n'en sachent rien dans la mesure où ils n'apparaissent que sur le formulaire d'informations que les patients doivent remplir à leur arrivée. Ils ne figurent pas sur les documents médicaux qui sont utilisés par la suite. À partir du moment où les patientes commencent leur traitement, l'attention se focalise sur les commentaires que génèrent les protocoles et ce genre d'informations.

— Il faut que vous arriviez à persuader cette Maggie d'examiner un paquet de dossiers pour déterminer s'il y en a beaucoup qui intègrent ces codes. Bien entendu, si elle est dans le coup, ça va lui mettre la puce à l'oreille et confirmer leurs craintes quant à ce que vous savez.

— Et si elle est innocente, elle risque de se faire surprendre en train de fouiner dans les dossiers. Ma demande pourrait donc la mettre en danger, remarqua Lake.

— Prévenez-la qu'elle doit faire preuve d'une extrême prudence.

— D'accord.

Lake laissa son regard errer sur la table de la cuisine en réfléchissant à tout cela. Quelle serait la meilleure approche concernant Maggie ? Elle maximiserait probablement ses chances en lui présentant sa requête de vive voix.

— Et à propos de danger… poursuivit Archer, l'interrompant dans ses réflexions.

Elle leva la tête vers lui. Il s'était réadossé à son siège et l'observait avec attention.

— Dites-moi ce que vous savez sur Keaton.

Le cœur de Lake fit un bond dans sa poitrine. Où voulait-il en venir ?

— Que… que voulez-vous dire ? bredouilla-t-elle.

— À votre avis, comment sa mort s'inscrit-elle dans toute cette histoire ? Aurai-il appris quelque chose qu'il n'était pas censé savoir ?

Lake poussa un infime soupir de soulagement.

— Je me suis posé la même question, répondit-elle. Nous savons que n'importe qui, à la clinique, aurait pu s'introduire dans son appartement en utilisant les clefs déposées dans le tiroir de Maggie.

Elle aurait tellement voulu pouvoir lui révéler qu'elle avait vu le nom de Melanie Turnbull inscrit sur un bout de papier chez Keaton. Ou au moins que Keaton lui avait mentionné qu'il songeait à ne plus rejoindre la clinique. Elle pouvait peut-être s'aventurer à lui confesser que le docteur y avait fait allusion lors de l'une de leurs conversations. Mais cela risquait d'éveiller les soupçons du journaliste – et elle ne voulait pas le mettre sur la piste de la vérité.

— C'est tout à fait possible, ajouta-t-il en terminant son café. Mais, même si je ne crois pas beaucoup aux coïncidences, il se peut aussi que la mort de Keaton n'ait rien à voir avec tout ça.

— Que voulez-vous dire ?

— J'ai parlé à certains de mes contacts dans la police. Ils ont leur propre idée sur ce qui s'est passé.

— Ah ? souffla Lake, de manière presque inaudible.

— Keaton a reçu l'appel d'une femme, le soir où il a été tué. Et il y avait un préservatif usagé sur le plancher, près de son lit.

Cela pourrait expliquer pourquoi les flics s'intéressent à vous d'aussi près. Ils enquêtent sur toutes les femmes qui ont croisé son chemin.

Lake baissa les yeux et s'absorba dans la contemplation de sa tasse.

— Je vois que cela vous donne à réfléchir, nota Archer. Vous avez des idées ?

— Non... Non, aucune, s'écria-t-elle. Je veux dire, j'imagine qu'une femme aurait très bien pu le tuer. Quelqu'un qu'il fréquentait. C'est ce que vous pensez ?

— C'est une possibilité, oui. À moins... à moins qu'il ait tout simplement couché avec cette femme, mais qu'elle ne soit pas restée auprès de lui. Et après son départ, quelqu'un de la clinique – ou à la solde de quelqu'un de la clinique – s'est introduit dans l'appartement pour faire le boulot. Il se pourrait même que ce soit le type qui vous a attaquée la nuit dernière qui ait fait le coup.

— Il y a tant d'hypothèses à envisager, souffla-t-elle d'une voix blanche, incapable d'en dire plus.

Archer soupçonnait-il quelque chose ? Était-il en train de jouer avec elle au chat et à la souris ? Il fallait qu'elle change de sujet au plus vite. Elle avala la dernière gorgée de son café et annonça qu'elle allait réunir ses affaires dans le salon.

Dix minutes plus tard, ils montaient dans sa voiture. Le journaliste lui proposa de conduire et elle lui passa volontiers le volant. La sérénité temporaire qu'elle avait ressentie dans l'appartement d'Archer n'était plus qu'un souvenir, à la fois parce qu'elle se dirigeait vers son propre appartement, mais aussi du fait de la conversation qu'ils venaient d'avoir à propos de Keaton. Et les embouteillages n'arrangeaient rien. Le concert des klaxons sur la Sixième Avenue ne fit qu'exacerber sa nervosité et elle resta silencieuse durant les vingt-cinq minutes que dura le trajet jusqu'à l'Upper West Side.

— Je pense que ce serait mieux si je montais avec vous, remarqua Archer quand ils pénétrèrent dans le parking de l'immeuble. Juste pour m'assurer que vous êtes en sécurité dans votre appartement.

Une fois de plus, elle n'eut pas le courage de l'en dissuader. Elle scruta les abords du bâtiment : une douzaine de passants se hâtaient sur le trottoir, probablement en direction de leur bureau. Rien de suspect, donc, du moins à ce qu'elle pouvait voir.

Le portier, Ray, était en train de réceptionner une livraison du teinturier, mais ça ne l'empêcha pas de la saluer et de dévisager Archer d'un coup d'œil discret. Elle s'inquiéta brièvement du grain que la présence d'Archer pourrait donner à moudre à son ex-mari, mais elle jugea que cela n'avait pas d'importance s'il ne s'attardait que quelques minutes dans l'immeuble.

— Tout vous paraît normal ? demanda Archer comme ils pénétraient dans l'appartement.

— Oui – au premier coup d'œil.

— Laissez-moi faire un tour dans chaque pièce, si ça ne vous embête pas.

— Je vous remercie. C'est vraiment très gentil, dit-elle.

À cet instant, Smokey se précipita vers elle.

— Mon Dieu, s'étonna le journaliste. Qu'est-il arrivé à ce pauvre chat ?

— Quelqu'un l'a rasé.

— La nuit dernière ? s'exclama Archer.

— Non, non, avant.

Lake lui fit un résumé de sa mésaventure, ainsi que des épisodes concernant l'herbe à chat et le tireur de sonnette nocturne. Archer l'écouta avec attention, les sourcils froncés, sans dire un mot.

— Bon, dit-il, lorsqu'elle eut terminé, il me faut des dates. Quand le chat a-t-il été rasé ?

— Le week-end dernier.

— Et pour l'herbe à chat dans votre sac à main ?

— Mercredi.

— Je ne vois pas vraiment de logique derrière tout ça. L'assistante de direction – elle s'appelle Brie, c'est ça ? – vous a surprise en train d'examiner les dossiers des patients il y a un jour ou deux, n'est-ce pas ? Depuis, on vous a battu froid pendant votre présentation et vous avez été agressée, alors que vous deviez rencontrer une ancienne cliente de la clinique. *Ça*, ça paraît plus ou moins logique. Mais que vient faire là-dedans le rasage de votre chat le week-end dernier ?

— Je… je n'en sais rien, bégaya Lake. Levin était au courant que j'avais découvert une chemise portant votre nom. Peut-être a-t-il pressenti que je commençais à avoir des soupçons. Peut-être a-t-il tout simplement cherché à me faire peur.

— Mais, dans ce cas, comment étiez-vous censée déduire du rasage de votre chat le fait qu'il était temps de jouer profil bas à la clinique ? Le lien paraît vraiment difficile à établir. Non, il nous manque un maillon…

Il se passa la main dans les cheveux en regardant de côté, absorbé par ses réflexions. Lake avait du mal à contenir son agitation. Elle ne voulait pas qu'il réfléchisse à cette histoire. S'il le faisait, il ne mettrait pas longtemps à reconstituer le puzzle et à comprendre que tous ces incidents avaient commencé juste après le meurtre. Il comprendrait alors qu'elle y était intimement liée.

— Vous ne voulez pas jeter un coup d'œil dans l'appartement ? suggéra-t-elle. Je ne voudrais pas vous retenir trop longtemps.

— Certainement, répondit-il, mais, quand ses yeux croisèrent les siens, elle y vit une question en suspens – une question qu'il se retenait de poser.

Lake ouvrit le chemin et ils passèrent en revue toutes les pièces de l'appartement. Rien ne semblait avoir bougé.

— Je ne sais pas comment vous remercier pour tout ce que vous faites, Kit, dit-elle alors qu'ils sortaient du salon.

C'était la première fois qu'elle l'appelait par son prénom.

— Je ne sais vraiment pas ce que je serais devenue sans votre aide.

— En tout cas, je suis heureux que vous m'ayez appelé. Quand avez-vous prévu d'appeler Maggie ?

— Vers midi. Elle va presque toujours déjeuner au même endroit. Je pense aller l'attendre là-bas.

— Et vous m'appelez aussitôt après, d'accord ? ajouta-t-il en se dirigeant vers la porte. Surtout, faites-moi signe si vous avez l'impression que vous êtes en danger.

Leurs yeux se croisèrent et il soutint son regard l'espace de quelques secondes.

— Merci encore pour tout ce que vous avez fait, dit-elle.

Dès qu'elle eut refermé la porte derrière lui, elle la verrouilla et mit la chaîne de sécurité. Il était un peu plus de 9 heures. Bien que Maggie fût en tête de ses priorités du jour, il y avait également une autre personne qu'elle devait absolument contacter : son avocat. Hotchkiss était probablement déjà arrivé à son bureau. Elle composa son numéro et sa secrétaire le lui passa.

— Je ne sais pas si cela peut améliorer mon dossier concernant la garde des enfants, lui exposa-t-elle, mais je suis presque certaine que mon mari a une liaison avec l'une de mes amies.

— Intéressant, répondit-il froidement. Comment l'avez-vous appris ?

— Je l'ai aperçu par hasard qui pénétrait dans son immeuble, hier soir.

— Il aurait pu rendre visite à quelqu'un d'autre ayant la même adresse.

— Sans doute, mais... ces derniers temps, cette amie s'est montrée extraordinairement curieuse à propos de tout ce qui touche à Jack et à notre divorce.

— Ça ne peut pas faire de mal de le vérifier, dit-il après un silence. Et nous serons peut-être en mesure de l'utiliser comme monnaie d'échange. Vous vous souvenez de ma suggestion d'engager un détective ? Je crois que nous devrions le faire, à ce stade.

Lake soupira. Elle avait du mal à croire qu'elle en était arrivée là. Elle accepta la proposition de l'avocat et il lui expliqua que l'un de ses collaborateurs effectuerait les démarches nécessaires. Puis il l'enjoignit de ne rien laisser paraître.

— Ce ne sera pas facile, dit-il, mais il faut que vous agissiez comme si de rien n'était – vis-à-vis de chacun d'eux. S'ils se doutent que vous les avez démasqués, ils changeront de comportement. Et nous n'aurons alors plus rien à nous mettre sous la dent.

À peine avait-elle raccroché que son téléphone sonna dans sa main. C'était Hayden. Lake se ressaisit. Elle aurait peut-être du nouveau concernant l'affaire.

— Alors ? s'enquit Lake.

— Eh bien, ce n'est pas très réjouissant, répondit Hayden. Et je suis plutôt gênée de ce que j'ai à t'annoncer.

— Que se passe-t-il ? s'écria Lake.

— Tu vas recevoir par coursier une lettre de Levin et Sherman. Ils mettent fin à ta mission de consultante.

Voilà qui expliquait leur froideur durant sa présentation : ils projetaient déjà de la mettre à la porte. Mais, ça avait peut-être aussi un lien avec ce qui s'était passé à Brooklyn. Ils n'osaient plus la regarder en face désormais.

— Ce sont eux qui te l'ont appris ?

— Oui. Je viens de parler avec Levin. Je l'avais appelé pour lui dire que, à mon avis, il était judicieux que nous – lui, toi et moi – fassions le point sur la situation. C'est alors qu'il m'a annoncé leur décision. Écoute, je suis vraiment désolée.

— Merci en tout cas de m'en avoir informée.

— Mais pourquoi, Lake ? Pourquoi est-ce qu'ils ont décidé de te virer ?

— Que t'a dit Levin exactement ? demanda Lake.

— Rien… mais il n'avait pas l'air jouasse. Je sais qu'ils t'ont mis la pression pour ta présentation. J'imagine que ça ne s'est pas passé si bien que ça.

— Manifestement. Je ne pense pas que nous ayons la même façon de voir les choses.

— Veux-tu que j'essaie d'intervenir pour limiter les dégâts ? Après tout, je suis grassement payée pour ça.

— Non, non. Mais merci quand même.

Quand elle raccrocha, le cœur de Lake battait la chamade. La veille, elle soupçonnait déjà la possibilité d'une telle issue. Ils avaient dû comprendre qu'elle avait découvert quelque chose et, bien entendu, ils ne pouvaient plus se permettre de la laisser aller et venir dans leurs locaux. Pourtant, elle avait du mal à digérer la nouvelle.

Elle tenta de se calmer. L'étau semblait se resserrer autour d'elle, mais elle ne pouvait pas baisser les bras. Elle devait se rendre dans l'East Side d'ici deux heures. Son seul espoir désormais reposait sur Maggie.

24

Comme Lake s'apprêtait à reposer son téléphone, celui-ci se remit à sonner. L'appel provenait d'un portable dont elle ne reconnut pas le numéro.

— Salut, Lake, c'est Harry Kline. Vous avez un instant ?

Sa voix n'avait rien perdu de sa chaleur habituelle, mais elle se crispa en l'entendant.

— Qu'y a-t-il ? s'étonna-t-elle.

Il l'appelait sans doute pour lui notifier son congé, avant de lui demander comment elle allait, se dit-elle avec amertume.

— Il y a quelque chose dont il faudrait que nous parlions.

— S'il s'agit de récupérer mon solde de tout compte, je suis déjà au courant, merci.

— Non, il ne s'agit pas que de cela. Pouvons-nous nous voir ce matin ?

— Ne pourriez-vous pas me l'expliquer par téléphone ? dit-elle avec impatience.

— Non, je me trouve en ce moment à la clinique et je préférerais ne pas m'étendre – même en ayant fermé ma porte. Je pourrais sauter dans un taxi et venir vous retrouver. Vous êtes chez vous ?

C'était bien le dernier endroit où elle avait envie de le rencontrer.

— Pourquoi ne pas plutôt nous retrouver au parc de Riverside ? Près de l'entrée qui jouxte mon immeuble. Ce sera plus facile pour moi.

Il lui dit qu'il serait là-bas d'ici une vingtaine de minutes. Elle enfila une jupe et un tee-shirt et s'attacha les cheveux en chignon. Ses pensées fusaient de toutes parts. Qu'est-ce que Harry pouvait bien lui vouloir ? L'atmosphère devait être très tendue à la clinique, maintenant. Il avait peut-être entendu une conversation houleuse la concernant. À moins que lui aussi ait compris qu'il se passait quelque chose de louche et qu'il ait lui-même commencé à fureter.

Elle arriva au parc dix minutes avant l'heure prévue. Elle vérifia les alentours pour s'assurer que, cette fois, en plein jour et au milieu des promeneurs, la mésaventure de la veille ne se reproduirait pas, mais elle resta sur ses gardes. Il n'y avait d'ailleurs pas énormément de monde dans le parc : une femme d'un certain âge qui donnait du pain aux pigeons, quelques mères et des nounous en train de surveiller des bambins dans un bac à sable. La plupart des New-Yorkais étaient partis pour les vacances, comme elle-même l'avait toujours fait, par le passé.

— Lake ?

Surprise, elle se retourna vivement en entendant la voix de Harry. Lui aussi était en avance. Il portait son habituel pantalon sombre et sa chemise bleu cobalt.

— Merci d'avoir accepté de me voir, dit-il. Si nous allions nous asseoir sur un banc ?

Ils s'enfoncèrent un peu dans le parc, en direction du chemin qui serpentait le long de l'Hudson. Sur la berge opposée, les immeubles du New Jersey brillaient de mille feux sous le soleil, surplombant des dizaines de bateaux à moteur qui sillonnaient le fleuve dans de longues traînées d'écume. Ce panorama lui rappela l'horreur de la veille, quand agrippée de toutes ses forces à un poteau, elle avait dû lutter pour surnager dans les eaux noires de l'East River. Harry se dirigea vers un banc inoccupé.

— Alors, de quoi vouliez-vous me parler ? demanda-t-elle.

En l'observant, elle fut choquée du trouble qui se lisait dans son regard.

— Écoutez, je ne suis sans doute qu'un élément périphérique, à la clinique, commença-t-il, mais je suis suffisamment impliqué pour comprendre que quelque chose ne tourne pas rond.

Elle faillit le secouer par les épaules pour l'inciter à continuer.

— Que voulez-vous dire exactement ? dit-elle.

— Je n'aime pas beaucoup leur attitude à votre égard.

— À *mon* égard ? ! s'exclama-t-elle.

— La façon dont ils ont brutalement mis fin à votre contrat.

— Je vous ai déjà dit que j'étais au courant, lui rappela-t-elle. Je n'ai pas encore reçu leur lettre, mais je sais qu'elle est en route.

— Mais savez-vous ce qu'ils disent ?

— Non, quoi ? s'enquit-elle d'une voix enrouée.

— Dès que j'ai entendu dire qu'ils se séparaient de vous, j'ai demandé pourquoi à Levin. Il m'a répondu que vous ne vous étiez pas comportée de manière professionnelle. En fait, il a dit que certaines de vos actions pouvaient être qualifiées de manques à l'éthique.

— *Quoi ? !* s'exclama-t-elle, sous le choc. Est-ce… est-ce qu'il vous a expliqué ce qu'il entendait par là ?

— Il a prétendu que l'on vous avait surprise en train d'examiner les dossiers des patients. J'ai souligné qu'une partie de votre travail consistait à rassembler des informations, mais il a répliqué qu'il avait des raisons de croire que vous transmettiez des informations confidentielles sur nos procédures à une autre clinique.

Les yeux de Lake se voilèrent de colère.

— C'est un mensonge ! s'indigna-t-elle. Jamais je ne ferais une chose pareille.

Harry s'adossa au banc, l'air pensif. Une brise légère faisait voler ses mèches noires.

— Savez-vous pourquoi il répand ce bruit, alors ?

— Je… Non, je n'en sais rien, répondit Lake.

Elle se demandait bien pourquoi Harry avait décidé de partager toutes ces informations avec elle. Cherchait-il à se renseigner pour son propre compte ?

— Vous n'en savez rien ou vous préférez ne pas me le dire ?

— Peut-être devrais-je commencer par vous demander quelle est la nature de *votre* rôle, dans cette histoire, répliqua Lake. Pourquoi me parlez-vous de tout cela ?

Harry se mordit la lèvre, comme s'il hésitait à poursuivre.

— Nous ne nous connaissons que depuis très peu de temps, mais je vous apprécie beaucoup, et je vous respecte infiniment, dit-il après un long silence. J'ai du mal à croire ce que Levin a dit. Et je veux vous aider, si c'est en mon pouvoir.

— M'aider ? s'écria Lake qui sentait qu'elle ne parviendrait plus très longtemps à endiguer sa colère. Comme lorsque vous avez raconté des trucs sur moi à la police ?

— De quoi voulez-vous parler ? s'étonna-t-il, apparemment désorienté.

— Quand nous avons pris un café ensemble, dimanche dernier, vous avez insisté sur le fait que j'avais l'air bouleversée depuis le meurtre. Et voilà que la police se pointe chez moi pour me dire que quelqu'un leur a dit la même chose.

Il prit une profonde inspiration et se pencha vers elle.

— C'est donc pour cela que vous vous êtes montrée si froide avec moi, il y a quelques jours ! Lake, je vous en donne ma parole, je n'ai jamais rien dit sur vous à ces inspecteurs. Pour commencer, je suis psychothérapeute, et le fait de révéler une confidence est contraire non seulement à mes principes personnels, mais aussi aux règles professionnelles auxquelles je suis soumis. Par ailleurs, je ne ferais jamais quelque chose qui puisse vous nuire.

Elle étudia son visage tandis qu'il s'expliquait. Ses yeux, sa bouche et toute sa gestuelle pouvaient laisser penser qu'il disait effectivement la vérité. Mais, ainsi qu'il venait de le souligner, il était psychothérapeute. Il savait donc parfaitement comment manipuler les gens… éventuellement pour les tromper.

— Écoutez, poursuivit-il, je vois bien que je n'ai pas réussi à vous convaincre. Alors je vais vous faire une confession qui va vous paraître ridicule, mais qui pourra peut-être me donner un peu de crédibilité.

Il redressa ses épaules et avança les mains dans une attitude presque enfantine.

— Si je vous ai demandé de prendre un café avec moi, la dernière fois, c'est que je cherchais un prétexte pour passer un peu de temps avec vous. En fait, j'aimerais que nous sortions ensemble, Lake. Alors, je n'ai vraiment pas envie de vous mettre en porte à faux vis-à-vis de la police. C'est bien la dernière chose que je souhaite faire.

Lake faillit éclater de rire face à l'absurdité de la situation. Des gens cherchaient à la tuer, les flics la soupçonnaient peut-être de meurtre et ce type était en train de lui faire une déclaration enflammée.

— Je ne sais pas très bien quoi vous dire, parvint-elle à formuler. Je…

— Vous n'avez pas besoin de me répondre quoi que ce soit pour le moment. Nous pourrons en discuter plus tard. Ce dont il faut que nous nous occupions maintenant, c'est de votre situation concernant Levin et Sherman. Il y a manifestement un terrible malentendu que nous devons clarifier. Je serais très heureux d'intervenir auprès d'eux en votre faveur.

Lake secoua aussitôt la tête pour l'en dissuader.

— Je vous en remercie, mais, dès que j'aurai reçu la lettre de Levin et que j'aurai digéré son contenu, j'irai moi-même plaider ma cause auprès de lui.

— Y a-t-il quelque chose que je puisse faire, alors ?

Devait-elle le lui dire ? Et si elle lui demandait à lui, plutôt qu'à Maggie, d'examiner les dossiers des patients ? Mais malgré son apparente sincérité, elle avait encore quelques soupçons. Et puis, mieux valait s'en tenir au plan qu'elle avait élaboré avec Archer.

Elle regarda sa montre. Elle ne voulait pas arriver au bistrot où déjeunait Maggie après 11 heures 30, au risque de la rater.

— Non Harry, je vous remercie. Je suis désolée, mais j'ai un rendez-vous et il faut que j'y aille.

— J'ai pris ma journée, mais je serai à la clinique dès demain, dit-il. Tenez-moi au courant, d'accord ?

— D'accord.

Ils se levèrent et regagnèrent l'entrée du parc. Deux garçons de neuf ou dix ans les dépassèrent à vive allure sur leur skateboard, le visage crispé par la concentration. L'un d'eux lui évoqua Will et son cœur se serra. Au même moment, un nuage cacha le soleil et elle leva les yeux instinctivement. Elle dit au revoir à Harry et se hâta vers chez elle.

De retour dans son appartement, elle se prépara du café et se mit à faire les cent pas. Elle était furieuse de la stratégie qu'avait retenue Levin pour se débarrasser d'elle – prétendre qu'elle se serait adonnée à une forme d'espionnage au profit d'un concurrent de la clinique ! La rumeur circulerait bientôt dans son environnement professionnel et cette histoire risquait de lui coller à la peau pendant plusieurs années, voire de ruiner sa carrière. C'était donc ça, le plan de repli qu'avait échafaudé Levin ? Il n'avait pas réussi à la tuer, alors il cherchait à salir sa réputation ?

Si, évidemment, c'était bien Levin qui se cachait derrière tout ça. Un autre membre de la clinique pouvait tout à fait être le cerveau de cette affaire de vol d'embryons. Sherman, par exemple, avec la complicité de Hoss. Et, avec l'aide de quelqu'un du laboratoire, même Steve aurait pu mettre au point un tel système. Après tout, il avait autant intérêt que les autres à ce que la clinique obtienne de bons résultats. Et puis, même si Levin n'était pas à l'origine de cette histoire, quelqu'un aurait très bien pu le convaincre qu'elle dérobait des informations – tout en organisant son agression.

Elle héla un taxi à 11 heures 10 et arriva devant le café à 11 heures 35. Craignant qu'on la repère si elle attendait l'infirmière sur le trottoir, elle s'engouffra sous les arcades du magasin de chaussures voisin, d'où elle pouvait continuer à surveiller l'entrée du bistrot. Elle profita de ces minutes d'attente pour répéter ce qu'elle dirait à Maggie. Elle devait absolument lui paraître crédible, surtout si on lui avait déjà raconté que Lake était une espionne à la solde d'un concurrent.

Vers 12 heures 40, Lake commença à s'inquiéter. En principe, l'infirmière aurait déjà dû arriver. Peut-être avait-elle ressenti le besoin de ne pas quitter sa base, compte tenu de la situation ? Lake ne cessait de passer d'un pied sur l'autre, pour soulager ses muscles encore endoloris par son aventure de la veille. Allez, s'il te plaît, montre-toi Maggie.

Lake l'aperçut enfin. Elle venait de tourner au coin de Lexington et semblait pressée. Ses épaules étaient voûtées et son visage sans expression. Ce jour-là, elle portait encore une jolie robe et sa main tenait la même petite pochette que lors de leur précédente conversation – celle qui l'avait incitée à laisser les clefs de Keaton dans son tiroir.

— Bonjour Maggie, lui lança Lake en quittant son abri. Ça m'ennuie de vous interrompre durant votre heure de déjeuner, mais j'espérais que je pourrais m'asseoir avec vous quelques minutes.

Maggie secoua la tête d'un air effrayé.

— Ce... ce n'est pas une bonne idée, souffla-t-elle.

— Pourrais-je au moins vous parler dehors durant quelques minutes, alors ?

Maggie détourna les yeux, refusant de soutenir son regard.

— Je suis désolée... Je ne peux pas.

Une vague de découragement submergea Lake.

— Mais pourquoi, Maggie ? demanda-t-elle. Ai-je fait quoi que ce soit qui vous ait contrariée ?

— Il ne s'agit pas de moi, mais de ce que vous avez fait à la clinique. Le docteur Levin m'a tout raconté. Il a dit que vous aviez transmis des informations confidentielles nous concernant à une autre clinique – des informations sur les techniques que nous utilisons.

— Maggie, il faut que vous sachiez la vérité. Oui, j'ai bien examiné quelques dossiers de patients, mais je ne l'ai pas fait pour en révéler la teneur à un concurrent. Je crois que la clinique utilise les embryons de certains couples au profit d'autres patientes, sans leur permission. Voilà la véritable raison pour laquelle ils ne veulent plus que je mette les pieds là-bas.

Les yeux de Maggie lancèrent des éclairs.

— Ce n'est pas vrai ! s'écria-t-elle d'un ton hargneux. Le docteur Levin est un homme remarquable – c'est un véritable génie, vraiment. La seule chose qui le préoccupe, c'est d'aider les gens.

— J'ai parlé à une patiente dont les embryons ont probablement été volés, poursuivit Lake en s'efforçant de combattre le désespoir qui la gagnait. Et la nuit dernière, un homme m'a agressée. Je suis quasiment certaine qu'il a été engagé par la clinique.

Maggie secoua encore la tête.

— Je ne vous crois pas. C'est absurde.

— Mais pour quelles raisons inventerais-je tout cela ? Qu'est-ce que j'aurais à y gagner ?

Maggie redressa le menton et regarda Lake droit dans les yeux.

— Parce que le docteur Levin vous a surprise en train de voler. Et maintenant, vous devez essayer de vous disculper.

Lake avait noté une certaine hésitation dans sa voix, comme si une partie d'elle-même soupesait ses révélations.

— Maggie, vous avez un peu appris à me connaître au cours de ces dernières semaines. Pensez-vous vraiment que je sois capable de tout cela ?

L'infirmière se mordit la lèvre. Aurais-je introduit le doute dans son esprit ? se demanda Lake.

— Je vous connais *un peu*, mais je connais le docteur Levin beaucoup mieux, répliqua-t-elle. Et c'est à lui que je fais confiance.

Et elle commença à se retourner. Lake était au bord du désespoir. C'était sa dernière chance et elle était en train de partir en fumée.

— Maggie, s'il vous plaît, insista-t-elle.

Elle avança la main et saisit son avant-bras. Un homme qui passait sur le trottoir avec un bouledogue au bout d'une laisse aperçut son geste du coin de l'œil et les regarda. Lake laissa retomber sa main.

— Je suis en mesure de vous prouver que ce que je viens de vous dire est vrai. Je vous demande juste de faire une seule chose pour m'aider.

— Je ne peux pas, souffla l'infirmière. Laissez-moi tranquille maintenant.

Maggie la contourna pour se diriger vers la porte du café, avant de se raviser et de poursuivre sa route sur Lexington Avenue, en direction du nord. Visiblement, elle ne voulait pas prendre le risque que Lake la suive à l'intérieur pour continuer à plaider sa cause.

Lake jeta un coup d'œil autour d'elle pour s'assurer que personne ne la surveillait. Puis elle fit signe à un taxi.

Et maintenant, que faire ? se demanda-t-elle en s'effondrant sur la banquette arrière du véhicule. Elle avait tout misé sur Maggie, ce qui, après coup, lui sembla parfaitement stupide. Bien sûr, l'infirmière paraissait absolument honnête et, bien sûr, elle avait éprouvé de la sympathie pour Lake, mais elle était aussi très naïve. Et elle avait sans doute peur de se retrouver mêlée à cette histoire.

Une fois chez elle, Lake se versa un verre de vin qu'elle dégusta avec un morceau de fromage. C'était à peu près la seule nourriture non périmée restant dans son réfrigérateur. Tout en marchant de long en large dans son appartement, elle fit mentalement la liste des autres employés de la clinique, en se demandant si elle oserait jamais contacter l'un d'eux.

Steve… Certes, c'était le frère d'une amie et la raison même de la présence de Lake dans cette clinique. Mais il pouvait très bien être impliqué dans cette affaire. De plus, elle ne pouvait ignorer qu'il s'était abstenu de l'appeler pour entendre sa version de l'histoire ou lui offrir une aide quelconque. Cette pensée la ramena à Harry, dont elle ne savait toujours pas s'il était digne de sa confiance.

En baissant les yeux vers son verre, elle constata qu'elle l'avait bu entièrement. Il faut que je contacte Archer et que je mette au point un nouveau plan, songea-t-elle. Alors qu'elle se dirigeait vers la cuisine, elle entendit la sonnerie de son BlackBerry dans son sac. Elle alla le chercher et vit avec surprise que l'appel provenait de la clinique. Était-il possible que Maggie ait changé d'avis ?

— Oui, Lake Warren, répondit-elle.

— C'est Rory, annonça une voix presque inaudible à l'autre bout de la ligne. De la clinique de Park Avenue.

— Oui ? s'étonna Lake qui ne s'attendait vraiment pas à recevoir un appel de l'assistante du médecin.

— Je sais quelque chose, murmura celle-ci. Je crois qu'il faut que vous soyez mise au courant.

25

Lake réprima la bouffée de joie qui monta aussitôt en elle. Elle avait déjà reçu un appel similaire, quelques heures plus tôt, de la part de Harry. Certes, il avait osé lui révéler la stratégie dernièrement mise en place par Levin, mais cette information n'était pas exactement ce dont elle avait besoin.

— De quoi s'agit-il ? demanda-t-elle. J'imagine que vous savez que je ne travaille plus pour la clinique désormais.

— Oui, j'ai appris la nouvelle. Tout le monde le sait maintenant. Mais… (Elle baissa encore un peu plus la voix.) J'ai entendu Maggie parler à Chelsea. Je sais ce que vous lui avez dit.

— Oui, l'encouragea Lake dans un souffle.

— Ça m'a donné à réfléchir. Voyez-vous, quelque chose de curieux s'est passé ici récemment. Peut-être devriez-vous en être informée.

Lake se demanda si, enfin, elle touchait au but : LA révélation qu'elle avait tant attendue.

— Que s'est-il passé ? demanda Lake en s'aperçevant qu'elle-même s'était mise à chuchoter.

Un silence lui répondit et elle comprit que l'assistante du médecin venait de détourner la tête pour vérifier qu'elle était bien seule.

— J'ai peur de vous en parler maintenant. Je ne sais même pas comment j'ai trouvé le courage de vous appeler. Quelqu'un pourrait m'entendre.

Vite… Lake essaya de réfléchir à une solution alternative.

— Voulez-vous venir me retrouver chez moi ? Après votre travail ? Ici, nous pourrions parler tranquillement.

— Non, je veux bien vous rencontrer quand j'aurai fini ma journée, mais je ne veux pas aller chez vous. Quelqu'un de la clinique pourrait me voir entrer dans votre immeuble.

— Chez vous, alors ? proposa Lake en se rappelant que Rory habitait dans le nord de la ville.

Elle pourrait prendre sa voiture pour y aller.

— C'est trop loin, chuchota Rory. J'habite au fin fond de Bedford Hills. Oh, mon Dieu, je ne sais plus. Peut-être devrais-je…

— J'ai une idée, s'empressa d'intervenir Lake tout en élaborant sa proposition. Il y a un petit piano bar du côté de la 80e Rue. Ce n'est pas très loin de la clinique, mais je suis certaine qu'aucun de vos collègues n'y met jamais les pieds. Pourquoi ne pas nous y retrouver, quand vous quitterez votre travail, ce soir ?

Rory soupira. Lake eut subitement peur de l'avoir un peu trop brusquée.

— D'accord, finit-elle par répondre.

Lake lui indiqua le nom du bar – un endroit où elle avait l'habitude d'aller écouter de la musique avec Jack – et elles convinrent de s'y retrouver à 18 heures 30.

Ensuite, elle appela Archer pour le mettre au courant de ses conversations avec Maggie et Rory.

— On dirait que c'est notre jour de chance, lui dit-il. Quand devez-vous la voir ?

— Après sa journée de travail.

— Vous m'appelez, d'accord ? Dès que vous avez terminé.

Durant l'heure qui suivit, elle s'installa devant son bureau pour tenter de s'occuper de ses autres clients qu'elle avait totalement négligés ces derniers temps. Elle n'avait pas ouvert sa messagerie électronique depuis des lustres et des douzaines de courriels s'y étaient entassés, dont beaucoup auraient dû recevoir une réponse immédiate. Elle traita les messages les plus urgents, dont ceux d'un prospect qui s'étonnait de n'avoir encore reçu aucune proposition de sa part, puis elle fut forcée d'admettre qu'elle n'était plus capable de concentration. Sa secrétaire était censée rentrer le mercredi suivant et elle pourrait l'aider à remettre un peu d'ordre dans cette paperasse. Cela dit, elle voyait mal comment elle allait pouvoir travailler normalement avec elle, vu sa situation cauchemardesque. Sa secrétaire serait-elle en danger du fait de sa proximité avec Lake ?

Soudain, elle se sentit terrassée par la fatigue, mais elle n'osa pas s'allonger sur le canapé de peur de ne pas se réveiller avant plusieurs heures, comme la veille. Elle décida plutôt d'aller prendre une douche qu'elle termina par un jet d'eau froide. En se séchant, elle réfléchit à son prochain rendez-vous avec Rory, se recommandant mentalement de ne pas céder au désespoir devant l'assistante du médecin, ainsi qu'elle l'avait fait avec Maggie. Elle grimaça en repensant à la manière dont elle avait saisi, malgré elle, le poignet de l'infirmière. Mais la situation n'était pas la même : c'était Rory qui était venue vers elle. Cela dit, elle avait perçu une légère réticence dans sa voix et il faudrait qu'elle fasse bien attention de ne pas l'effrayer.

Lake fit en sorte d'arriver au piano-bar avec une avance d'un quart d'heure. Dans le fond de la salle, elle trouva une table suffisamment en retrait qui permettait néanmoins d'observer l'entrée. Il était encore trop tôt pour qu'un pianiste ait commencé à jouer, mais les clients affluaient déjà. Elle commanda un verre de merlot et croisa les mains sur la table. Ne rate pas ça, s'enjoignit-elle.

Lorsque Rory entra dans le bar, Lake faillit ne pas la reconnaître. Dans sa robe à fleurs, sa grossesse paraissait beaucoup plus avancée que dans sa blouse de médecin et ses longs cheveux blonds, retenus par une simple barrette, ondulaient en boucles, du fait de l'humidité ambiante.

Tout en se dirigeant vers la table où s'était installée Lake, elle scruta la salle du regard et jeta un coup d'œil derrière elle avant de s'asseoir.

— Vous êtes sûre que personne ne risque de nous voir ici ? s'inquiéta-t-elle.

— Absolument. Voulez-vous boire quelque chose ?

— *Boire ?!* s'exclama-t-elle en écarquillant ses yeux bleu pâle. Mais je suis *enceinte* !

— Je ne pensais pas à de l'alcool, la rassura Lake. Plutôt à un soda ou de l'eau pétillante ?

— Non, rien.

Lake en déduisit qu'elle devait en venir au fait le plus tôt possible.

— Je vous remercie d'être venue, Rory, dit-elle. Expliquez-moi ce qui vous préoccupe.

L'assistante du médecin jeta un dernier regard derrière elle avant de se lancer.

— Comme je vous l'ai dit au téléphone, j'ai entendu Maggie et Chelsea discuter entre elles. En général, Maggie déjeune toujours au *même* endroit et elle prend *toujours* son heure de pause en entier. Mais aujourd'hui, elle est revenue avec un sandwich, presque aussitôt après être partie. Je l'ai aperçue qui se dirigeait vers la cuisine pour se servir quelque chose à boire. Elle avait l'air un peu à côté de ses pompes. Chelsea se trouvait déjà dans la cuisine et je me suis dit que j'allais les y rejoindre. C'est alors que j'ai entendu qu'elles chuchotaient. Maggie racontait qu'elle était tombée sur vous et que vous lui aviez dit qu'en réalité, vous vous étiez fait virer parce que vous aviez découvert qu'il se passait des choses louches à la clinique – et, en particulier, dans le laboratoire.

— Est-ce qu'elle a expliqué à Chelsea ce dont il s'agissait ?

— Pas que je sache. Elle lui a seulement demandé si elle pensait que ça pouvait être vrai, et si elle-même avait remarqué quelque chose d'anormal. Chelsea lui a répondu que vous aviez sans doute décidé de salir la clinique pour vous venger. De toute façon, je ne vois pas ce que Chelsea pourrait savoir. Elle n'est vraiment pas très fine.

— À votre avis, Maggie en a-t-elle parlé à quelqu'un d'autre ?

— Ça m'étonnerait. Chelsea est la seule dont elle est vraiment proche, répondit Rory en observant avec intensité le visage de Lake, comme si elle espérait y découvrir une réponse.

— Écoutez, Rory…

— Se passe-t-il vraiment des trucs bizarres à la clinique ? l'interrompit l'assistante.

— Oui, je pense que c'est possible. Une ancienne patiente m'a raconté qu'elle était persuadée que les docteurs avaient donné certains de ses embryons à une autre femme – sans que ni l'une ni l'autre y ait consenti.

— Oh, mon Dieu, souffla Rory qui enroula instinctivement ses bras autour de son gros ventre. Ils… ils pourraient vraiment avoir énormément d'ennuis pour ça.

— Avez-vous jamais été témoin de quoi que ce soit qui puisse vous amener à penser qu'ils ont effectivement fait une chose pareille ? Au téléphone, vous m'avez dit que quelque chose de curieux s'était produit.

— J'ai effectivement vu quelque chose de curieux, confirma-t-elle après quelques instants. Mais je ne sais pas si ça a un lien avec ce dont vous parlez.

— Mais ça pourrait être le cas, la pressa Lake. Racontez-moi.

Rory ôta les bras de son ventre pour croiser les mains sur la table. Celles-ci étaient larges et puissantes, en harmonie avec sa stature athlétique, mais elles étaient parfaitement manucurées, avec des ongles peints d'un rose pêche.

— Au début de ma grossesse, je me sentais vraiment mal, commença Rory. Je ne sais pas pourquoi ils appellent ça « nausées matinales » parce que, chez moi, ça durait toute la journée. Un après-midi, ça a atteint de tels sommets que je ne voyais même plus comment j'allais pouvoir reprendre le métro pour rentrer chez moi. Du coup, une fois que j'ai eu achevé les soins de la dernière patiente, je suis allée m'allonger dans le bureau du docteur Kline pendant quelques minutes – il a un canapé. Il était déjà 17 heures 30 et je n'avais pas prévu d'y rester très longtemps, mais quand j'ai rouvert les yeux il était près de 19 heures. Je n'en revenais pas. Je craignais que tout le monde soit déjà parti en m'enfermant dans les bureaux et que l'alarme ait été enclenchée. Je me suis dépêchée d'aller jusqu'à la réception et, là, je suis tombée sur le docteur Hoss qui s'y trouvait en compagnie d'un homme que je n'avais jamais vu auparavant. Elle a paru très mal à l'aise en me voyant – comme si je l'avais surprise en train de faire un mauvais coup.

— Il s'agissait peut-être de son petit ami du moment. Et elle vous a semblé bizarre, donc ?

Rory jeta à nouveau un coup d'œil inquiet vers la porte.

— Eh bien, il avait un récipient en inox entre les mains, dit-elle en baissant la voix. Du genre de ceux qu'on utilise pour transporter les ovules.

— Les *ovules* ? ! s'écria Lake.

— Oui. Et des embryons.

— Est-ce qu'il aurait pu être en train de livrer des ovules ? demanda Lake. Des œufs provenant d'une banque d'ovules ?

Rory secoua la tête.

— Je ne pense pas. Je crois plutôt qu'il en emportait.

— Comment pouvez-vous en être aussi sûre ?

— Parce que je l'ai suivi.

— Vous l'avez *suivi* ? ! s'exclama Lake qui allait de surprise en surprise. Comment vous y êtes-vous prise ?

— J'ai quitté la clinique avant lui. J'ai bien vu qu'ils ne souhaitaient pas que je m'attarde. Et puis j'ai attendu un peu plus bas dans la rue jusqu'à ce qu'il sorte. Comme je vous l'ai dit, tout cela me paraissait un peu curieux et j'ai pensé qu'en voyant le type de voiture dans laquelle il montait, ça m'aiderait à mieux comprendre. Mais il n'y avait pas de véhicule. Il s'est juste mis à marcher. Je me sentais encore un peu nauséeuse, mais j'ai décidé de le suivre. Je savais qu'il ne pouvait pas aller très loin parce qu'il avait toujours le récipient avec lui. Et, de fait, quelques centaines de mètres plus loin, il est entré dans un immeuble. Au bout de cinq minutes environ, je l'y ai suivi pour vérifier le nom mentionné sur la plaque. Il y était inscrit « Institut de Recherche du Siècle Nouveau ».

— Donc il se peut que les ovules lui aient été remis dans un but de recherche ? Est-ce que ça ne fait pas partie des procédures occasionnelles de la clinique ?

— Certains couples l'autorisent, mais ils ne sont pas nombreux. En tout cas, *moi*, je n'accepterais jamais ça à leur place. Par ailleurs, ce nom ne fait pas partie des entreprises avec lesquelles la clinique travaille régulièrement. Et puis, comme je l'ai mentionné, le docteur Hoss a eu un comportement vraiment bizarre.

Lake fixa la table durant quelques secondes. Ce n'était pas la révélation qu'elle attendait, mais ça lui serait peut-être utile, malgré tout. Si la clinique n'hésitait pas à implanter les embryons de ses patientes dans l'utérus d'autres femmes, qu'est-ce qui pouvait l'empêcher de les vendre à un institut de recherche ?

Cependant il fallait des preuves. Elle devait donc convaincre Rory d'examiner les dossiers des patients. Quand elle releva la tête, l'assistante du médecin l'observait.

— Rory, je vous suis vraiment reconnaissante d'avoir partagé tout cela avec moi, dit-elle, mais maintenant j'ai besoin de votre aide. Seriez-vous prête à ressortir les dossiers de certains patients ? Je pense sincèrement que la clinique s'adonne à des pratiques contraires à l'éthique et la preuve se trouve vraisemblablement dans les dossiers.

Rory secoua vigoureusement la tête.

— Écoutez, je vous ai dit ce que je savais, dit-elle. S'il se passe des choses louches, je veux juste qu'on dise aux docteurs d'y mettre fin. Mais je ne veux pas faire de scandale.

— S'il vous plaît, Rory, écoutez-moi, insista Lake. D'abord, et surtout, des couples innocents en subissent les conséquences. Ensuite, je pense qu'il y a des gens dangereux à la clinique. Un homme a essayé de me tuer la nuit dernière, et je suis quasiment certaine qu'il avait été engagé par quelqu'un qui travaille auprès de vous.

— Vous *tuer* ?! s'écria Rory, complètement ébahie, en se redressant sur sa chaise. Mais comment ?

— Il a sorti un couteau pour s'en servir contre moi, dans un parc. Heureusement, j'ai réussi à m'enfuir.

— Mais peut-être s'agit-il juste de quelqu'un qui voulait vous voler votre sac ?

— J'en doute. Il m'a suivie jusqu'à l'endroit où je devais rencontrer une ancienne patiente, laquelle ne s'est jamais montrée, d'ailleurs. Ce type paraissait parfaitement savoir qui j'étais. Et puis, songez à ce qui est arrivé au docteur Keaton.

Elle regrettait d'avoir à mentionner son nom, mais il fallait qu'elle fasse feu de tout bois pour inciter Rory à l'aider.

— Le docteur Keaton ? s'effraya Rory, visiblement choquée par son allusion. Que voulez-vous dire ?

— Je pense... Je me demande s'il n'a pas découvert quelque chose de louche lui-même. C'est peut-être la raison pour laquelle on l'a assassiné.

L'assistante du médecin fronça le nez.

— Mais le docteur Levin a dit qu'il avait un problème de jeu et qu'un mafieux, ou quelqu'un du même acabit, s'était probablement introduit dans son appartement pour le tuer parce qu'il avait énormément de dettes.

— Apparemment, la porte de l'appartement n'a pas été forcée. Et ses clefs sont restées durant plusieurs jours dans le tiroir de Maggie.

— Maggie a raconté qu'il avait une terrasse. Le tueur a dû passer par là.

— Il n'aurait pas pu, intervint Lake. Il y a...

Elle s'arrêta juste à temps. Comment pouvait-elle être aussi stupide ? Elle vit Rory ouvrir la bouche, avant de la refermer.

— Que voulez-vous dire ? se contenta finalement de demander son interlocutrice.

Lake réfléchit à toute allure pour imaginer une histoire qui rattraperait sa bourde.

— Maggie... répondit-elle après quelques secondes qui lui semblèrent une éternité. Elle m'a dit que son appartement était situé au dernier étage. Comment... comment quelqu'un aurait-il pu grimper jusque-là ? Il aurait fallu que ce soit Spider Man.

L'assistante du médecin continua de fixer Lake, le visage impassible. Cette dernière était incapable de déterminer si elle avait deviné la vérité – le fait qu'elle connaissait parfaitement les lieux – ou si elle était juste en train d'envisager qu'un membre de la clinique ait pu tuer Keaton. Lake retint sa respiration.

Au bout d'un moment, Rory haussa les épaules.

— Vous avez peut-être raison. Nous vivons dans une vieille maison et je n'ai aucune idée de ce à quoi peuvent ressembler les appartements de Manhattan.

Lake se détendit. Rory avait peut-être eu de brefs soupçons, mais elle semblait les avoir repoussés.

— Si le docteur Keaton s'est fait assassiner à cause de ce qui se passe à la clinique, vous comprenez combien il est important que nous les arrêtions, ajouta Lake.

— Mais que voudriez-vous que je fasse exactement ? l'interrogea Rory d'un air inquiet.

Lake lui parla de la série de lettres qui figurait dans le dossier d'Alexis, et peut-être aussi dans d'autres formulaires.

— Sauf pour le dossier Hunt, vous n'auriez pas à fouiller dans les tiroirs de la salle d'archives, poursuivit Lake. Il vous suffirait de jeter un coup d'œil aux fiches des patientes, quand elles viennent pour leur premier rendez-vous. Personne ne risque de trouver ça suspect.

— Que veulent dire ces lettres ? s'inquiéta Rory.

— Je suis toujours en train d'y réfléchir, mentit Lake qui préféra ne pas lui dévoiler sa théorie.

L'assistante du médecin avança les lèvres pour soupeser tout ce qu'elle venait d'entendre.

— Rory, je sais que c'est beaucoup demander, insista Lake qui craignait maintenant qu'elle refuse. Mais imaginez que quelqu'un ait fait cela avec *vos* embryons.

— D'accord, répondit-elle enfin. J'imagine que je pourrais essayer de le faire lundi.

Lake lui sourit avec reconnaissance.

— C'est merveilleux. Et si vous identifiez effectivement de telles séries de lettres dans les formulaires d'informations – surtout dans celui des Hunt – il serait très utile que nous en ayons des photocopies. Mais seulement si vous pouvez le faire discrètement. Il ne faut pas que quelqu'un vous voie.

— Très bien, souffla Rory en détournant la tête, comme pour réfléchir. Bon, il vaut mieux que j'y aille. Le stress est très mauvais quand on attend un bébé.

— Je comprends très bien, dit Lake en attrapant son sac à main pour y prendre l'une de ses cartes de visite. Mon numéro de téléphone portable est là-dessus, ainsi que celui de mon domicile. Si vous rencontrez la moindre difficulté, appelez-moi immédiatement.

Rory sortit un petit calepin de son sac et y inscrivit ses propres coordonnées.

— Colin, mon mari, a encore dû s'absenter et je dois passer le week-end toute seule. De toute façon, je ne veux pas le mettre au courant de tout ça. Il m'interdirait de m'en mêler.

Un sentiment de culpabilité traversa Lake.

— Je ne sais comment vous exprimer ma reconnaissance, Rory. Mais soyez aussi prudente que possible.

— En fait, je suis heureuse de pouvoir vous aider, Lake, répondit-elle en souriant pour la première fois depuis son arrivée dans le piano-bar. J'espère que ça ne va pas vous sembler ridicule, mais je vous admire énormément. C'est pour cela que j'ai voulu vous raconter ce que je savais. Puis-je vous appeler ce week-end ? Pour repasser en revue ce que je dois faire ?

— Bien sûr. Et merci pour ce compliment.

Lake se pencha au-dessus de la table pour poser sa main sur celle de l'assistante du médecin. Gênée, celle-ci tenta vaguement de la retirer, donnant à Lake l'impression qu'elle avait posé sa paume sur un petit animal.

Lake retira aussitôt sa main. Attention, ne va pas trop loin, se dit-elle. C'était bien assez pour aujourd'hui.

Elle s'attarda encore quelques minutes après le départ de Rory, pour terminer son verre. Tous les nerfs de son corps étaient tendus par l'anticipation. Enfin, quelqu'un allait l'aider à découvrir la vérité. Il n'était pas certain que l'assistante du médecin découvrirait quoi que ce fût, mais, au moins, c'était un début. Elle avait un peu l'impression d'avoir atteint ce moment de la nuit où le cauchemar commence à se dissiper et où l'on prend peu à peu conscience qu'il ne s'agissait que d'un rêve.

Et puis, elle avait retiré de cet entretien une nouvelle information : celle concernant l'Institut de Recherche du Siècle Nouveau. Cela constituerait peut-être une preuve importante contre la clinique, si l'on y ajoutait ce que Rory risquait encore de découvrir. Cette conversation s'était donc révélée tout à fait positive, si l'on mettait de côté sa gaffe à propos de la terrasse de Keaton. Mais elle semblait n'avoir éveillé chez Rory qu'une curiosité temporaire.

Une fois dehors, elle scruta nerveusement les environs et laissa un message à Archer, tout en essayant de repérer un taxi. Dix minutes plus tard, elle roulait enfin vers chez elle. Alors que le véhicule traversait Central Park, son téléphone sonna. Elle en vérifia l'écran, pensant y lire le nom du journaliste, mais elle ne put reconnaître le numéro de son correspondant.

— Allô, dit-elle d'un ton hésitant.

— Maman, répondit la voix d'une petite fille.

— *Amy ?* s'étonna Lake.

— Oui, dit la fillette en étouffant un sanglot.

— Amy, est-ce que tu vas bien ?

— Non, maman, pas vraiment.

26

— Qu'est-ce qu'il y a Amy ? s'écria Lake d'une voix angoissée. Où es-tu ?

— À l'infirmerie.

Malgré elle, Lake poussa un gémissement de désespoir.

— Maman ?

— Qu'est-ce qui t'est arrivé, ma chérie ? Explique-moi.

— Le docteur pense que j'ai une angine. Quand il m'a mis le bout de bois dans la bouche, j'ai failli vomir.

Lake faillit éclater de rire de soulagement.

— Oh, ma chérie, je suis désolée.

— Ça fait tellement mal, maman. J'ai vraiment du mal à avaler.

— Est-ce que le docteur est là ? Tu pourrais me le passer ?

— Non, il n'y a plus que l'infirmière. Elle est dans la pièce à côté. Et je ne suis pas censée utiliser un téléphone portable. C'est celui de Lauren.

— D'accord, alors dès que nous aurons raccroché, j'appellerai le camp pour voir ce que l'on peut faire.

— Mais je vais me faire gronder s'ils comprennent que j'ai utilisé le portable.

— Ne t'inquiète pas. Je ne leur dirai rien. Mais je vais faire en sorte que tu ailles mieux, OK ?

Lake entendit sa fille étouffer un sanglot.

— Maman, j'aimerais tant que tu sois là. Je suis si triste.

— Je vais t'envoyer une longue lettre ce soir pour te remonter le moral. Et, quand tu iras mieux, tu oublieras tout ça.

Au moment où elle raccrocha, la panique qu'avait ressentie Lake s'était dissipée, mais elle sentit monter en elle un sentiment de colère. Pourquoi le camp ne l'avait-il pas appelée ? Elle ne supportait pas de savoir sa fille si malheureuse. Sans attendre, elle composa le numéro de téléphone du directeur du camp. On lui expliqua qu'il s'était absenté et qu'il faudrait attendre son retour. Lake demanda qu'il la rappelle dès qu'il reviendrait.

Son taxi venait de s'engager sur West End Avenue et elle fut soulagée de constater que son quartier n'était pas désert. Juste devant son immeuble, il y avait un petit groupe qui donnait presque l'impression de discuter ensemble : une femme rousse avec une poussette, un homme noir, longiligne, qu'elle avait déjà aperçu dans son immeuble, et son voisin, Stan, la veste sur l'épaule. Ce ne fut qu'en s'approchant qu'elle remarqua leurs visages fermés. Quelque chose ne tournait pas rond.

— Tout va bien ? demanda Lake à l'intention de Stan.

— Le portier a disparu, répondit-il laconiquement.

— Quoi ? ! s'exclama Lake.

— Bob, celui de l'après-midi, précisa son voisin. On a appelé le régisseur et il ne devrait plus tarder.

— Il ne s'est pas présenté à son travail ?

— Apparemment, il était là un peu plus tôt, mais, maintenant, on n'arrive plus à mettre la main dessus. Il s'est évaporé.

— Il est peut-être parti s'acheter un billet de loto, suggéra le type longiligne.

La femme secoua la tête pour signifier son irritation.

— C'est vraiment n'importe quoi. Ça fait au moins une demi-heure que l'on peut rentrer dans cet immeuble comme dans un moulin – peut-être plus longtemps encore.

— Comment le savez-vous ? demanda Lake qui sentait la panique revenir.

— Parce qu'il n'était pas là quand je suis sortie faire une course tout à l'heure. Pourtant, je l'avais appelé juste avant. Comme je ne le voyais pas, je me suis dit qu'il devait être en train de réceptionner une livraison quelconque – ce qui n'est pas beaucoup mieux, mais certains occupants de cet immeuble sont tellement exigeants. En tout cas, il n'était toujours pas de retour quand je suis rentrée de ma course.

Le petit garçon dans la poussette se mit à gesticuler d'impatience.

— Arrête, Cameron, tu sais que maman n'aime pas ça.

Les pieds de Lake étaient comme collés au trottoir. Elle n'avait pas la moindre envie de s'attarder ainsi dehors, à découvert, mais elle n'osait plus monter dans son appartement. Et si son agresseur de la veille avait pénétré dans le bâtiment en profitant de l'absence du portier ? Elle serra les poings en essayant de trouver une solution. À cet instant, quelque chose attira l'attention de Stan et il détourna la tête vers le carrefour. Elle fit de même. Le régisseur arrivait en courant aussi vite que le lui permettait son gros ventre.

Ce fut la femme qui s'exprima la première pour le houspiller, tandis que son fils entreprenait de démolir sa poussette à coups de tête, comme si son crâne y était attaché par un élastique. Stan posa la main sur l'avant-bras de Lake.

— Vous vous apprêtiez à monter ? lui chuchota-t-il. Je vous promets de pourfendre les vilains dragons qui auraient pu se faufiler à l'intérieur.

Elle lui offrit un faible sourire. Oui, je veux bien. Je vous remercie.

— De toute façon, j'ai prévu de ne partir que demain, ajouta-t-il tandis qu'ils se dirigeaient vers les ascenseurs. Il vous suffira de crier si vous avez besoin de quelque chose.

Au risque de lui sembler ridicule, elle envisagea un instant de lui demander de faire le tour de son appartement, mais, en tournant sa clef dans la serrure, elle constata que le verrou était toujours enclenché, indiquant que personne n'avait pénétré chez elle.

Elle ouvrit la porte et entra. Le silence qui régnait donnait l'impression que l'endroit n'était plus habité depuis des siècles.

— Smokey, appela-t-elle en se dirigeant d'un pas hésitant vers sa chambre à coucher. Elle n'avait pas éteint l'air conditionné à son intention et avait laissé la porte de la chambre entrebâillée. Tout en progressant dans le couloir, elle scruta les pièces – le salon, la cuisine et, enfin, la chambre à coucher. Elle aurait tellement aimé qu'Archer soit là pour l'aider, comme il l'avait fait jusqu'à présent.

En repoussant la porte de la chambre, elle s'attendait à voir le chat pelotonné sur le lit, mais il n'était pas là.

— Smokey, appela-t-elle encore une fois. Viens minou.

Aucun signe de l'animal. S'il vous plaît, gémit-elle, ne me faites pas revivre ça une deuxième fois. Elle revint sur ses pas pour regagner le salon. Soudain, Smokey jaillit de derrière un fauteuil. Lake sursauta en le regardant détaler. Il s'arrêta au milieu du salon aussi brutalement qu'il était apparu. Puis, s'asseyant sur ses pattes de derrière, il se mit à lécher l'une de ses pattes. Lake scruta avec inquiétude le reste de la pièce, puis, ne remarquant rien d'anormal, elle s'approcha de son chat. Elle se demandait ce qui pouvait l'avoir incité à se cacher ainsi. Était-ce simplement pour lui manifester son mécontentement d'avoir été tant négligé ces derniers temps ?

Dès qu'elle eut commencé à le caresser, ses pensées retournèrent vers Amy. L'inquiétude que lui avait causée la disparition du portier lui avait fait oublier les tourments de sa fille. Elle revint précipitamment dans le hall d'entrée pour y chercher son sac et vérifier son BlackBerry. Le directeur n'avait toujours pas rappelé. Elle refit donc le numéro du camp de vacances et on lui annonça qu'il était désormais disponible.

— Madame Warren, je m'apprêtais à vous appeler, lui affirma Morrison. Vous avez bien eu mon message à propos d'Amy, n'est-ce pas ?

— Votre message ?

— Oui, celui que j'ai laissé à votre domicile. Je croyais que c'était la raison de votre appel.

Sans lâcher son portable, Lake alla vérifier son répondeur dans la cuisine et constata que le voyant rouge était effectivement en train de clignoter.

— Ah, oui ! Bien sûr ! Alors, expliquez-moi tout.

— Amy doit passer la journée à l'infirmerie aujourd'hui, poursuivit-il. Sa gorge est très irritée et elle a un peu de fièvre. Il y a une épidémie d'angine parce que l'un de nos nouveaux pensionnaires en était affecté quand il est arrivé. Nous devrions avoir le résultat des analyses un peu plus tard dans la journée.

— De quand cela date-t-il ? s'enquit Lake.

— Elle est allée voir l'infirmière ce matin, mais il semble qu'elle ne se sente pas bien depuis un jour ou deux. J'aurais préféré qu'elle nous en parle un peu plus tôt.

Lake se souvint que son propre mal de gorge avait commencé le mardi précédent. Elle l'avait peut-être transmis à Amy, lorsqu'elle était passée la voir pour la journée des parents. Elle eut soudain une terrible envie de tenir sa fille dans ses bras.

— J'ai une petite faveur à vous demander, dit-elle. Amy n'a pas trop le moral depuis le début de l'été. Son père et moi nous sommes séparés il y a quelques mois, comme vous devez le savoir. Je crains que le fait d'être malade, combiné à celui d'être éloignée de chez elle, la déprime vraiment. Alors, je sais bien que c'est contraire à votre règlement, mais je crois qu'il serait bon que je puisse lui rendre une petite visite. Si cela ne vous embête pas, j'aimerais le faire dès demain.

— Ma foi, je ne sais pas très bien que vous répondre. Les parents ne sont vraiment pas censés passer au camp. Et nous avons déjà autorisé votre mari à venir l'autre soir, puisqu'il n'avait pas pu venir lors de la journée des parents.

— Je comprends très bien votre souci, mais je voudrais qu'Amy puisse profiter de ses derniers jours chez vous – surtout que j'aimerais beaucoup qu'elle et son frère puissent y retourner l'an prochain.

Il hésita, manifestement conscient du message tacite qu'elle venait de lui adresser.

— Très bien, alors. Je vous demanderai simplement de vous montrer discrète. Quand vous arriverez, demandez à voir l'infirmière et allez directement là-bas.

— Il y a juste un léger problème, ajouta Lake. J'aimerais aussi voir Will. Je peux difficilement aller rendre visite à sa sœur sans le voir lui aussi. L'un de vos moniteurs pourrait-il l'accompagner jusqu'à ma voiture après que j'aurai vu Amy ? Je ferai en sorte qu'il n'en dise rien à personne.

Elle perçut distinctement un soupir d'agacement.

— D'accord. Mais attendez… Demain, les enfants doivent aller passer la journée au centre aquatique. Will ne sera pas de retour avant 17 heures.

Lake se massa les tempes en réfléchissant. Il fallait pourtant que ça fonctionne.

— Très bien. Disons que j'arriverai juste avant 17 heures, alors. Cela vous irait-il ? J'irai voir Amy et je ferai ensuite la surprise à Will, quand le bus les ramènera.

— Ça me paraît convenir. Je vais aller prévenir Amy, alors.

Le ton de sa voix indiqua à Lake qu'en réalité il n'était pas très content de cette situation. Tant pis ! se dit-elle.

Après avoir raccroché, elle poussa la table de l'entrée contre la porte. Deux photos basculèrent quand le meuble rencontra le chambranle. Pendant un instant, elle considéra la scène. Elle aurait pu sortir d'un film d'horreur : la maison était barricadée comme si elle attendait la visite d'un tueur en série ou d'une meurtrière psychopathe brandissant une tronçonneuse. Jack devait aller chercher les enfants au camp dans une dizaine de jours pour les emmener une semaine dans les Hamptons, mais ils seraient très bientôt de retour à la maison. Comment allait-elle leur expliquer toutes ces précautions ? Et ce qui était arrivé à Smokey ? Elle ne pouvait pas les exposer à un tel danger.

Il n'y avait qu'une seule manière de mettre un terme à tout cela et elle consistait à dévoiler les agissements de la clinique. Tout – la sécurité des enfants, la sienne, le retour à une vie normale – reposait sur cette issue, laquelle, à son tour, dépendait des informations que Rory pourrait découvrir et des contacts auxquels Archer pourrait les transmettre. Cela faisait des siècles qu'elle n'avait plus compté sur personne et voilà qu'elle plaçait sa vie entre les mains de deux quasi-inconnus. Rien de très rassurant, somme toute.

Elle envoya un fax à chacun des enfants, en précisant à Amy qu'elle la verrait bientôt, mais en se gardant bien d'en informer Will. Pour le dîner, elle se fit réchauffer une pizza congelée qui lui sembla rance. Elle l'avala sans plaisir, avec le chat à ses pieds, tout en tâchant de se documenter sur Internet à propos de l'Institut de Recherche du Siècle Nouveau évoqué par Rory. Elle ne trouva rien. Cet institut préférait manifestement ne pas faire parler de lui.

Vers 20 heures, elle composa une nouvelle fois le numéro d'Archer. Toujours sans succès. Ce silence lui paraissait un peu curieux dans la mesure où il lui avait paru très impatient d'en savoir plus. Il devait être sur un autre gros reportage. Ensuite, elle alla vers l'interphone pour contacter le personnel de l'immeuble. Ce fut le portier de nuit qui lui répondit. Il avait donc pris son service plus tôt que d'habitude. Ils étaient toujours sans nouvelles de Carlos, lui expliqua-t-il. Elle fouilla dans un tiroir pour y trouver le numéro de son voisin en se disant qu'il en saurait peut-être plus. Mais elle n'obtint que son répondeur. Génial… Il lui avait pourtant affirmé qu'il passerait la soirée chez lui.

Épuisée, elle décida de se coucher tôt et s'installa pour une nouvelle nuit dans le canapé qui lui paraissait plus sûr car il lui permettait de jeter un coup d'œil à la porte. En déposant un oreiller et une couverture sur son lit de fortune, elle se rappela combien elle s'était sentie en sécurité la veille, chez Archer. Un endroit où personne n'aurait songé à la chercher.

Elle était en train de feuilleter sans conviction un magazine, quand son téléphone sonna. Ce devait être Archer, se dit-elle. Mais quand elle décrocha et regarda le numéro qui s'affichait, elle vit qu'il s'agissait de Molly. Prise au dépourvu, elle faillit lâcher le combiné, comme s'il s'était subitement transformé en serpent venimeux. Pourtant, elle savait que ça n'aurait pas été très intelligent de sa part. Il fallait qu'elle se comporte comme si tout était absolument normal.

— Salut, lui lança donc Lake en guise de bienvenue.

— Ça va ? s'écria aussitôt Molly. J'ai fini par avoir ton message inquiétant de la nuit dernière et ensuite, je n'ai pas réussi à te joindre.

— Oh, je suis désolée. J'étais un peu angoissée par ma présentation – celle que je devais faire à la clinique. J'avais juste besoin de parler. Excuse-moi si j'ai pu te laisser penser qu'il s'agissait d'une urgence.

— Mais tu avais l'air d'être vraiment bouleversée. Alors, elle ne s'est pas bien passée ?

— En fait, j'en sais un peu plus aujourd'hui et il semble qu'ils l'aient appréciée, mentit-elle. Parfois, il est si difficile de se faire une idée juste.

— Et tout va vraiment bien ? Ta voix me semble pourtant un peu bizarre.

— Non, non. En fait, je m'apprêtais à me coucher. Mais tout va bien.

— Si tu le dis, admit Molly, mais Lake pouvait presque la voir en train de hausser les épaules, pas convaincue pour un sou.

Elle devait sentir qu'il se passait quelque chose d'anormal. D'ailleurs, elle aurait adoré la situation, songea Lake amèrement. Elle se serait empressée d'aller trouver Jack pour la lui raconter : « Voilà un bon petit tuyau pour tes démarches en vue de la garde des enfants, mon amour – son client pense qu'elle communique leurs secrets à des concurrents. »

— Et ce meurtre ? demanda Molly avant que Lake ait pu la congédier. Ils ont arrêté quelqu'un ? Cela fait des jours que je n'ai rien lu sur cette affaire dans les journaux.

Trop occupée à coucher avec mon ex-mari, sans doute…

— Non, non. Pas que je sache. Et toi, comment vas-tu ?

— Pas trop mal. J'ai fait des photos dans Central Park aujourd'hui et le mannequin s'est évanoui. Il faut dire qu'elle devait peser quatre kilos. Mais je pense que son étourdissement est surtout attribuable au blouson et à la toque de fourrure qu'elle devait porter par plus de trente degrés. J'ai entendu qu'il devait pleuvoir samedi et que ça allait se rafraîchir à partir de dimanche.

— Vraiment ? dit Lake.

Elle n'en pouvait plus. Tout en écoutant son – ex – amie pérorer sur la météo de sa petite voix flûtée, elle imaginait ses yeux verts et sa bouche charnue, bouche dont devait désormais profiter l'homme qui, un jour, l'avait aimée et enlacée.

— Et que dirais-tu de prendre un verre ensemble, ce week-end ? Je pourrais même me libérer pour un brunch, samedi prochain.

— Bah, j'aurais adoré, mais je viens de m'engager auprès d'un nouveau client. Il faut que je profite du week-end pour avancer mon boulot.

— Des nouvelles de Jack ? Il n'est pas revenu rôder du côté de chez toi, n'est-ce pas ?

Ce brusque changement de sujet lui laissa penser que Molly avait dû ronger son frein durant les minutes précédentes, en guettant le moment opportun pour glisser sa question dans la conversation.

— Non, pas récemment, non. Écoute, Molly, j'aimerais pouvoir m'attarder, mais il faut que je file. Je veux…

— Mais tu es sûre que tout va bien, Lake ? Parle-moi franchement.

Ne pas nier, songea Lake. Molly n'y croirait pas.

— Bon, c'est vrai. Tu te rappelles cet effet « montagnes russes » dont tu m'as parlé, la semaine dernière ? Et bien j'imagine que je suis un peu au creux de la pente, en ce moment. C'est peut-être la perspective du week-end qui s'annonce. Il faut que je m'habitue à me débrouiller toute seule.

— Tu vois, c'est exactement ce que je voulais dire. Bah, remets-toi et appelle-moi si tu as besoin de décompresser.

Et voilà, ça avait marché. Surtout parce que Molly adorait avoir raison. En raccrochant et en se rallongeant sur le canapé, elle sentit que, malgré la peine que lui avait causée sa liaison secrète de son amie avec Jack, elle était soulagée. Soulagée de pouvoir rayer cette femme de sa vie. Au plus profond d'elle-même, son arrogance et son manque de délicatesse avaient fini par la lasser.

Elle éteignit les lumières et s'obligea à fermer les yeux. La sensation qu'elle avait ressentie sur le canapé d'Archer avait été si différente. Chez elle, il n'y avait pas de coussins imprégnés d'une vague odeur de feu de cheminée et aucun bruit de pas feutrés et rassurants en provenance de l'étage.

Le téléphone sonna encore. C'était Archer. Comme si ses pensées l'avaient fait réapparaître.

— Comment ça va ? lui demanda-t-il. Je suis désolé de vous rappeler si tard, mais je me suis fait coincer dans une réunion sans fin et sans intérêt avec nos avocats.

— Eh bien, mon portier a disparu, ce qui me fiche une peur bleue, mais la bonne nouvelle, c'est que j'ai appris des choses intéressantes.

Elle lui raconta ce que Rory lui avait révélé à propos du transfert d'ovules, en ajoutant que celle-ci avait accepté de l'aider. Le journaliste la bombarda de questions avant d'en revenir au sujet du portier.

— Voulez-vous profiter une nouvelle fois de mon canapé ? À moins que vous préfériez que je teste le vôtre ?

L'espace d'un instant, elle soupesa ces deux hypothèses, mais l'idée de quitter son appartement à une heure aussi tardive ne la ravissait pas et il n'aurait pas été opportun qu'Archer passe la nuit chez elle. C'était exactement le genre de situations contre lesquelles Hotchkiss l'avait mise en garde et elle payait déjà le prix fort pour avoir ignoré son conseil.

— Je vous suis très reconnaissante de vos propositions, mais ça devrait aller. J'ai barricadé la porte.

— Alors reparlons-nous demain ?

— Ça me paraît une bonne idée. Il se peut que je ne sois pas joignable durant une partie de la journée. Je dois aller faire une visite éclair à mes enfants dans leur camp de vacances et le réseau téléphonique n'est pas très fiable par là-bas.

Elle passa une nuit agitée, durant laquelle elle eut constamment l'impression d'entendre des bruits suspects. Le lendemain, elle se mit en route vers 13 heures pour être sûre d'arriver au camp bien avant 17 heures et ne pas risquer de rater Will. Avant de s'engager sur l'autoroute, elle circula un peu dans Manhattan afin de s'assurer que personne ne la suivait. Elle ne pouvait prendre le risque que quelqu'un découvre où se trouvait le camp. Quand elle quitta enfin la ville, le dos de sa robe était trempé d'une sueur qui n'était due qu'à l'angoisse.

Elle tenta de se calmer en se concentrant sur ses enfants. Elle désirait tant les voir, même si cela ne devait durer que quelques minutes. Elle avait hâte de pouvoir vérifier qu'Amy allait bien et de la prendre dans ses bras. Elle songea également à Rory avec un élan d'espoir. Enfin, elle pouvait compter sur quelqu'un de la clinique pour l'aider.

Mais chacune de ces pensées réconfortantes s'accompagnait d'un sujet de préoccupation : et si Rory revenait sur sa décision ou ne découvrait rien ? Qu'allait-elle faire des enfants quand ils rentreraient ? Comment allait-elle les protéger ?

27

Elle s'arrêta sur la terrasse d'un bistrot situé au bord de l'autoroute pour un déjeuner tardif. La température extérieure était élevée, mais une légère brise faisait voler ses cheveux. Elle leva les yeux. Quand elle avait quitté Manhattan, le ciel était encore dégagé, mais de gros cumulus commençaient à se former à l'horizon.

Elle fouilla dans son sac pour y trouver de quoi payer l'addition et en profita pour vérifier l'écran de son BlackBerry. Apparemment, cette portion de l'autoroute était desservie par le réseau téléphonique car elle remarqua qu'elle avait reçu un appel. De Rory...

— Rappelez-moi dès que vous le pourrez, disait son message. C'est important.

Sa voix avait une inflexion anxieuse.

Elle tenta de la rappeler aussitôt, mais ce fut son répondeur qui se déclencha : « Vous êtes bien chez les Deevers, annonçait la voix de Rory. Veuillez laisser un message. Bonne journée. »

Elle essaya ensuite de la contacter sur son portable, mais son appel fut également dirigé vers une boîte vocale. Lorsqu'elles s'étaient vues, la veille, l'assistante du médecin l'avait prévenue qu'elle aurait peut-être besoin de reparler avec elle de leur plan, au cours du week-end. Pourtant, le mot « important » dans son message pouvait laisser penser qu'il s'agissait d'autre chose. Lake espéra qu'elle n'était pas revenue sur sa décision.

La dernière partie du trajet ne dura qu'une demi-heure. Le vent s'était levé et les nuages, désormais plus nombreux et plus sombres, occultaient presque complètement le bleu du ciel. La pluie n'allait pas tarder à tomber. Une énorme averse, doublée sans doute d'un orage avec des éclairs. Lake imagina les moniteurs du camp, au centre aquatique, regroupant tous les enfants à la hâte et rassemblant leurs affaires, avant de s'engouffrer dans le bus.

Lorsqu'elle arriva, le camp de vacances était désert. Il ne restait plus que quatre ou cinq véhicules dans le parking et, une fois qu'elle eut grimpé la colline pour gagner les locaux destinés à l'accueil des visiteurs, elle n'aperçut que deux personnes : un moniteur qui ramassait une cible de tir à l'arc qui s'était envolée à cause du vent et un homme plus âgé qui traînait sur la pelouse desséchée un gros sac rempli de ballons de football.

Elle s'approcha du plus jeune et lui demanda où se trouvait l'infirmerie. Il lui indiqua une petite cabane en bois, nichée dans un bosquet de sapins. En entrant dans le chalet, elle aperçut immédiatement Amy, couchée sur l'un des petits lits à armature de métal qui s'alignaient contre la cloison. Tout d'abord, elle crut que sa fille s'était assoupie : elle avait les yeux fermés et ses longues nattes brunes reposaient sur l'oreiller. Mais en entendant les pas de Lake, elle redressa aussitôt la tête.

— Maman, dit-elle d'une voix rauque, en poussant un faible soupir de soulagement.

— Oh, ma chérie, dit Lake en s'asseyant sur le bord du lit et en attirant sa fille contre elle.

— Ce n'est pas une angine, lui dit Amy avec un pauvre sourire. Ma gorge me fait toujours très mal, mais ils disent que c'est à cause d'un virus.

— Eh bien, il s'en ira peut-être plus vite, alors. Est-ce que l'infirmière est là ?

— Elle est allée à la cantine pour me chercher un peu de Jell-O.

— Je t'ai apporté quelque chose pour te remonter le moral, dit Lake en sortant de son sac un petit paquet enveloppé de papier et en l'offrant à sa fille.

Celle-ci déchira vivement l'emballage et découvrit à l'intérieur un petit bracelet fantaisie que Lake avait acheté des semaines auparavant et mis de côté à l'intention d'Amy.

— Oh, je l'adore, maman ! Merci ! Je suis si heureuse que tu sois venue.

— Moi aussi.

La porte s'ouvrit alors et toutes les deux tournèrent la tête dans sa direction. L'infirmière était de retour. C'était une femme âgée d'une quarantaine d'années à la coupe de cheveux presque militaire. Elle vint se présenter à Lake et déposa au chevet d'Amy un plateau supportant une tasse de thé, ainsi que la Jell-O promise et une petite cuillère en inox qui manifestement avait enduré d'innombrables vaisselles.

— Amy vous a-t-elle dit que les tests pour l'angine sont négatifs ? demanda l'infirmière.

— Oui, mais je crains que cela signifie que les médicaments sont inutiles, n'est-ce pas ?

— Oui. Il n'y a que le repos qui puisse agir. Mais, pour voir le bon côté des choses, je me dis que tous les enfants qui ont récemment attrapé ce virus seront sur pieds d'ici quelques jours.

Lake échangea encore quelques mots polis avec l'infirmière, avant de reporter son attention sur sa fille. Amy paraissait avoir besoin de se retrouver avec sa mère, même si le fait de parler semblait lui faire un mal de chien.

— Et si je te massais le dos ? proposa Lake.

— Hmmmm, murmura Amy joyeusement.

En s'efforçant de dénouer les tensions qui s'étaient formées dans le dos de sa fille, Lake se rendit compte que son corps s'était musclé durant l'été. Malgré cela, il y avait encore quelque chose d'enfantin dans cette peau douce et ces frêles épaules. Des larmes lui montèrent aux yeux. Je ne veux pas te perdre, songea-t-elle. Il faut que je parvienne à trouver une solution.

Au bout d'un moment, elle jeta un coup d'œil à sa montre. Il était à peine plus de 17 heures et le bus était peut-être déjà arrivé.

— Malheureusement, je vais devoir y aller, ma chérie, dit Lake en caressant la joue de sa fille. Monsieur Morrison va me passer les menottes si j'abuse de sa magnanimité, et puis il faut que tu te reposes.

— Maman, j'ai fait une bêtise, souffla Amy d'une voix grave. J'ai dit à Will que tu venais. Je l'ai fait avant de voir ton fax où tu m'écrivais de ne rien lui dire.

— Ce n'est pas grave. Ils m'ont autorisée à lui faire un petit coucou sur le parking, quand le bus rentrera.

— Alors ça va. Il avait tellement peur de ne pas te voir !

Lake dit au revoir à sa fille en la serrant un peu trop fort entre ses bras. Elle devait pourtant être prudente. À défaut, Amy risquait encore de se faire du souci.

— Plus que deux semaines avant de se revoir, dit Lake aussi gaiement qu'elle le put. On ira faire du shopping pour ta rentrée, d'accord ?

Dehors, il n'avait pas encore commencé à pleuvoir, mais le ciel n'était plus qu'une masse sombre et menaçante et le vent faisait voler les feuilles mortes à travers le camp. Lake se dirigea vers les locaux administratifs où elle remercia le directeur de l'avoir autorisée à venir. Elle apprit à cette occasion que le bus avait pris un peu de retard. De toute façon, elle n'était pas très impatiente de reprendre la route sous la pluie battante qui s'annonçait.

En descendant la colline en direction du parking, elle vérifia son BlackBerry. Aucun appel de Rory. Dès qu'elle fut dans sa voiture, elle essaya une nouvelle fois de l'appeler à son domicile. Cette fois, l'assistante du médecin décrocha. Son « Allô » lui parut inquiet.

— Que se passe-t-il, Rory ? Est-ce que tout va bien ?

— Merci de m'avoir rappelée, Lake. Je me sens juste un peu nerveuse.

Les épaules de Lake s'affaissèrent. Il ne fallait pas que Rory la lâche.

— Craignez-vous que quelqu'un vous surprenne en train de fouiller dans les dossiers ? s'enquit-elle. Pourquoi ne pas attendre que la plupart des gens soient partis pour le faire ?

— Je crains que ce soit déjà trop tard, répondit Rory avec agitation. Je crois que quelqu'un m'a déjà repérée.

— Que voulez-vous dire ?

— Je suis déjà allée examiner les dossiers. Après vous avoir vue, j'ai décidé de retourner au bureau. Je ne cessais de penser à ce que vous m'avez raconté et je voulais en avoir le cœur net le plus tôt possible. Je savais que certains des employés seraient encore là, mais je leur ai dit que j'étais revenue parce que j'avais oublié quelque chose. Quand j'ai quitté la salle d'archives, j'ai eu l'impression que quelqu'un m'avait épiée.

— Vous avez vu quelqu'un ?

— Non, c'est juste l'impression que j'ai eue. Et puis, ce matin, il y a eu ce curieux appel téléphonique, sans personne au bout du fil. Et puis, il y en a eu encore un autre, un peu plus tard. Je suis toute seule à la maison ce week-end et j'ai vraiment peur.

L'estomac de Lake se noua. Elle avait peut-être mis Rory en danger et il fallait qu'elle fasse quelque chose.

— Votre mari aurait-il la possibilité d'écourter son voyage ?

Il y eut un silence durant lequel Rory sembla envisager cette solution.

— Non, je ne peux pas lui demander de... C'est... il s'agit d'un client vraiment important et beaucoup de choses dépendent de ce voyage.

— Y a-t-il quelqu'un d'autre que vous pourriez appeler ? Un membre de votre famille, ou une amie ?

— Non, non. Personne. Nous n'avons emménagé ici que depuis six mois et nos voisins ne se sont pas montrés très accueillants. Il n'y a aucun esprit de quartier.

— Ces appels n'ont peut-être aucun lien entre eux ? suggéra Lake, bien que l'inquiétude ait commencé à la gagner. Ce n'est pas parce que quelqu'un vous a vue examiner les dossiers qu'il va nécessairement penser que vous faisiez quelque chose de mal. Vous auriez très bien pu avoir besoin de vérifier des informations sur un patient, n'est-ce pas ?

— Mais ils se sont sans doute aperçus que les dossiers avaient disparu, répliqua Rory, presque en gémissant. Ils se doutent vraisemblablement de ce que je mijote.

— Qu'entendez-vous par « disparu » ? demanda Lake.

— J'ai emporté plusieurs dossiers. Je n'ai pas osé en faire de photocopies.

— Vous avez les dossiers avec vous ! s'écria Lake, incrédule.

— Oui, une dizaine.

— *Et alors ? !* la pressa Lake. Est-ce qu'ils confirment ce que je vous ai raconté ?

Elle retint sa respiration.

— Oui, répondit Rory. Ils comportent effectivement les codes dont vous m'avez parlé. Pas tous ceux que j'ai consultés, mais ceux que j'ai emportés.

De sa main libre, elle se tira les cheveux en arrière. C'était exactement ce qu'elle avait espéré. Il fallait qu'elle voie ces dossiers – et qu'elle s'assure que l'assistante du médecin était en sécurité. Elle le lui devait.

— Et si je passais chez vous, Rory ? Je pourrais ainsi prendre les dossiers, afin que vous n'ayez plus à vous en inquiéter.

— Vous êtes sûre ? J'habite au fin fond de Bedford Hills. C'est à plus d'une heure de Manhattan. Je pourrais en faire des photocopies demain et me débrouiller pour les remettre à leur place ensuite.

— En fait, je me trouve actuellement dans le nord de l'État – encore plus au nord que votre maison. Je devrais pouvoir me mettre en route d'ici quelques minutes. Donnez-moi votre adresse et mon GPS fera le reste.

— Eh bien si ça ne vous dérange vraiment pas, ce serait bien, dit Rory. Je me sens si nerveuse.

L'assistante du médecin lui donna son adresse et Lake lui promit qu'elle ne mettrait pas plus d'une heure avant d'y arriver. Elle lui recommanda de bien fermer portes et fenêtres et de l'appeler sur son portable en cas de problème. Et si elle se sentait en danger, elle devait aussitôt contacter la police.

Mais à 17 heures 45, le bus n'était toujours pas là. Lake hésitait sur la marche à suivre : si elle partait maintenant, Will lui en voudrait terriblement, mais il ne fallait pas qu'elle tarde à voir Rory. Finalement, à 18 heures, alors qu'elle démarrait son moteur, un vieux bus jaune pénétra en cahotant dans le parking. Son fils fut l'un des premiers à en dévaler le marchepied. Après avoir parcouru le parking des yeux à la recherche de la voiture de sa mère, il bondit hors du bus et vint la rejoindre. Un moniteur resta à proximité pour l'attendre.

Les cheveux blonds de Will étaient encore humides et ses joues portaient les traces du somme qu'il avait dû faire durant le trajet. Il avait l'air vraiment heureux de la voir et était très excité, sans doute à cause des tonnes de sucreries qu'ils avaient dû avaler au centre aquatique.

— J'ai fait cinq fois le parcours de la bûche dans le torrent, maman ! Mes fringues étaient trempées !

— Tu m'as l'air de t'être vraiment amusé, dis-moi ?

— Oh ouais, c'était génial !

— Et ce soir ? Qu'y a-t-il de prévu ?

— On a de la pizza. Ils en ont commandé des centaines !

— Merveilleux !

— Ouais. On devait dîner dehors, mais il va pleuvoir. En fait, il va y avoir une énorme tempête !

Quand il regarda par la fenêtre de la voiture, visiblement curieux de ce qu'il risquait de rater avec ses copains, elle en profita pour jeter un rapide coup d'œil à sa montre.

— Et si je te laissais rejoindre tes copains, maintenant ? Je voulais juste pouvoir te faire un petit bisou.

— OK, salut maman, s'écria-t-il en la serrant fort dans ses bras, avant de lui offrir son plus beau sourire. Dis bonjour à Smokey !

Elle n'était pas partie depuis dix minutes que la pluie se mit à tomber. De grosses gouttes drues tambourinaient sur le toit de sa voiture et venaient éclater sur le pare-brise. Il allait falloir qu'elle appelle Rory pour l'informer de son retard, mais elle n'osait pas lâcher le volant. Dès qu'elle en eut l'occasion, elle quitta la route pour aller se garer sur le parking d'un de ces restaurants vétustes dont Jack avait l'habitude de se moquer. La lumière avait fortement décliné et, à travers le rideau de pluie, les néons bleus et blancs du bistrot ondulaient étrangement. Elle n'avait jamais aimé la région à cette époque de l'année – quand les journées raccourcissent et que l'atmosphère devient plus lugubre.

Rory décrocha au bout de la première sonnerie. Il n'y avait pas eu d'autres appels anonymes, lui dit-elle, mais à l'approche de la nuit elle se sentait de plus en plus terrifiée. Lake l'informa de son retard.

Quand, sous des trombes d'eau, elle regagna la route, un sentiment d'angoisse monta en elle. Et si quelqu'un avait *effectivement* vu Rory emporter les dossiers ? Est-ce que Levin – où celui qui se cachait derrière tout ça – déciderait de lui envoyer l'homme au couteau pour les lui reprendre ? Perdue dans ses pensées, Lake sursauta sur son siège lorsqu'un énorme coup de tonnerre claqua, lui faisant faire une embardée.

La pluie était torrentielle, maintenant, et sa voiture devait parfois traverser d'immenses flaques d'eau qui coupaient la route en deux. La situation s'améliora un peu sur la nationale, mais elle remarqua que beaucoup d'automobilistes avaient préféré attendre la fin de l'orage sur le bas-côté. Lake décida néanmoins de continuer à rouler, en se disant qu'elle n'avait guère le choix. À ce rythme, elle n'arriverait pas chez Rory avant 20 heures.

Aux trois quarts du trajet, la pluie cessa, aussi vite qu'elle était venue. À un quart d'heure de sa destination, elle scruta les abords de la route et eut du mal à en croire ses yeux. Au lieu des lotissements de banlieue auxquels elle s'était attendue, elle se trouvait en pleine campagne. Les voies étaient bordées de vieilles travées de chemin de fer et, de temps à autre, elle distinguait dans l'obscurité une énorme bâtisse éloignée de la route et éclairée comme un paquebot. Elle se rappela que Rory lui avait dit habiter dans une vieille maison de gardien.

Dès qu'elle arriva devant chez l'assistante du médecin, elle comprit pourquoi celle-ci était si terrifiée. Son domicile était situé au bout d'un long chemin et il semblait n'y avoir aucune autre maison dans le voisinage – pas même un manoir auquel avait dû, un jour, être attachée la maison de gardien.

Après avoir éteint le moteur, Lake se retourna pour vérifier les environs. Elle vit que la bâtisse possédait deux étages et qu'elle était construite en pierres de taille. Le premier niveau était éclairé profusément et un lampadaire fixé au-dessus du garage illuminait les abords de la maison. Les portes du garage étaient grandes ouvertes, dévoilant le pare-chocs d'une petite voiture. Elle ne vit personne, mais il était clair que derrière les arbres et les buissons bordant le terrain quelqu'un pourrait aisément se cacher.

Avant de sortir de son véhicule, Lake composa le numéro du domicile de Rory.

— Je suis dehors, lui dit-elle quand celle-ci décrocha. Je préférais vous appeler pour ne pas vous effrayer.

— OK, je vous ouvre.

Quand Lake traversa l'espace qui la séparait de la maison, le sol boueux colla à ses chaussures. Rory ouvrit la porte d'entrée au moment même où Lake atteignait les dernières marches du porche.

Ce jour-là, l'assistante du médecin avait attaché ses cheveux blonds en queue de cheval. Elle était vêtue d'un pantalon de coton noir à taille élastique, visiblement adapté à son état, avec une tunique de grossesse de même teinte. C'était la première fois que Lake la voyait sans maquillage et elle remarqua aussitôt qu'il y avait une inflammation sur une partie de sa joue gauche comme si elle venait de se gratter nerveusement.

— Je suis vraiment désolée, lui dit Lake lorsque Rory eut reverrouillé la porte. Avec cette pluie, il a fallu que je roule à moins de 70 kilomètres à l'heure durant presque tout le trajet. Est-ce que ça va ?

— Je viens juste d'avoir un nouvel appel anonyme, lui annonça Rory en secouant la tête, comme pour dissiper ce mauvais souvenir. On dirait qu'ils essaient de déterminer si je suis là ou pas.

— Alors discutons de ce que nous devons faire.

— Allons dans la cuisine, si vous voulez bien. Je pourrais nous préparer un peu de thé.

— Toutes les autres issues sont fermées ? les fenêtres aussi ?

— Oui, souffla Rory, tout.

Lake la suivit à travers un salon-salle à manger. Il lui sembla que des cloisons avaient été abattues pour agrandir l'espace. Les murs du séjour étaient blancs et l'une des parois avait été habillée d'étagères garnies de livres et de placards. Le canapé et le fauteuil étaient eux aussi recouverts d'un tissu blanc, les seules couleurs de la pièce provenant d'un tapis bleu et vert et de quelques coussins bleus, jetés sur le sofa. Il n'y avait pas la moindre gravure ni photo aux murs.

— Comme je vous l'ai dit, nous ne sommes ici que depuis quelques mois, expliqua Rory, comme si elle avait lu dans les pensées de sa visiteuse. Nous sommes encore en phase d'aménagement.

L'hôtesse la conduisit dans une petite cuisine impeccable. D'après les casseroles immaculées suspendues le long des cloisons et les étagères d'épices, il était évident que Rory aimait cuisiner. Lake se rappela l'avoir entendue dire qu'elle préparait des confitures maison.

— Vous prenez du lait dans votre thé ? demanda Rory en remplissant la bouilloire.

— Non, merci, répondit Lake en regardant autour d'elle, à la recherche des dossiers.

— Laissez-moi mettre ça sur le feu et je vous montre les dossiers, dit Rory qui, décidément, semblait capable de deviner ses pensées.

— Très bien, dit Lake. Je crois qu'il faudrait également que nous vous trouvions un endroit où vous installer, en attendant le retour de votre mari.

Les épaules de l'assistante du médecin se voûtèrent.

— Mais *où* ? gémit-elle. Je ne veux pas aller chez des inconnus.

— Vous pourriez venir chez moi.

— Mais vous avez dit que quelqu'un avait essayé de vous tuer.

— Au moins, mon immeuble bénéficie d'un portier. Ça me paraît en tout cas plus sécurisant qu'ici.

Lake jeta un coup d'œil par la fenêtre. La cuisine était située à l'opposé du garage et elle ne vit que la nuit noire. Il était hors de question de laisser Rory toute seule dans cet endroit. Au loin, un éclair déchira le ciel et elle entendit le martèlement d'une averse sur le chemin caillouteux qui menait à la maison.

— Vous avez vraiment eu l'impression de sentir une présence à l'extérieur de la salle d'archives ? demanda Lake qui se demandait maintenant si la nervosité de Rory ne l'avait pas rendue quelque peu paranoïaque.

— Oui. J'ai entendu une sorte de frottement comparable au bruit que font des pas sur une moquette.

— Qui était encore à la clinique ?

— Le docteur Levin. Et le docteur Sherman était probablement encore dans son bureau, mais je ne l'ai pas aperçu. J'ai vu en revanche le docteur Hoss dans le labo, avec quelques techniciens. Brie était aussi dans les parages. Ah, oui, il y avait aussi le docteur Kline.

— Le docteur Kline ? s'étonna Lake.

Elle se souvenait pourtant qu'il lui avait affirmé ne pas vouloir retourner à la clinique ce jour-là.

— Oui, confirma Rory.

La bouilloire se mit à siffler et elle éteignit le brûleur de la gazinière.

— Il est sorti en même temps que moi et m'a demandé ce que je comptais faire ce week-end. Il m'a dit que je devrais profiter de ces moments de solitude, parce que je n'en aurais plus beaucoup après. Bon, si j'allais chercher les dossiers ? Il faut que l'infusion repose quelques minutes.

Un nouvel éclair illumina le ciel et un éclat de tonnerre le suivit, quelques secondes plus tard. L'orage se rapprochait. Rory revint dans le salon et, tandis que Lake s'installait devant la table de la cuisine, elle la vit sortir plusieurs chemises cartonnées d'un placard.

— Je n'ai pas eu le temps d'en examiner beaucoup, s'excusa Rory en pénétrant dans la cuisine. Mais, au moins, j'en ai trouvé quelques-uns d'intéressants, ajouta-t-elle en les posant devant Lake.

Le dossier placé sur le dessus de la pile était celui des Hunt et Lake l'ouvrit le cœur battant. Sur le formulaire d'information, à côté des noms d'Alexis et de son mari, elle repéra une pâle série de lettres griffonnées au crayon : *BLv* et *BLb*. Comme le lui avait promis Rory, toutes les autres fiches comportaient le même genre de codes et il devenait évident que Lake avait vu juste – tous correspondaient à la couleur des cheveux et des yeux des patients.

— Aviez-vous déjà remarqué ces annotations auparavant ? s'enquit Lake.

— Non, mais je regarde rarement ces pages des documents, répondit l'assistante du médecin. Il ne s'agit que d'informations de base – rien qui puisse véritablement avoir de l'importance pour le traitement.

Pendant que sa visiteuse étudiait les dossiers, Rory remplit leurs tasses puis déposa un biscuit dans chaque soucoupe.

— J'espère que vous aimez la tisane. Dès que j'ai su que j'étais enceinte, j'ai jeté à la poubelle tout ce qui contenait de la caféine, pour ne pas être tentée.

— Oui, c'est parfait. Je suis déjà assez sur les nerfs comme ça, la rassura Lake d'un ton distrait, en avalant une gorgée du breuvage.

Rory y avait ajouté du miel. Lake détestait le miel mais elle n'avait pas le cœur de le lui confesser.

— Est-ce que les lettres représentent un code – quelque chose qui aurait trait aux embryons ? demanda Rory.

— Oui. Je ne peux pas vous l'expliquer tout de suite, mais je vous promets de le faire plus tard, quand j'en saurai un peu plus.

— Vous croyez vraiment que c'est la raison pour laquelle le docteur Keaton a été assassiné ?

Lake arracha ses yeux des dossiers et les fixa sur Rory.

— Je pense que c'est une réelle possibilité. Si le docteur Keaton a découvert cela et a menacé de dénoncer la clinique, ça me paraît constituer un mobile tout à fait solide.

Le regard de Rory dériva et devint trouble. À quoi pouvait-elle songer ? Soudain, une pensée l'électrisa. Elle se souvint de sa brève conversation avec Rory, à propos du bureau de Maggie.

— Avez-vous une idée, Rory ? Avez-vous vu quelqu'un rôder près du bureau de Maggie ?

— À vrai dire… commença l'assistante du médecin, avant de s'asseoir en face de Lake et de prendre une longue gorgée de tisane.

— Rory, je vous en prie, la pressa Lake. Dites-le-moi.

— Je suis à peu près certaine que ça ne veut rien dire, mais, un jour – c'était un peu curieux – j'ai aperçu le docteur Kline près de ce bureau. Or, il ne vient quasiment jamais dans la salle des infirmières.

— Harry ?

— Hmm hmm. Et il a semblé plutôt surpris, quand il s'est aperçu que j'étais derrière lui. Il a dit qu'il cherchait un taille-crayon.

Lake eut l'impression que quelqu'un venait de l'assaillir par-derrière.

— L'autre jour, continua Rory, j'ai bien failli vous le dire, mais je ne voulais pas vous causer de tracas. J'ai l'impression que vous… que vous aimez bien Harry.

— Qu'entendez-vous par là ?

— Je croyais que vous sortiez ensemble.

Lake se recula de surprise sur son siège. Manifestement, Rory avait remarqué l'intérêt que lui portait le psychologue et en avait déduit que c'était réciproque.

— J'apprécie Harry, se défendit Lake, mais nous ne sortons pas ensemble.

— Eh bien je me suis trompée. Je trouve également que Harry est très sympa. Je sais bien qu'il a eu des problèmes avec le docteur Keaton, mais je n'arrive pas à croire qu'il aurait pu lui faire du mal.

— Quel genre de problèmes ? demanda Lake, tandis qu'un frisson lui parcourait la nuque.

— À cause de ce qui s'est passé entre sa fille et le docteur Keaton.

28

Lake regarda Rory, assise en face d'elle. Elle avait parfaitement entendu ses paroles, mais elle avait du mal à en comprendre le sens, comme si la jeune femme les avait prononcées dans le désordre.

— Je ne comprends pas, finit par souffler Lake. Qu'est-ce que la fille de Harry a à voir avec le docteur Keaton ?

Rory pencha la tête et baissa les yeux comme si elle regrettait cette confidence.

— Je vous en prie, Rory, la pressa Lake.

— Très bien, concéda l'assistante du médecin en relevant le menton. Sa fille a fait une sorte de stage pendant les vacances de Pâques. Elle s'appelle Allison. Je présume qu'elle est étudiante en biologie ou quelque chose dans le genre, et elle voulait travailler au labo – même si je ne vois pas très bien le genre d'aide qu'un étudiant en deuxième année de fac pourrait apporter à des laborantins. Enfin bon. Ça se passait à l'époque où le docteur Keaton est venu pour la première fois exercer à la clinique en qualité de consultant, et la fille s'est montrée très – très – aguicheuse à son égard. Il était visible que son attitude le rendait très mal à l'aise et, quand elle a vu qu'il ignorait ses avances, elle a pété un plomb. Elle a dit à son père que c'était le docteur Keaton qui l'avait draguée et Harry s'est mis très en colère contre Keaton.

Lake n'en croyait pas ses oreilles. Harry n'avait fait aucune allusion à cet épisode, lorsqu'ils avaient évoqué sa fille. Il aurait pu au moins lui mentionner qu'elle avait fait un stage à la clinique.

— Et comment a réagi le docteur Kline, lorsqu'il a appris que le docteur Keaton allait travailler à ses côtés, désormais ?

Rory baissa une nouvelle fois les yeux et prit une longue gorgée de tisane.

— Pas très bien, à ce que je sais, répondit-elle prudemment. J'ai l'impression que c'est la raison pour laquelle il n'était pas là, l'autre jour. Je crois bien que les autres l'ont mis devant le fait accompli.

Les pensées de Lake commencèrent à se bousculer. Une simple affaire de flirt lui semblait un mobile bien léger pour assassiner quelqu'un. Mais il était possible que Rory ne connaisse pas toute l'histoire. Et si Keaton s'était effectivement intéressé de près à la fille de Harry ? Et s'il l'avait séduite ? Il s'était révélé si charmeur que ça n'était pas très difficile à imaginer. Harry l'aurait alors tué dans un élan de rage. Cette version pouvait même expliquer pourquoi le psychologue s'était montré si soucieux des réactions de Lake : il devait se douter qu'elle était en compagnie de Keaton et qu'elle savait quelque chose qui pouvait l'incriminer. Peut-être était-ce également lui qui avait rasé Smokey et caché l'herbe à chat dans son sac. Mais alors, qui était l'homme qui l'avait forcée à sauter dans la rivière ? Cette affaire n'avait-elle aucun lien avec celle du vol d'embryons ?

Lake avala une petite gorgée de tisane pour tenter d'apaiser sa nervosité.

— En avez-vous parlé à la police ? demanda-t-elle brusquement à Rory.

— La *police* ? ! Vous ne croyez pas sérieusement que Harry ait pu tuer le docteur Keaton, n'est-ce pas ? sur la seule base des racontars de sa fille ?

Lake ne répondit pas. Elle essayait de donner un sens à toute cette histoire. Harry avait demandé à Rory ce qu'elle faisait ce week-end. Il savait donc qu'elle était seule chez elle. Il fallait qu'elle réussisse à convaincre l'assistante du médecin que la meilleure des choses à faire était de s'installer dans son appartement – au moins pour une nuit ou deux.

Un éclair déchira encore le ciel, suivi aussitôt d'un coup de tonnerre. Les lumières de la maison s'éteignirent, avant de se rallumer quelques secondes plus tard.

— Oh, mon Dieu, murmura Rory, s'il n'y a plus d'électricité, je meurs.

— Vous avez des lampes de poche, j'espère, s'inquiéta Lake dont les battements cardiaques s'étaient sensiblement accélérés.

Elle n'aimait déjà pas trop l'idée de se trouver ici. Sans électricité, ce serait bien pire.

— Quelque part… dit Rory en se levant pour fouiller dans différents tiroirs. Je ne les trouve pas. Mais je suis certaine d'avoir des bougies – probablement dans le salon.

Tandis qu'elle s'y précipitait, Lake posa le bout de ses doigts contre ses lèvres, songeuse. Elle n'aurait pas grande difficulté à persuader Rory de quitter cette maison, maintenant. Elle prit une dernière gorgée de tisane et déposa sa tasse dans l'évier. Au moment où elle se retournait, les abords de la maison s'illuminèrent, comme sous l'effet d'un stroboscope. Le tonnerre explosa juste au-dessus de la maison et la lumière vacilla une nouvelle fois. À l'extérieur, Lake entendait distinctement le martèlement d'une forte pluie sur le sol.

Rory revint précipitamment dans la cuisine avec une boîte en carton défoncée qui contenait deux bougies blanches. D'après leur état, elle avait dû les acheter des décennies auparavant.

— C'est tout ? Vous n'en avez pas d'autres ?

— Oui. Enfin, je veux dire, non, je n'en ai pas d'autres.

— Bon, j'ai une lampe de poche dans la voiture, dit Lake en fouillant dans son sac à main pour y dénicher ses clefs. Vous auriez un ciré à me prêter ?

— Oui, dit Rory en la suivant dans le hall d'entrée. Il y en a un accroché près de la porte.

— Ça ne me prendra pas plus d'une minute. Dès que je serai de retour, il faudra vraiment préparer vos affaires et partir d'ici.

— D'accord, murmura Rory en serrant ses bras autour de son gros ventre. Il est hors de question que je reste ici dans ces conditions.

Il n'y avait que deux manteaux suspendus au portemanteau dans l'entrée : une veste légère de femme et un ciré vert olive. Lake posa celui-ci sur sa tête et s'élança sous la pluie, ses clefs de voiture à la main.

De véritables trombes d'eau s'abattirent aussitôt sur elle. Tout en progressant sur le sol boueux, elle essaya de scruter les environs. Elle ne savait pas de quoi elle avait le plus peur : d'être agressée par quelqu'un ou foudroyée. Elle déverrouilla ses portières de voiture à distance, avant de s'engouffrer à l'intérieur du véhicule, et d'en refermer aussitôt les issues. Une fois en sécurité à l'intérieur, elle se mit à chercher la lampe de poche. Ses mains tremblaient quand elles ouvrirent la boîte à gants. Elle avait un horrible pressentiment.

La lampe était là où elle se souvenait de l'avoir laissée – juste à côté du manuel d'utilisation de la voiture. Mais lorsqu'elle voulut la faire fonctionner, elle constata que la pile était en fin de vie et que le faisceau lumineux qu'elle produisait se réduisait à un mince filet de lumière. Rory avait peut-être quelques piles chez elle.

Elle remit la capuche du ciré sur sa tête et sortit de sa voiture. Alors qu'elle titubait dans la boue, toutes les lumières de la maison s'éteignirent simultanément. Mais cette fois, elles ne se rallumèrent pas. Mince, pensa-t-elle.

— Rory, appela-t-elle en arrivant sous le porche désormais plongé dans l'obscurité et en pénétrant dans la maison. Vous auriez des piles électriques ?

Elle referma vivement la porte derrière elle et ôta ses chaussures maculées de boue.

— Rory, vous m'entendez ? essaya-t-elle encore, en cherchant à tâtons le portemanteau pour y suspendre le ciré. J'ai besoin de piles.

Pas de réponse.

Elle orienta le faible faisceau de lumière vers le salon et le laissa y danser quelques instants. Il n'éclairait que les premiers mètres de la pièce. Au-delà, tout était dans l'obscurité.

— Rory ! appela Lake encore une fois. Où êtes-vous ?

Peut-être ne peut-elle pas m'entendre depuis la cuisine, se dit Lake, qui commençait pourtant à penser que quelque chose ne tournait pas rond.

Tandis que l'angoisse montait en elle, elle avança tant bien que mal dans le salon pour atteindre la cuisine. Elle balaya la pièce de sa lampe : personne.

D'après ce qu'elle avait aperçu avant la coupure d'électricité, il n'y avait que deux grandes pièces au rez-de-chaussée : le salon et la cuisine. Au bout de celle-ci, une porte paraissait donner sur une sorte de remise. Lake s'en approcha en pointant le faisceau électrique devant elle. Il s'agissait plutôt d'un garde-manger, garni d'étagères débordant de conserves et d'aliments divers, avec une issue donnant sur l'extérieur. Rory aurait-elle quitté la maison dans un accès de panique ?

Il faut que je décampe d'ici, gémit-elle intérieurement. Mais il fallait d'abord qu'elle retrouve Rory. Elle revint sur ses pas. La lumière diffusée par la lampe électrique était de plus en plus faible et elle savait qu'elle ne tarderait pas à s'éteindre. Elle éclaira la table de la cuisine et y repéra le paquet contenant les bougies. Celui-ci avait été ouvert et l'une des chandelles manquait.

Ayant calé sa lampe contre son aisselle, Lake sortit la bougie restante, avant de se retourner vers la gazinière. À son grand soulagement, elle constata que celle-ci était munie d'un dispositif d'allumage automatique. Elle alluma donc l'un des brûleurs et plaça la bougie au-dessus de sa flamme. Soudain, elle entendit un bruit derrière elle. Elle pivota vivement et aperçut Rory, une chandelle allumée dans une main et une boîte d'allumettes dans l'autre.

— Rory ! Mais où étiez-vous donc ? s'écria Lake.

— Oh, je suis désolée. Je suis allée en haut. J'ai cru avoir entendu du bruit à l'étage.

— Quel *genre* de bruit ?

— Une sorte de claquement sourd. Ça m'a fait vraiment peur. En fait, ce n'était que les rideaux de la chambre. Ils battaient contre la cloison.

— Comment ça ? ! s'exclama Lake d'une voix angoissée.

— La fenêtre était entrouverte, alors le vent s'y engouffrait.

— Mais vous m'avez dit que vous aviez fermé toutes les issues, s'étonna Lake qui avait du mal à dissimuler son irritation.

— Je sais. Je croyais l'avoir fait. Mais je n'ai pas dû faire attention à celle-là parce que les rideaux étaient tirés.

— Et vous êtes bien certaine de l'avoir laissée ouverte vous-même ?

— Oui. De toute façon, maintenant elle est fermée et verrouillée.

— Bon, très bien, mais il faut que vous prépariez vos bagages, maintenant. De quoi avez-vous besoin, hormis quelques vêtements et vos affaires de toilette ?

— Je prends de l'Héparine pour ma grossesse. Il faut que j'en emporte.

Soudain, Lake se sentit submergée par la fatigue. Elle prit une profonde inspiration et essaya de rassembler ses forces.

— Vous allez avoir du mal à faire votre sac à la lumière d'une simple bougie. Vous n'auriez pas des piles électriques ?

— Je n'en suis pas sûre. Mais je me souviens maintenant de l'endroit où mon mari entrepose nos lampes de poche. C'est à la cave, annonça Rory en indiquant du menton une porte en bois près de la cuisine, qui menait manifestement au sous-sol. Il s'est aménagé un atelier en bas et il garde tout un tas de lampes de poche dans un tiroir de son établi.

— Parfait. Asseyez-vous un peu. Je vais aller chercher les lampes et, ensuite, je vous aiderai à faire vos bagages. On devrait pouvoir s'en aller d'ici dix minutes.

— D'accord, dit Rory qui pourtant ne semblait pas vouloir bouger du centre de la cuisine et regardait Lake avec de grands yeux.

— Qu'y a-t-il ?

— Vous allez bien ? s'inquiéta l'assistante du médecin. Tout d'un coup, vous avez l'air un peu bizarre.

Le visage de Rory traduisait, de fait, une certaine inquiétude, amplifiée par la faible lueur des bougies qui dansaient sur sa peau pâle.

— C'est… c'est juste un peu de fatigue. Et puis, je ne veux pas que l'on s'attarde dans cette maison.

— Moi non plus, avoua Rory.

Lake traversa la cuisine en direction de la porte de la cave. Instinctivement, elle chercha l'interrupteur à tâtons. Idiote, se dit-elle. Elle baissa les yeux vers la cave. Malgré sa chandelle, celle-ci ressemblait à un gouffre obscur et sans fond. Bon, au moins, il y avait une rampe à laquelle elle pourrait s'accrocher. Elle y posa donc la main et commença à descendre maladroitement les marches de bois.

En arrivant en bas, elle constata que le sous-sol était divisé en deux par l'escalier. Sur sa droite, il y avait une machine à laver et un sèche-linge disposés contre la paroi, ainsi qu'un énorme congélateur semblable à un immense coffre. À l'opposé, elle aperçut l'atelier dont avait parlé Rory avec son établi et quelques outils fixés sur un panneau de bois, juste au-dessus. Il ne me reste plus qu'à trouver les lampes de poche et à remonter, s'encouragea Lake.

Elle avança sur le sol en ciment jusqu'aux tiroirs de l'établi. Son bras était curieusement sans force et le meuble refusa de s'ouvrir. Elle tira sur sa poignée un peu plus vigoureusement et le tiroir céda, mais il ne contenait que quelques clous épars. Elle essaya donc l'autre et y trouva deux lampes de poche côte à côte. Elles ressemblaient aux grosses torches de sécurité que les flics avaient l'habitude d'utiliser.

Elle en prit une et tenta de l'allumer. Constatant avec un immense soulagement qu'elle fonctionnait, elle éteignit sa bougie et s'empara de l'autre lampe. Et maintenant, tire-toi d'ici, se commanda-t-elle. Alors qu'elle se retournait pour regagner la sortie, un bruit sourd résonna juste au-dessus de sa tête, la faisant sursauter. Quelque chose venait de tomber lourdement sur le sol de la cuisine. Était-ce Rory qui aurait trébuché ? Quelqu'un s'était-il glissé dans la maison ? S'agissait-il de Harry ? ou de l'homme de Brooklyn ? Il fallait qu'elle se dépêche de remonter pour venir en aide à Rory.

Alors qu'elle se précipitait, terrifiée, vers les escaliers, l'obscurité la désorienta et elle fut prise de vertige. Elle leva un pied pour aborder la première marche, mais celui-ci ne rencontra que le vide et elle tituba avant de s'écrouler. Dans sa chute, les deux lampes de poches lui échappèrent. Elle entendit l'une d'elles rouler sur le sol, vers la gauche, tandis que l'autre – celle qu'elle avait allumée – avait volé à quelques mètres, son faisceau formant comme une frontière virtuelle sur le sol de ciment. Paniquée, elle rampa vers elle tant bien que mal. Pourvu qu'elle ne s'éteigne pas ! pria-t-elle.

Arrivée à proximité de la lampe, elle étendit le bras pour s'en saisir. Elle sentit alors une douleur fulgurante exploser dans son crâne. La seconde d'après, elle gisait inconsciente dans la cave.

La douleur la réveilla, la contraignant à ouvrir les yeux. Elle se trouvait dans une totale obscurité avec un épouvantable mal de tête, comme si quelqu'un venait de lui assener un violent coup de chaise sur la nuque. Il y avait aussi ce curieux goût, dans sa bouche : un goût métallique. Présumant qu'elle avait dû se mordre l'intérieur de la joue, elle essaya de découvrir où se situait la plaie du bout de la langue, mais celle-ci refusa de bouger, comme engourdie.

Où suis-je ? se demanda-t-elle. La panique commença à poindre et le rythme de son cœur s'accorda aux saccades douloureuses qui lui fendaient le crâne. Elle essaya de faire un mouvement, mais elle était paralysée.

Elle se força à inspirer profondément. Il s'agit d'un cauchemar se dit-elle, un cauchemar qui me donne l'impression d'être éveillée. Mais je dors et je vais me réveiller. Sans cesser de se concentrer sur sa respiration, elle perçut une odeur de renfermé, comparable à celle dégagée par des vêtements humides, presque moisis. Non, tout cela n'était pas un rêve. Elle tenta encore de se déplacer. Son bras ne répondit pas, mais elle parvint à tourner un peu la tête.

Un bruit s'insinua dans l'obscurité. Un grondement sourd et lancinant qu'elle ne put identifier. Son cœur se mit à battre un peu plus vite. Il s'agit d'un moteur, finit-elle par deviner.

Enfin, elle comprit où elle se trouvait. Mais pourquoi ? Était-elle tombée ? À moins que quelqu'un l'ait *assommée* ? Ses pensées étaient si confuses qu'elles allaient et venaient comme les longues herbes d'un lac, ballottées par le courant. Elle en saisit une et s'employa à progresser, pas à pas, à partir de ce début de raisonnement. Son dernier souvenir était d'avoir cherché à atteindre la lampe de poche. Mais celle-ci avait dû s'éteindre, manifestement. Depuis combien de temps était-elle ici et pourquoi était-elle seule ? Soudain, tout lui revint en bloc. Face à l'angoissante vérité, elle éclata en sanglots.

Il fallait qu'elle s'en aille. Elle se dit que le grondement qu'elle entendait encore provenait du congélateur qu'elle avait aperçu un peu plus tôt. Cela signifiait donc que l'électricité fonctionnait à nouveau. Il fallait qu'elle s'en aille. Elle s'obligea à bouger la tête à plusieurs reprises et ordonna au reste de ses membres de se mettre en branle. Ses jambes étaient de plomb, comme deux barils métalliques remplis à ras bord, mais elle réussit à lever le bras droit. Elle agita la main, l'ouvrant et la refermant plusieurs fois.

À cet instant, elle entendit un autre bruit à l'étage supérieur. Des pas. Puis une porte qui s'ouvrait. La terreur se répandit dans tout son corps, comme un liquide brûlant.

Cette fois, le meurtrier venait pour elle.

Lake fit une nouvelle tentative désespérée pour bouger. Elle parvint à ramener sa main sur son visage, mais ce fut tout. Soudain, l'ampoule électrique fixée au plafond s'alluma. La lumière décupla son mal de crâne, mais elle s'obligea à garder les yeux ouverts. Elle vit qu'elle était étendue juste à gauche de l'escalier. En soulevant péniblement sa tête endolorie, elle aperçut Rory qui descendait les marches.

— Rory, appela-t-elle faiblement, alors que sa tête retombait sur le ciment. J'ai dû m'évanouir.

— Je n'en doute pas une seconde, répliqua la jeune femme en s'approchant de Lake et en lui souriant.

— Quoi ? demanda Lake d'une voix pâteuse.

— Je sais bien que vous vous êtes évanouie. J'ai mis quelque chose dans votre tisane à cet effet.

Une brusque nausée monta dans la gorge de Lake.

— Je suis très en colère contre vous, Lake, poursuivit-elle. Pour être franche, je suis même folle de rage. Mais je suis bien trop professionnelle pour le laisser paraître.

— Qu'est-ce… que j'ai fait ? murmura Lake.

— Qu'est-ce que vous avez *fait* ? ! Mais je crois que vous le savez parfaitement, Lake. Vous êtes la cause de la mort de Mark Keaton.

Reste calme, s'ordonna Lake. Efforce-toi de poursuivre cette discussion.

— C'est faux, répondit-elle. Je… je n'ai rien à voir là-dedans. Je le connaissais à peine.

— Mais vous le connaissiez suffisamment bien pour coucher avec lui, répliqua Rory. Je lui avais pourtant parlé de notre bébé, ce jour-là. Ça lui a fait un choc, mais j'étais certaine qu'il en serait très, très heureux, en fin de compte. Il suffisait juste que nous puissions en parler au calme, pour nous organiser. Mais dès que j'ai entendu sa voix au téléphone, j'ai su qu'il attendait quelqu'un. Je n'avais pas d'autre choix que de me rendre chez lui. Bien entendu, j'avais été assez fine pour faire une copie de ses clefs. Et si vous pensez que la police va découvrir que c'est moi la coupable parce que mon appel a été enregistré, ne vous faites pas trop d'illusion. J'ai bien pris soin de les informer que j'avais effectivement contacté le docteur Keaton, ce soir-là. Je leur ai expliqué qu'il m'avait demandé de l'appeler au sujet de l'état d'un patient. Mais, comme vous le savez parfaitement, Lake, ce soir-là, il n'avait pas trop la tête à ce genre de préoccupations. Quand je suis entrée dans la chambre, j'ai été prise de dégoût. L'odeur dans la pièce m'a immédiatement confirmé qu'il avait bien couché avec quelqu'un. Et j'aurais parié que c'était avec vous.

Il faut que je fasse quelque chose, se dit Lake, désespérément. Elle souleva légèrement la tête, juste pour déterminer si elle en était capable.

— Rory, je…

— Chhhh, Lake. Je ne suis pas du genre à me laisser aisément berner. Je vous avais vue flirter éhontément avec lui, la semaine précédente. Une nuit, j'ai même bien cru que vous aviez réussi à l'attirer jusque chez *vous*. Les femmes sont de telles prédatrices – jamais elles ne laissent des hommes comme Mark en paix.

— Mais…

— Comment osez-vous nier ? ! Je connais bien les femmes de votre espèce. J'ai su que j'avais vu juste quand j'ai surpris votre mine pétrifiée, le jour où la police est venue à la clinique. J'ai d'ailleurs mentionné aux inspecteurs combien vous aviez l'air d'être bouleversée et j'ai bien noté qu'ils vous soupçonnaient aussi de quelque chose de louche. À ce stade, il fallait simplement que je vous démasque et que j'évalue votre réaction.

— Est-ce… est-ce vous qui avez rasé Smokey ? demanda Lake qui cherchait à gagner du temps, pour réfléchir.

— C'est donc ainsi que vous appelez cette horrible bestiole ? Vous n'en avez jamais parlé à qui que ce soit. C'est à cette époque que j'ai compris que vous aviez quelque chose à cacher.

— Je…

— Ah, fermez-la, hein ! Ne voyez-vous pas ce que vous avez fait ? À cause de vous, Mark ne connaîtra jamais son enfant.

— Mais pourquoi l'avoir tué ?

— Vous l'aviez manifestement monté contre moi. Il ne voulait plus entendre parler ni de moi ni du bébé. Et je serais restée toute seule dans cette maison, avec notre fils, pendant qu'il aurait continué à vous baiser en ville !

— Rory, je suis effectivement allée chez le docteur Keaton, mais c'était simplement pour lui parler, dit Lake.

Ses propres paroles lui parurent sonner faux, mais il ne lui restait plus guère que le mensonge pour s'en sortir.

— C'était à propos de la clinique. Il avait été en contact avec l'une des femmes… l'une des patientes à laquelle on a donné les embryons d'une autre. Il faut que vous m'aidiez à révéler les agissements de la clinique. Ce qui s'y passe est mal. Personne n'a besoin de savoir ce qui est arrivé au docteur Keaton.

Rory se contenta de fixer Lake d'un visage impassible. Impossible de savoir ce qui se tramait derrière ce regard vide. Réfléchissait-elle à la proposition de Lake ?

— Menteuse ! finit par cracher l'assistante du médecin.

Et, avant que sa victime ait pu l'anticiper, elle lui lança un violent coup de pied dans la tempe. Elle était chaussée de fines ballerines, mais le choc terrassa Lake, renvoyant sa tête heurter le sol de ciment.

Malgré elle, Lake poussa un gémissement. Il devenait évident que Rory allait la tuer. Il fallait qu'elle trouve le moyen de sortir de cette cave.

Elle sentit que ses bras et ses jambes avaient recouvré quelques forces – probablement parce qu'elle n'avait qu'à peine touché à sa tisane – mais elle devait faire en sorte que l'assistante du médecin n'en sache rien. Il fallait qu'elle se montre plus maligne qu'elle. Instinctivement, les yeux de Lake se portèrent vers la main libre de Rory, celle qu'elle avait laissé retomber le long de sa cuisse, dans la pénombre. S'apprêtait-elle à la poignarder, comme elle l'avait fait avec Keaton ?

— Non, je n'ai pas de couteau, Lake, s'esclaffa Rory qui avait suivi le mouvement des yeux de sa proie. Je ne peux pas me permettre un bain de sang dans ma propre cave. Et je peux vous dire que le sang se nettoie très mal sur du ciment, croyez-moi.

Et en un éclair elle fondit sur elle, s'agrippant au tee-shirt de coton que portait Lake. Elle en entortilla le tissu autour de son poignet, avant de se mettre à traîner sa victime sur le sol. Elle était forte, plus que Lake l'aurait imaginé. Mais où peut-elle bien m'emmener, se demanda Lake, désormais complètement paniquée. Elle décida de ne faire aucun mouvement, simulant toujours la paralysie, mais elle chercha des yeux où pouvait se diriger l'assistante du médecin. Et puis, soudain, elle comprit : Rory l'entraînait vers le congélateur.

29

Elle va m'enfermer là-dedans, se dit Lake. Elle y mourrait de froid et d'étouffement et personne ne saurait jamais ce qui lui était arrivé. Ses enfants passeraient le restant de leur vie, hantés par sa disparition.

Dans sa panique, elle faillit se débattre et résister, mais elle réussit à lutter contre son instinct. Il fallait que Rory continue à croire qu'elle était sans force et incapable de se défendre. Ses yeux balayèrent le sous-sol dans l'espoir d'y trouver un objet quelconque dont elle pourrait frapper l'assistante du médecin. Malheureusement, elle ne vit rien qui pût lui servir d'arme.

Elles atteignirent le congélateur et Rory la laissa retomber sur le sol de ciment, afin de pouvoir soulever le couvercle de l'immense coffre. Lake sentit un hurlement se former dans sa gorge, une sorte de cri primal et désespéré qu'elle parvint à réprimer. Elle tenta de remuer le pied. Ses muscles étaient atones, mais, au moins, ils répondaient.

Rory se retourna pour saisir sa victime sous les aisselles. Elle la souleva et hissa son torse jusqu'au rebord du congélateur. Le courant d'air glacial percuta Lake qui avança instinctivement le bras pour éviter de plonger dans la machine. Ses mains rencontrèrent une surface dure et froide – sans doute des paquets de nourriture congelée. De sa main droite, elle en empoigna un. Il était glissant et ses arêtes étaient saillantes, mais elle raffermit sa prise. Alors que Rory tentait de faire passer sa jambe droite par-dessus le bord du congélateur, elle pivota subitement et écrasa son arme de fortune contre le visage de son assaillante.

Sous le choc, Rory recula de quelques pas. Malgré sa faiblesse, Lake se redressa et chancela jusqu'à elle pour lui assener un nouveau coup. Cette fois, l'assistante du médecin tituba jusqu'au mur de la cave, avant de s'effondrer sur les genoux, les deux mains sur son ventre. Lake en profita pour se traîner jusqu'à l'escalier et, s'aidant de ses deux mains, rampa vers le rez-de-chaussée. La porte de la cuisine était ouverte. Oh ! faites qu'elle soit munie d'un verrou ! pria Lake. En contrebas, elle entendit que Rory s'était mise à râler de colère. Quand elle atteignit le haut des marches, elle s'effondra sur le sol de la cuisine, désormais éclairée, et claqua la porte de la cave derrière elle. Il y avait effectivement un verrou qu'elle enclencha aussitôt.

À son immense soulagement, elle constata que son sac à main était toujours sur la table. Elle en passa la bandoulière autour de son cou et traversa le salon en titubant. Tout en progressant vers la porte de la maison, elle commença par chercher ses clefs, puis, son BlackBerry. Un bruit sourd et lugubre résonna dans la maison. C'était Rory qui s'était mise à tambouriner contre la porte de la cave.

Lake composa le numéro d'urgence de la police. L'opératrice répondit après deux sonneries.

— Quelqu'un cherche à me tuer, s'écria-t-elle.

— Veuillez m'indiquer où vous vous trouvez, s'il vous plaît.

— Euh… Red Fox Road, au numéro 271, je crois.

— Êtes-vous en danger imminent ?

Lake ouvrit la porte de la maison de sa main libre. Il pleuvait toujours, une averse drue qui rebondissait sur le sol.

— Oui, mais je l'ai enfermée dans la cave.

— Je viens de vous envoyer une patrouille. Veuillez rester en ligne jusqu'à l'arrivée de la police.

— Je ne peux pas. Il faut que j'aille dans ma voiture.

Elle remit son BlackBerry dans son sac et se dirigea d'un pas incertain vers son véhicule qu'elle avait laissé dans l'allée. Elle descendit les marches du porche et longea la maison. Quand elle déverrouilla ses portières de voiture à distance, les phares de celle-ci s'allumèrent aussitôt, en l'éblouissant. Elle avança jusqu'à son véhicule d'un pas chancelant, sur le terrain boueux.

Mais toute l'adrénaline qu'elle avait réussi à rassembler pour sauver sa peau dans le sous-sol était désormais épuisée. Elle se sentait à nouveau sans force et la tête lui tournait. La boue qui collait à ses chaussures n'arrangeait rien, lui donnant l'impression de courir dans un ruisseau, avec de l'eau jusqu'à mi-cuisse. À mi-chemin, elle dut s'arrêter pour reprendre son souffle.

Un bruit la fit sursauter. On aurait dit un éclat de tonnerre. Elle pivota pour tenter de distinguer d'où il pouvait provenir, à travers le rideau de pluie. Une faible lueur émanait de l'arrière de la maison, au niveau de ses fondations. Elle réalisa soudain, dans un sursaut de terreur, que la porte extérieure de la cave venait de s'ouvrir. C'est alors qu'elle aperçut Rory. Celle-ci s'élançait vers elle, une main brandit au-dessus de la tête empoignant fermement quelque chose. Une pelle… Ou plutôt une bêche, avec des angles effilés.

Lake fit volte-face et s'efforça de courir. Sa voiture n'était plus très éloignée, mais elle percevait derrière elle le halètement de son assaillante qui se précisait, ainsi que le bruit de succion que produisaient ses chaussures dans la boue. Lake avait presque atteint son véhicule. Presque… C'est alors que le coup la percuta. Elle entendit le choc avant de le sentir résonner dans son crâne. Puis, une douleur fulgurante lui fendit la tête en deux.

Lake trébucha en avant. Elle tenta de se rattraper, mais le choc lui avait coupé la respiration et elle finit par s'effondrer, les deux genoux dans la boue. Sa main n'avait pas lâché ses clefs de contact, toujours fermement enserrées par son poing. Rory leva une nouvelle fois sa pelle, prête à assener le coup de grâce. Mais alors qu'elle l'abattait vers la tête de sa victime, celle-ci s'écarta vers la droite. L'arme manqua son crâne de quelques centimètres, mais le métal de la bêche heurta violemment son bras, lui arrachant un cri de douleur.

Lake se mit à quatre pattes dans la boue pour essayer de se relever. Alors que Rory amorçait un nouvel assaut, Lake lui décocha un coup de poing désespéré au menton. L'assistante du médecin se plia en deux, abaissant ainsi la bêche, pour porter instinctivement une main à son visage. Lake se redressa tant bien que mal. Ses vêtements, désormais complètement trempés, l'embarrassaient.

De toutes ses dernières forces, elle chargea Rory qui s'effondra sur le sol. Sous le choc, celle-ci lâcha sa pelle. Lake s'en saisit et la balança dans le jardin, aussi loin qu'elle put. Rory poussa un hurlement de rage.

C'était sa dernière chance. Lake tituba jusqu'à sa voiture, en ouvrit la portière et s'engouffra dans l'habitacle. De ses doigts rendus glissants par la pluie, elle tâtonna jusqu'à trouver la commande du système de verrouillage et l'enclencha. Au même instant, Rory se jeta contre le véhicule avant de s'arc-bouter sur la poignée. Constatant qu'elle refusait de s'ouvrir, elle se mit à tambouriner violemment contre la vitre.

Ne regarde pas, démarre, c'est tout, s'ordonna Lake. Sa main droite tremblait et elle dut la contrôler de son autre main pour parvenir à introduire la clef de contact dans la serrure. Rory continuait à cogner sur la vitre, avec une telle violence que Lake craignait qu'elle vole en éclats. Elle démarra le moteur et enclencha la marche arrière. Tout en reculant, elle vit Rory dans ses phares, dégoulinante de pluie, la bouche tordue dans une grimace de fureur. Soudain, celle-ci pivota et s'élança dans la nuit.

Lake continua à reculer dans l'allée. Dans l'obscurité et avec cette pluie torrentielle, elle ne distinguait pas grand-chose dans son rétroviseur. Je ne vais pas y arriver, gémit-elle, désespérée. Elle essayait de se concentrer, mais elle était encore étourdie du coup qu'elle avait reçu et sa tête la lançait horriblement. Elle finit par tourner le volant vers la gauche et son pare-chocs arrière vint heurter un poteau ou un caillou qui bordait l'allée.

Tourne, s'ordonna-t-elle. C'était la seule manière dont elle pourrait se sortir de là. Dans ses phares, elle distingua de la pelouse à droite du chemin et jugea que le passage était suffisamment large pour lui permettre d'exécuter son virage. Elle enclencha la première, appuya sur la pédale d'accélérateur et s'orienta vers la droite. Puis elle remit le levier de vitesse en position marche arrière et braqua afin d'orienter sa voiture vers la sortie. Elle appuya sur l'accélérateur, mais les roues ne progressèrent pas d'un centimètre. Je dois m'être embourbée, réalisa-t-elle en freinant brusquement. Elle fit encore ronfler son moteur, mais les roues tournaient dans le vide, projetant de la boue dans le faisceau des phares.

Lake haletait presque. Elle s'obligea à respirer par le nez, afin de se calmer et d'être capable de réfléchir. Tout en tournant légèrement le volant, elle remit les gaz. Cette fois, la voiture recula d'un coup et elle la positionna de manière à faire face au portail. Avec un soupir de soulagement, elle enclencha la marche avant et le véhicule s'engagea dans l'allée. Elle jeta un coup d'œil à son rétroviseur : aucun signe de Rory.

Quand elle atteignit enfin la route, elle prit à droite. Elle n'avait aucune idée de l'endroit où cela allait la mener, mais elle se souvenait qu'elle était arrivée par là. Elle n'osa pas toucher à son GPS. Elle roulerait jusqu'à la ville la plus proche. Et puis ? Elle avait appelé la police et il faudrait qu'elle les tienne au courant. Mais qu'allait-elle leur dire ? Les flics étaient en route pour la maison et ils allaient parler à Rory. Bien sûr, celle-ci nierait tout en bloc et leur dirait que Lake se trouvait avec Keaton ce soir-là. Elle leur affirmerait même que c'était Lake qui avait tué le docteur. Alors, ils auraient un motif pour exiger un échantillon de son ADN.

La route était dangereusement étroite et la pluie, encore plus intense, tambourinait contre ses portières sous les bourrasques du vent. Elle se sentait encore un peu faible et cotonneuse. Ça va aller, s'encouragea-t-elle, contente-toi de rouler prudemment. Instinctivement, elle jeta un coup d'œil à son rétroviseur. Deux lumières blanches perçaient la nuit. S'agissait-il de Rory ?

Accrochée à son volant, elle appuya sur son accélérateur, au risque de quitter la route. Les lumières derrière elle se rapprochaient, comme deux créatures démoniaques lancées à sa poursuite. Soudain, elles disparurent, comme si elles s'étaient fait happer par la nuit. C'est alors que Lake entendit le mugissement d'un moteur. Une voiture arrivait en face d'elle, sur l'autre voie. Rory allait se lancer contre son pare-chocs, pensa-t-elle avec horreur.

Cette réflexion venait à peine de se former dans son esprit qu'elle ressentit un violent coup de boutoir contre sa porte arrière gauche. Comme sa voiture dérapait, la tête de Lake vint heurter le volant, avant d'être renvoyée brutalement vers son siège. La route formait un virage un peu plus loin et il était impossible de voir ce qui l'attendait au-delà. Se fiant à son instinct, elle appuya légèrement sur la pédale de frein pour rétablir son véhicule.

La seconde suivante, Lake entendit un puissant craquement, comme si la foudre venait de fendre le tronc d'un arbre, suivi du bruit caractéristique de vitres qui explosaient. La voiture de Rory venait d'emboutir quelque chose.

Lake retira doucement son pied du frein en se demandant ce qu'elle devait faire. Alors qu'elle négociait la fin du virage, elle aperçut des lumières rouges clignotantes. Devant elle, une voiture de police surmontée d'un gyrophare venait de s'arrêter au croisement et s'apprêtait à tourner dans sa direction. Elle n'avait donc plus le choix : il fallait qu'elle s'arrête.

Elle ralentit et actionna son avertisseur suffisamment longtemps pour attirer leur attention. Le véhicule de police s'immobilisa à sa hauteur. Sur la carrosserie, elle pouvait lire « Police de Bedford Hills ». Elle abaissa sa vitre tandis que les policiers faisaient de même. Mais en fait, il n'y avait qu'un seul officier dans la voiture, en uniforme bleu foncé. Il devait avoir une trentaine d'années, avec un visage rond et de gros sourcils sombres.

— Quel est le problème, madame ? lui demanda-t-il.

— Êtes-vous venu à la suite de l'appel ? L'appel au numéro d'urgence de la police ?

Elle avait du mal à articuler.

— Vous en êtes l'auteur ?

— Oui… une femme cherche à me tuer. Elle… elle est juste derrière nous. Elle a voulu me foncer dedans et je crois qu'elle a heurté quelque chose.

Le regard du policier se porta aussitôt sur la route, devant lui, et, dans la seconde, il saisit sa radio.

— J'appelle des renforts, annonça-t-il. Au croisement de High Ridge et Red Fox Road.

Puis il se retourna vers Lake, le visage sévère.

— Madame, je vais vous demander de vous garer sur le bas-côté et de mettre vos feux de détresse. Ne sortez pas de votre véhicule. Je reviens vous voir d'ici très peu de temps.

Elle obtempéra. Une fois qu'elle eut coupé le moteur, elle se retourna sur son siège, mais, depuis l'endroit où elle se trouvait, elle ne pouvait voir que les feux de signalisation de la voiture de police. Lake baissa les yeux. Ses vêtements étaient couverts de boue et elle savait que son visage devait l'être également. Elle devait avoir une apparence effrayante – celle d'une folle échappée d'un asile. Et, forcément, sa parole serait confrontée à celle d'une femme enceinte de cinq mois. Dans ces conditions, comment quelqu'un la croirait-il ?

À l'intérieur de la boîte à gants, elle trouva quelques mouchoirs en papier qu'elle utilisa pour se nettoyer le visage du mieux qu'elle put. Juste au-dessus de son œil, elle sentit une grosse bosse, conséquence du coup qu'elle avait reçu. Mais l'œuf de pigeon qui avait éclos sur sa nuque était bien pire. Elle se passa les mains dans les cheveux et identifia aussi une plaie suintante. Ces blessures ne prouveraient-elles pas qu'elle s'était effectivement fait agresser ? Évidemment, Rory prétendrait qu'elle n'avait fait que se défendre.

Lake fouilla dans son sac à main maculé de boue pour y dénicher son BlackBerry. Par miracle, il avait échappé à l'inondation. Il fallait qu'elle appelle Archer – et qu'elle engage un avocat. Il serait trop risqué de gérer la situation toute seule.

À son grand désespoir, son appel fut dirigé vers la messagerie du journaliste.

— Kit, je suis dans de très sales draps. Je… Rory a essayé de me tuer. C'est elle qui a assassiné Keaton. Je me trouve en ce moment à Bedford Hills, au nord de Manhattan. Rappelez-moi dès que vous le pourrez, s'il vous plaît.

Ensuite, elle essaya Hotchkiss, sachant pertinemment qu'elle n'obtiendrait que sa boîte vocale, mais espérant que celle-ci mentionnerait un numéro à utiliser en cas d'urgence. Bien qu'elle doutât qu'il accepte de la représenter pour ce genre d'affaire, elle se disait qu'il pourrait éventuellement lui recommander un confrère. Pas de chance. Elle avait bien quelques amis avocats, mais elle n'était pas très sûre de pouvoir les appeler pour ce type de requête. Ils me prendront pour une folle quand je leur décrirai la situation, gémit-elle.

Enfin, son BlackBerry sonna. Elle constata, à son grand soulagement, qu'il s'agissait d'Archer.

— Dites-moi que vous allez bien, s'écria-t-il, dès qu'elle eut décroché.

— Physiquement, oui. J'ai juste quelques égratignures. Et je suis un peu sonnée. Elle a mis quelque chose dans ma tisane pour m'endormir. Mais ce n'est pas le problème. Rory est complètement folle et elle va sans doute essayer de faire croire que c'est moi qui l'ai attaquée.

— Où vous trouvez-vous ? Je veux dire, où, dans Bedford Hills ?

— Je suis sur le bas-côté de la route, dans ma voiture. Un flic est là. Enfin, il est un peu plus loin. Rory a tenté de me faire quitter la route et elle a heurté un arbre avec sa voiture. Il est possible qu'elle soit blessée, mais je n'en suis pas certaine.

— Et vous dites que c'est Rory qui a assassiné le toubib ? Ils avaient une liaison ?

— Apparemment. Selon elle, Keaton est le père du bébé qu'elle porte. Oh, je vous avais dit qu'elle était enceinte ? Mais elle est tellement dingue ! Qui sait si elle dit la vérité ? Il faut que je trouve rapidement un avocat. En connaîtriez-vous un ?

Ses yeux furent attirés par un point lumineux un peu plus loin sur la route et, malgré le tambourinement de la pluie sur la carrosserie de sa voiture, elle perçut la longue plainte d'une sirène.

— Oh, mon Dieu. Une ambulance arrive, dit-elle en plissant les yeux pour tenter d'apercevoir quelque chose à travers son pare-brise. Elle doit être blessée.

— Je connais plusieurs avocats experts en droit pénal. Je vais voir si je peux vous en dénicher un dès ce soir.

— Merci. Merci beaucoup.

— Vous avez une idée de l'endroit où ils vont vous emmener ?

— Un commissariat, j'imagine.

— D'accord. Rappelez-moi dès que vous saurez dans lequel vous êtes. Et dites aux flics que vous voulez aller dans un hôpital le plus tôt possible, pour déterminer le genre de drogue qu'elle vous a fait ingurgiter. Vous en aurez besoin comme preuve. Et puis, cela vous fera gagner un peu de temps, pendant que j'arrive avec un avocat.

— Vous comptez venir aussi ?

— Oui, je vais me mettre en route dès que possible. Appelez-moi dès que vous en savez plus sur l'endroit où ils vont vous emmener.

Alors qu'elle raccrochait, l'ambulance la dépassa en fendant le rideau de pluie. Elle ralentit et aborda le virage avec prudence, pour s'immobiliser juste après le tournant. Mais depuis sa voiture, Lake ne voyait que la lumière des gyrophares à travers le feuillage des arbres.

Elle ne savait pas combien de temps elle devrait rester là. Ils finiraient nécessairement par lui envoyer quelqu'un pour le lui dire. Elle s'efforça de réfléchir à sa situation. Que devait-elle révéler à la police ? Qu'elle s'était rendue chez Rory pour examiner les dossiers. Ceux-ci pourraient aussi lui servir de preuve et Archer pourrait confirmer ses accusations contre la clinique. Par ailleurs, la blessure qu'elle portait à la tête étayerait sa version de l'agression. Mais si elle leur disait que Rory avait tenté de la tuer parce que celle-ci croyait qu'elle sortait avec Keaton, ça risquait de suffire aux flics de New York pour exiger un prélèvement de son ADN. Alors, ils auraient la preuve qu'elle se trouvait dans le lit du docteur. Elle voyait déjà l'expression satisfaite de Hull quand il apprendrait la nouvelle. Et peut-être aussi celle de Jack. Puis, elle imagina Amy et Will. Je ne veux pas les perdre, gémit-elle intérieurement.

Il fallait qu'elle trouve une solution, une histoire qui pourrait tout expliquer. Mais Rory ne manquerait pas de faire valoir sa propre version des faits. Elle dirait que, quand elles avaient examiné les dossiers, elle avait soudain compris que Lake avait couché avec Keaton, avant de le tuer. Elle prétendrait qu'elle avait drogué la tisane de Lake afin de pouvoir s'enfuir, mais que sa visiteuse avait découvert son stratagème et tenté de la réduire au silence. Elle l'avait alors suivie en voiture pour voir où Lake allait, avant de se raviser.

Il faut que je trouve le moyen de contrer tout ce que Rory pourra dire, songea-t-elle. Mais *comment* ? Et avec *quoi* ? Se rendant compte qu'elle s'était perdue dans ses pensées, elle redressa vivement la tête. La pluie venait de cesser, aussi brutalement qu'elle était apparue. Elle tordit le cou pour tenter d'apercevoir quelque chose, et constata qu'il y avait désormais encore plus de lumières clignotantes. Des renforts avaient dû arriver par l'autre côté de la route. Une voiture de police était en train de se diriger vers elle.

À l'intérieur, elle reconnut l'officier de police qui lui avait parlé un peu plus tôt. Il arrêta son véhicule et en sortit pour s'approcher du sien.

— Madame, pourriez-vous sortir de votre voiture, s'il vous plaît ?

Bien que sa voix fût calme et égale, elle y perçut une note de défiance. Elle ouvrit sa portière et descendit de voiture dans l'air humide.

— Quel est votre nom, je vous prie ? lui demanda-t-il.

Dans la pénombre, ses gros sourcils noirs ressemblaient à deux chenilles assoupies sur son front.

— Lake Warren.

— Madame Warren, je suis l'officier Clinton. Nous allons devoir vous demander de nous suivre jusqu'à nos bureaux pour y répondre à quelques questions.

— Je… Il faut d'abord que j'aille dans un hôpital. La femme, là-bas – Rory Deever –, elle m'a droguée. Et elle a cherché à m'assommer avec une pelle.

Jusqu'alors, il s'était contenté de la regarder avec un regard impassible, mais lorsqu'elle détourna la tête afin qu'il pût constater sa blessure, il recula de surprise. Il se retourna alors pour parler dans son talkie-walkie.

— Venez avec moi, s'il vous plaît, dit-il en la regardant de nouveau. Veuillez verrouiller votre véhicule auparavant.

Intérieurement, elle se répéta de ne pas agir de façon défensive en présence du policier. C'était elle, la victime, pas la criminelle, et il allait falloir qu'elle l'en convainque.

— Pas de problème, obéit-elle. La femme qui m'a attaquée… est-ce qu'elle a heurté un arbre ?

— Je n'ai pas le droit de vous répondre pour le moment.

Il ouvrit la portière arrière de son véhicule et elle y monta. Elle faillit vomir en sentant l'odeur de transpiration et de friture qui émanait de la banquette. Elle espérait qu'ils passeraient à proximité de l'accident, mais le policier fit demi-tour et s'orienta vers la direction opposée. Le trajet ne dura qu'une vingtaine de minutes et, durant tout le chemin, elle sentit son angoisse se développer, comme un hématome à la suite d'un coup. Les examens et les tests qu'elle devrait subir lui feraient gagner un peu de temps, mais il faudrait bien qu'elle finisse par répondre aux questions de la police. Elle pria pour qu'Archer lui ait trouvé un avocat.

Le policier l'emmena à l'hôpital du Quartier nord de Weschester, un immense complexe médical doté d'un service d'urgence puissamment éclairé. Plusieurs personnes patientaient dans la salle d'attente. Celles-ci avaient sans doute déjà fort à faire avec leurs entorses ou leurs palpitations cardiaques, mais toutes les mâchoires se décrochèrent à la vue de Lake et de son escorte policière. Appuyée sur le bras du policier, Lake expliqua à l'infirmière chargée d'accueillir les patients qu'elle avait été droguée, avant de lui montrer la bosse qui enflait sa nuque. Au lieu de devoir patienter sous les regards ébahis des malades, elle fut immédiatement dirigée vers une petite salle d'examen. Tandis que le policier l'y accompagnait, elle nota que tout le monde l'observait avec de grands yeux.

— Puis-je vous demander où vous comptez m'emmener ensuite ? demanda-t-elle à son gardien.

— Je préfère laisser à l'inspecteur le soin de tout vous expliquer, lui répondit-il. Il ne devrait pas tarder.

Au moins, le flic ne l'accompagna pas à l'intérieur de la salle. Il s'arrêta sur le seuil de la porte, tandis qu'une infirmière prenait le relais. Celle-ci lui demanda de bien vouloir patienter quelques minutes et la laissa seule. Lake passa les doigts sur sa blessure et sentit que le sang y perlait encore.

— Madame Warren ?

Elle tourna vivement la tête. Dans l'embrasure de la porte, elle vit un homme massif, avec une moustache gigantesque, dans une blouse bleue et verte. Visiblement pas un médecin. Elle acquiesça.

— Je suis l'inspecteur Ronald Kabowski, de la police de Bedford Hills. J'ai entendu que le docteur serait là dans quelques instants, mais j'aimerais pouvoir discuter un peu avec vous, au préalable. Si vous le permettez.

Tu es la victime, se répéta-t-elle encore. N'agis pas comme si tu étais coupable.

— Merci d'être venu, dit-elle.

— Mon collègue officier me dit que vous pensez avoir été droguée.

— Je ne le pense pas, je le sais. Je me suis évanouie. Et cette femme – Rory Deever – m'a révélé m'avoir droguée, quand je suis revenue à moi.

— Il semble que cette nuit ait été très éprouvante pour vous.

Ses paroles étaient empreintes de sympathie, mais elle y repérait comme une stratégie. Une stratégie destinée à lui faire baisser sa garde.

— Oui, et il faut que vous sachiez quelque chose de très important : cette histoire a un lien avec une affaire de meurtre qui a eu lieu à New York. Le meurtre d'un docteur : Mark Keaton.

— Pourquoi ne pas commencer par me raconter ce qui s'est passé cette nuit.

Instinctivement, elle baissa les yeux et s'en voulut.

— Je veux vous raconter toute l'histoire, dit-elle en relevant la tête vers lui, mais, parce que les choses sont très compliquées – je veux dire, du fait de cette autre affaire –, je préférerais vous en parler en présence d'un avocat.

— Un avocat ? ! s'étonna-t-il.

Sa bouche s'entrouvrit, dévoilant une énorme canine gauche, plus jaune qu'un vieux réfrigérateur.

— Vous en êtes bien sûre ? Ça va prendre des heures.

— J'en suis consciente, mais, comme je vous l'ai dit, la situation est extrêmement complexe.

Il la regarda avec un air d'où toute trace de sympathie avait disparu.

— Comme vous voudrez, dit-il. Il faut de toute façon que je m'informe de ce que l'autre personne impliquée dans cette histoire a à me raconter.

30

Le cœur de Lake se glaça. Il était évident que Rory avait été transportée dans le même hôpital par l'ambulance qu'elle avait aperçue. Si on la laissait raconter sa version des faits en premier, Lake se retrouverait en position défensive, contrainte de nier les élucubrations d'une psychopathe. Mais elle n'osa en toucher mot à l'inspecteur. Ça n'aurait fait qu'empirer son cas.

— Pouvez-vous me dire où nous irons, une fois que le docteur m'aura examinée ? s'enquit Lake. Il faut que j'en informe mon avocat.

— Au commissariat de Bedford Hills, répondit-il, avant de tourner les talons.

Dès qu'il fut parti, elle rappela Archer pour le mettre au courant des derniers développements et lui indiquer où il pourrait la rejoindre.

— Très bien. On se débrouillera pour trouver où c'est. Je viens de prendre contact avec Madelyn Silver. C'est une formidable avocate de droit pénal. Je ne lui ai accordé que cinq minutes pour se préparer, alors elle m'a prévenue qu'elle débarquerait peut-être en pyjama.

Un sentiment de soulagement envahit Lake.

— Il se peut que vous y arriviez avant moi, le prévint-elle. Je n'ai pas encore vu le docteur.

— Aucun problème. Attendez, restez en ligne.

Elle l'entendit passer le téléphone à quelqu'un.

— Lake, c'est Madelyn Silver, annonça une voix rocailleuse. La police a-t-elle déjà essayé de vous interroger ?

— Oui, un inspecteur s'est présenté à l'hôpital. Je l'ai informé que cette histoire était liée à une affaire de meurtre commis à Manhattan et que, pour cette raison, je ne voulais rien dire avant que mon avocat soit là.

— Excellent. Surtout, ne vous laissez pas intimider. Restez muette comme une carpe.

Mais que vais-je leur raconter quand vous serez là, se demanda Lake, après avoir raccroché. Oserait-elle révéler toute la vérité à Madelyn Silver ? D'après le peu qu'elle savait, un avocat n'était pas autorisé à dissimuler des informations à propos d'un crime. Or, n'en avait-elle pas commis un en désertant une scène de meurtre, dans l'appartement de Keaton ? Si seulement elle savait ce que Rory allait dire à la police, au moins, elle pourrait aborder sa conversation avec Silver de manière plus saine.

Les minutes qui suivirent lui parurent interminables. Elle commençait à se sentir moins cotonneuse, mais sa tête et le reste de son corps la faisaient souffrir. Elle songea à ses enfants et à ce qu'ils auraient enduré si Rory avait réussi à l'enfermer dans ce congélateur. Mais si leur mère finissait en prison, leur situation serait-elle beaucoup plus enviable ?

À l'extérieur de la salle d'examen, elle entendait chuchoter les policiers qui avaient été affectés à sa surveillance, et médecins et infirmières ne cessaient de jeter des coups d'œil par l'entrebâillement de la porte. Au bout de dix minutes, le flic qui l'avait accompagnée jusqu'à l'hôpital pénétra dans la pièce avec un appareil photo. Il devait faire des photos de ses blessures, lui expliqua-t-il. Puis il repartit et d'autres longues minutes s'écoulèrent. Elle craignait que cette attente ne leur permette plus de détecter les traces de drogue dans son organisme. Enfin, un docteur arriva. Une femme élégante, noire, avec de grands yeux bruns.

— Je suis le docteur Reed, annonça-t-elle d'une voix neutre. La police me dit que vous exigez de subir une analyse de sang.

— Oui, j'ai été droguée, un peu plus tôt.

Elle s'efforça d'adopter une voix calme et d'avoir l'air posée, comme toute personne innocente, mais elle savait que, couverte de boue, échevelée et fébrile comme elle l'était, elle risquait plus sûrement de passer pour quelqu'un qui venait de connaître un épisode psychotique.

— Pouvez-vous m'en décrire les symptômes ?

— Ma tête a commencé à me lancer et je me suis évanouie. Je ne sais pas pendant combien de temps. Peut-être quelques minutes, peut-être plus. Après, je me suis sentie cotonneuse... extrêmement faible.

— Des nausées ?

— Un peu, oui.

— Je vais vous envoyer une infirmière pour un prélèvement de sang. Il faudra aussi me donner un échantillon d'urine... en présence de l'infirmière.

— Très bien, dit Lake qui, pourtant, ne s'en réjouissait pas. J'ai aussi des blessures à la tête, à l'endroit où j'ai été frappée par une pelle, ajouta-t-elle en tapotant légèrement l'emplacement de sa plaie.

Le docteur enfila une paire de gant en latex qu'elle prit dans un distributeur à cet effet, avant d'écarter les mèches de cheveux de Lake pour examiner la coupure.

— Ce n'est pas très beau, constata-t-elle après quelques secondes. Je ne pense pas que vous ayez besoin de points de sutures, mais il va falloir nettoyer ça rapidement. Et vous devrez prendre des antibiotiques. Avez-vous été vaccinée contre le tétanos récemment ?

— Euh, oui. Il y a deux ans.

— Parfait. Avez-vous ressenti des signes de commotion, ce soir ?

Lake la regarda, l'œil vide.

— Des maux de tête ? des étourdissements ?

Lake haussa les épaules en affichant un sourire timide.

— Oui, mais c'est peut-être dû à la drogue.

— Ressentez-vous une douleur quelconque, en ce moment ? demanda le docteur Reed.

En entendant sa question, les yeux de Lake s'embuèrent. Comme c'est drôle, songea-t-elle. C'était tellement en dessous de la vérité !

— Ma tête me fait encore un peu mal.

— Je vais vous donner quelque chose pour arranger ça, mais nous devons attendre que la prise de sang ait été effectuée.

Pour la première fois, Lake entrevit un peu de chaleur humaine dans les yeux du médecin.

À partir de là, les choses se précipitèrent. Une infirmière vint lui faire une prise de sang, puis l'accompagna aux toilettes situées de l'autre côté du hall, où elle observa Lake faire pipi pour s'assurer qu'elle ne cherchait pas à maquiller son analyse d'urine. Ensuite, la soignante nettoya et pansa la plaie qu'elle avait à la tête et lui fit une piqûre d'ampicilline. Lake fit semblant de se concentrer sur les gestes de l'infirmière, tout en écoutant les conversations qui se tenaient dans le couloir. Elle aurait tellement voulu en savoir plus sur l'état de Rory ! Au loin, elle entendait le personnel soignant demander des radios, des échographies ou des examens vasculaires, mais rien concernant Rory. Et lorsque le flic la ramena en salle d'attente – sous les yeux toujours aussi ébahis des patients –, elle ne vit aucun signe d'elle.

Elle dut attendre 22 heures avant d'être reconduite dans le véhicule de la police qui, une demi-heure plus tard, se gara devant le commissariat. Les locaux n'étaient qu'une déclinaison de gris : murs gris, bureaux métalliques, linoléum grisâtre. Dans ce brouillard, Kabowski fit soudain son apparition. Elle ne savait pas s'il était parti avant elle ou s'il les avait suivis jusque-là.

— Est-ce que mon avocat est déjà arrivé ? lui demanda-t-elle.

— Pas que je sache. Pourquoi ne pas vous installer dans un endroit plus confortable, en l'attendant ?

— Je vous remercie, répondit Lake qui savait pertinemment que l'inspecteur devait se soucier de son confort comme d'une guigne.

Il la conduisit donc dans une petite salle d'interrogatoire pourvue d'une table métallique et de plusieurs chaises empilables. Le policier en uniforme qui les avait accompagnés ne lui demanda pas si elle souhaitait boire quelque chose. Pourtant, dans les séries télévisées, ils posaient toujours la question. Quelque chose lui disait qu'elle n'allait pas vraiment être traitée en victime.

De nouveau seule, Lake eut envie d'appuyer son front sur la table et de laisser couler ses larmes, mais elle savait qu'on pouvait l'observer derrière le miroir sans tain fixé sur l'une des parois de la pièce. Elle choisit donc de s'asseoir, le dos droit, le visage sans expression, même si, intérieurement, elle se demandait avec angoisse ce qui allait lui arriver ensuite et, surtout, quand Archer finirait par débarquer avec l'avocat.

Un quart d'heure plus tard, la porte s'ouvrit et une femme minuscule, proche de la soixantaine, fit irruption dans la salle.

— Madelyn Silver, annonça-t-elle en lui tendant une toute petite main et en agitant la tête pour signaler à Lake qu'il n'était pas nécessaire qu'elle se lève.

Elle n'était pas en pyjama, mais il était visible que le pantalon noir et la veste de coton beige qu'elle portait avaient été enfilés à la hâte. Ses cheveux étaient d'un noir de jais, avec une fine ligne blanche qui les divisait au sommet de son crâne, et le coin de ses yeux était si ridé que ses pupilles noisette semblaient logées dans deux triangles. Elle avait pour seul maquillage un peu de rouge à lèvres qui débordait légèrement du contour de sa bouche. À première vue, on aurait pu la prendre pour une gentille grand-mère s'apprêtant à sortir un tricot, mais, quelques secondes après son arrivée, Lake sentit la puissance qui émanait d'elle.

— Comment ça va, mon petit ? demanda-t-elle en prenant un siège à côté de sa cliente, mais en le positionnant de manière à lui faire face.

— Pas si bien que ça. Mais je suis heureuse que vous ayez pu venir. Est-ce que Kit est dehors ?

— Oui, ils l'ont mis à décompresser dans leur réconfortante salle d'attente. Qu'est-ce qui vous est arrivé à la tête, là ? Ça vous fait mal ?

Tout en parlant, elle avait ôté de son épaule la bandoulière de sa vieille mallette, avant de la poser sur la table. Elle en sortit un bloc-notes jaune. Grâce à ce carnet, peut-être, et à l'attitude à la fois brusque et maternelle de Madelyn, Lake se sentit pour la première fois depuis très longtemps en sécurité.

— C'est une coupure, mais elle n'est pas assez profonde pour justifier des points de suture. Il est possible que j'aie eu une commotion, cela dit.

Madelyn pencha la tête de côté et entrouvrit ses lèvres charnues d'un air joyeux, comme si on venait de lui annoncer que Saks s'apprêtait à ouvrir une période de soldes monstres.

— Commotion potentielle… Ça signifie que nous serions en mesure de faire reporter cet interrogatoire. Vous sentez-vous prête à parler à tous ces types ce soir ?

— Je… je ne sais pas, souffla Lake. Tout… tout est si compliqué. Je…

— Mais même si nous décidons de retarder l'interrogatoire, il va falloir que vous et moi, nous ayons une petite conversation, tant que vos souvenirs sont encore frais. Alors pourquoi ne pas nous y mettre immédiatement et voir comment ça se passe ?

— D'accord… répondit Lake d'une voix hésitante.

Elle ne savait toujours pas ce qu'elle allait raconter à Madelyn Silver. Si elle lui révélait que Rory l'avait accusée d'avoir eu une liaison avec Keaton et l'avait attirée jusque chez elle pour cette raison, toutes les pistes de discussion convergeraient vers cette horrible nuit qu'elle avait passée avec lui.

— Peut-on parler en toute sécurité, ici ?

— Oh, oui, il n'y a aucun problème. Durant le trajet, Archer m'a mis au courant de ce que vous aviez découvert à la clinique. Il m'a dit que vous vous étiez rendue chez madame Deever parce qu'elle vous avait affirmé détenir des preuves qu'elle voulait vous montrer.

— Oui, des dossiers. D'ailleurs, elle les avait effectivement en sa possession. Ils sont probablement encore sur la table de sa cuisine et il faut que la police s'en empare à titre de preuves.

— D'accord, on va le leur dire.

L'avocate s'était mise à prendre des notes au moyen d'un élégant stylo Montblanc. De son autre main, elle ramena les bords de sa veste sur son opulente poitrine.

— Bon, commençons par le commencement.

Lake était comme paralysée sur sa chaise. Jusqu'où devraient aller ses révélations ?

— Puis-je vous poser une question préalable ? demanda-t-elle finalement. Savez-vous comment va Rory ? Est-elle blessée ? A-t-elle déjà pu parler à la police ?

Madelyn reposa son stylo et fixa sa cliente. Son regard était sombre et grave.

— Qu'y a-t-il ? demanda Lake d'une voix inquiète.

— J'ai de mauvaises nouvelles que je n'ai pas voulu vous annoncer de but en blanc. La police ne sait pas que je le sais, mais… Rory Deever a été tuée dans l'accident. Elle est morte sur le coup.

Le cœur de Lake cessa de battre. Elle avait du mal à y croire. Un sentiment de soulagement l'envahit, avant de laisser la place à une sorte de malaise à la pensée de l'enfant qu'elle portait.

— Mais elle ne roulait pas si vite que ça, avança Lake.

— Il semble qu'elle n'avait pas mis sa ceinture de sécurité et que sa tête a heurté le pare-brise assez violemment.

— Comment l'avez-vous appris ?

— Archer a pas mal de contacts au sein des médias.

— Mais vous en êtes absolument certaine ? insista Lake. L'inspecteur qui m'a parlé – Kabowski – m'a laissé entendre qu'il allait interroger Rory, ce soir.

— Je pense qu'il devait vous tester. Mais, écoutez, je ne veux pas que vous vous inquiétiez. Je sais bien que ça complique les choses, mais je vais faire en sorte que tout se passe bien pour vous, d'accord. Vous comprenez ?

Lake hocha la tête, tandis que son cerveau enregistrait toutes ces informations. Ça changeait tout, songea-t-elle. Rory n'aurait pas l'occasion de donner sa version des faits. Lake réprima le fou rire nerveux qui montait dans sa gorge.

— Je comprends, souffla-t-elle.

— Bon, maintenant, dites-moi ce qui s'est passé.

Lake commença son histoire par le coup de fil de Rory et raconta en détail à l'avocate la suite des événements. Quand elle en arriva au terrifiant épisode de la cave, sa voix se brisa. Pour la première fois, elle imagina à quoi auraient ressemblé ses derniers instants dans ce congélateur, gisant sur des piles de nourriture congelée et cherchant désespérément une bouffée d'air qui aurait fini par manquer.

— Mais *pourquoi* ? demanda Madelyn dont le regard s'était fait perplexe, sans toutefois devenir accusateur. Pourquoi a-t-elle cherché à vous tuer ?

— Parce que… elle a cru que j'avais découvert qu'elle avait assassiné le docteur Keaton. Il fallait donc qu'elle me réduise au silence.

— Et vous l'aviez *effectivement* découvert ? Comment ?

Lake resta silencieuse durant quelques secondes. Ses pensées fusaient de toutes parts.

— Elle a fait une gaffe, finit-elle par répondre. Alors que nous examinions les dossiers dans la cuisine, elle a dit que Keaton avait peut-être lui aussi découvert le pot aux roses à la clinique et qu'il était mort à cause de ça. Je lui ai répondu que c'était effectivement une éventualité, mais que la mort de Keaton pouvait également avoir d'autres causes, totalement étrangères, et qu'elle aurait pu notamment résulter d'un vol qui aurait mal tourné. L'infirmière qui avait arrosé ses plantes avait mentionné qu'il avait une terrasse et j'ai suggéré à Rory que quelqu'un aurait pu pénétrer dans l'appartement par là. Et alors… C'est à ce moment-là qu'elle a gaffé. Elle a dit que la terrasse n'était absolument pas accessible… Manifestement, elle connaissait les lieux.

Cette version s'était imposée à Lake en une fraction de seconde : transformer sa propre gaffe devant Rory, au piano-bar, en un mensonge qui pourrait la sauver. Qui pourrait jamais prétendre que ce n'était pas l'exacte vérité ? Cette légère adaptation des faits avait en outre le mérite de n'établir aucun lien entre elle-même et Keaton.

— C'est comme ça que vous avez compris ? Quand elle a fait cette gaffe ? s'étonna Madelyn dont le visage confirmait une totale incrédulité.

— Non, ce n'est pas à ce moment-là que j'ai fait le lien. Mais sa remarque m'a semblé bizarre et ça a dû se voir sur mon visage. Je crois qu'*elle* a pensé que j'avais compris. Ensuite, elle m'a préparé cette tisane. Et plus tard, dans le sous-sol, elle s'est exprimée comme si j'avais effectivement découvert le fin mot de l'histoire. C'est à cet instant que j'ai compris.

Madelyn ramena une fois encore les bords de sa veste sur sa poitrine et pinça ses lèvres rouges. Lake voyait que l'avocate flairait que quelque chose ne collait pas dans son histoire, sans parvenir à identifier ce qui clochait.

— Donc, Rory a présumé que vous alliez la dénoncer ?

— J'imagine. À ce moment-là, on aurait dit une folle, comme si elle commençait à perdre la boule. Elle a dit qu'elle portait l'enfant de Keaton et qu'elle l'avait tué parce qu'il couchait à droite et à gauche, sans considération pour sa grossesse. Elle avait visiblement des problèmes psychologiques, peut-être même psychiatriques.

— OK, ponctua Madelyn après quelques secondes, comme si elle avait finalement décidé de prendre les paroles de sa cliente pour argent comptant, malgré son instinct. Racontez-moi la suite. Comment avez-vous réussi à fuir ?

Lake lui raconta l'épisode tel qu'il s'était passé : la façon dont elle avait enfermé Rory dans la cave, leur lutte devant la maison, la course-poursuite en voiture. Parfois, elle hésitait et devait se rappeler que *son récit reflétait la stricte vérité.*

— Elle a essayé de me faire quitter la route, ajouta Lake en arrivant à la fin de son histoire. L'asphalte était glissant et elle a dû perdre le contrôle de sa voiture.

Madelyn s'adossa au dossier de sa chaise en soupirant.

— Vous vous sentez le courage de répéter tout cela aux flics, ce soir ? Il est certain que ça ajouterait à votre crédibilité, si vous le faisiez maintenant.

Lake prit une profonde respiration. Cette perspective l'effrayait terriblement, mais elle voulait désespérément en finir avec ce cauchemar. Alors mieux valait le faire tant qu'elle avait encore l'esprit clair.

— Oui, répondit-elle. Je veux le faire ce soir.

Dans les minutes qui suivirent, deux inspecteurs les rejoignirent – Kabowski, ainsi qu'une inspectrice aux cheveux blond terne, dotée d'un petit minois en forme de cœur –, mais Lake soupçonnait que d'autres les observaient derrière le miroir sans tain, depuis la pièce voisine.

Madelyn lui avait recommandé de commencer par le travail qu'elle effectuait pour la clinique et la manière dont elle avait découvert l'histoire du vol d'embryons. Il n'était pas difficile d'en comprendre la raison. Une telle introduction aurait l'avantage d'apaiser Lake, tout en atténuant l'image d'hystérique que les flics devaient maintenant avoir d'elle.

Après cette entrée en matière, elle en vint à Rory. Alors qu'elle évoquait les dossiers de patients que l'assistante du médecin avait dérobés, l'inspectrice sortit un moment de la pièce et Lake en conclut qu'elle voulait s'assurer qu'ils avaient bien été saisis dans la maison et mis en lieu sûr.

Quand elle aborda la gaffe de Rory et sa relation avec le meurtre du docteur Keaton commis à Manhattan, Lake s'obligea à regarder Kabowski sans sourciller. Il prit quelques notes, mais ses yeux ne s'éloignèrent des siens que rarement.

Les pires moments de sa nuit – Rory qui l'avait droguée, avant de l'attaquer et de lui avouer le meurtre de Keaton – furent curieusement les plus faciles à décrire. Lake s'efforça de n'omettre aucun détail : le moment où son assaillante l'avait traînée jusqu'au congélateur, la terreur qui l'avait alors saisie. Elle voulait que sa peur transpire de son récit car elle savait que ça l'aiderait à asseoir sa crédibilité auprès des policiers. Et puis, enfin, elle en eut fini.

— Eh bien, nous vous sommes très reconnaissants d'avoir pris le temps de nous raconter tout cela ce soir, dit Kabowski. Surtout si l'on considère ce que vous avez enduré.

Une fois de plus, sa voix était empreinte de sympathie, mais Lake resta sur ses gardes. Elle lui sourit faiblement en se demandant ce qui l'attendait.

Kabowski examina ses notes en se caressant la moustache.

— Toutefois, je suis un peu troublé, finit-il par dire.

Le cœur de Lake ralentit. Son trouble était-il lié à cette histoire de gaffe, comme l'avocate ?

— Oui ? l'encouragea Lake à regret.

— À votre avis, pourquoi madame Deever était-elle si soucieuse de vous apporter son aide en ce qui concerne les dossiers ? Si elle avait assassiné ce docteur Keaton, elle aurait eu tout intérêt à se faire oublier. Dans ces conditions, pourquoi subitement décider d'agiter le chiffon rouge ?

Sa question la prit totalement au dépourvu. Elle avait été tellement soucieuse de présenter un récit cohérent de sa soirée qu'elle n'avait pas songé un seul instant à cet aspect de l'affaire.

— Je ne sais pas très bien, répondit-elle en secouant la tête, comme si ce mouvement avait le pouvoir de stimuler ses cellules grises. Mais… j'ai peut-être une idée.

— Très bien, alors exposez-nous-la, lui suggéra Kabowski.

Instinctivement, elle se mordit la lèvre inférieure.

— Quand elle a entendu Maggie raconter que j'avais des soupçons sur la clinique – et ma théorie quant à la signification des codes utilisés dans les dossiers –, elle a peut-être estimé qu'en montrant ainsi la clinique du doigt, la police réorienterait complètement son enquête concernant le meurtre, en supposant qu'un de ses membres avait tué Keaton parce qu'il avait découvert la vérité.

Kabowski semblait prêt à décocher une autre question quand quelqu'un entra dans la salle avec la pile des dossiers de patients saisis dans la maison de Rory. L'inspecteur les plaça devant Lake et lui demanda de lui indiquer où se trouvaient les annotations suspectes. Elle ouvrit donc l'une des chemises et pointa du doigt l'endroit où les séries de lettres avaient été griffonnées, avant d'expliquer ce qu'elles signifiaient selon elle.

À en juger par sa gestuelle, Kabowski parut se détendre légèrement et Lake se demanda si, enfin, il commençait à la croire.

— Inspecteur, comme vous l'avez relevé tout à l'heure, ma cliente a connu une nuit difficile, intervint alors Madelyn, tandis que Kabowski continuait à feuilleter les dossiers. Il se peut même qu'elle souffre de commotion. Je crois qu'il est temps que je la ramène chez elle.

Kabowski se leva et, les mains sur les hanches, acquiesça, tout en insistant sur le fait qu'elle devait rester disponible pour répondre à d'autres questions. L'avocate le rassura sur ce point en ajoutant que Lake pourrait revenir à Westchester si le besoin s'en faisait sentir. Soudain, Lake succomba à la fatigue. Une fatigue certes liée à l'agression qu'elle venait de subir, mais aussi au stress généré par ses mensonges.

— Vous vous êtes très bien comportée, la félicita Madelyn tandis qu'elles se dirigeaient vers le hall d'entrée. Allons retrouver Kit pour tout lui raconter.

Archer n'avait pas quitté son vieux trench-coat froissé. Il était assis dans la salle d'attente ou, plutôt, affalé de tout son long sur une chaise métallique. Il se releva d'un bond en les apercevant et gratifia Lake d'une chaleureuse accolade. Durant les brèves secondes où ses bras entourèrent ses épaules, elle ressentit la même sensation de calme et de sécurité que celle qu'elle avait tant appréciée, allongée sur son canapé.

— Je veux tout savoir, exigea-t-il à voix basse. Mais quittons d'abord cet endroit.

Lake jeta un coup d'œil à sa montre tandis qu'ils traversaient le parking où l'orage avait laissé de larges flaques d'eau. Il était plus de minuit. La police avait saisi la voiture de Lake afin de pouvoir faire des photos de l'endroit où Rory l'avait emboutie. Lake n'eut donc pas d'autre choix que de rentrer vers New York en compagnie du journaliste et de l'avocate.

— Vous pensez vraiment que je vais devoir subir d'autres interrogatoires ? s'inquiéta Lake, tandis qu'Archer manœuvrait pour sortir du parking.

— Peut-être, répondit Madelyn depuis la banquette arrière, ou peut-être pas.

— Génial, se désola sa cliente.

— Mais, au moins, ils se montreront moins sceptiques la prochaine fois parce que votre histoire aura eu le temps de faire son chemin dans leurs têtes. Par ailleurs, les tests leur auront confirmé que vous avez été droguée et l'examen des véhicules aura fourni des preuves complémentaires. Et quand ils auront reçu les résultats des tests ADN sur le fœtus, ils constateront que Keaton était le père du bébé. Je pense que le pire est derrière vous.

— J'en suis heureuse, souffla Lake.

Pourtant, elle savait que ce n'était pas le cas. Le pire restait à venir. Il faudrait bien qu'elle se confronte à Hull et à McCarty. Et eux, allaient-ils croire à ses mensonges ?

31

Six jours plus tard, le vendredi suivant, Lake pressait le pas dans Greenwich Village en direction d'un petit restaurant italien. Après deux journées plus fraîches, la température était à nouveau remontée, mais déjà l'automne se faisait sentir. Elle consulta sa montre : 12 heures 20. Elle était en avance. Aucun besoin de se presser donc, mais elle semblait avoir toutes les peines du monde à maîtriser ses pieds.

Elle ne l'aperçut pas dans le restaurant, mais, lorsqu'elle indiqua son nom à la serveuse, la fille lui répondit « Par ici, je vous prie » avant de la guider jusqu'à un petit jardin bordé d'une clôture en bois et de jarres en terre cuite débordant de géraniums roses. Archer était installé à une table protégée par un parasol et tripotait son iPhone. Il s'était habillé de façon décontractée : un jean et un polo mauve délavé qui semblait avoir été oublié sur un fil à linge, durant plusieurs années.

— Hé ! s'écria-t-il avec un grand sourire, en s'appuyant sur les accoudoirs de son siège pour se lever, tandis qu'elle prenait place en face de lui. J'ai bien failli ne pas vous reconnaître, sans votre masque de boue.

Lake lui renvoya son sourire.

— En fait, je crois que ça a fait beaucoup de bien à ma peau.

— Et comment évolue votre plaie à la tête ?

— Dans le bon sens. J'ai demandé à mon médecin d'y jeter un coup d'œil et il a dit que j'avais probablement subi une petite commotion.

— Eh bien, j'espère qu'il vous a autorisée à boire de l'alcool, parce que je viens de commander un petit rosé frais pour fêter ça.

Lake opina avec enthousiasme. Ils avaient effectivement différentes choses à fêter. Dès que la nouvelle de la mort de Rory avait filtré, l'un des laborantins de la clinique avait paniqué et s'était présenté aux autorités pour avouer que les ovules et les embryons de certains couples avaient été donnés à d'autres patients sans leur permission. La clinique faisait maintenant l'objet d'une enquête approfondie. Et il y avait aussi de très bonnes nouvelles concernant Lake. Les tests préliminaires qu'elle avait subis à Weschester avaient révélé la présence d'un sédatif au fond de sa tasse, confirmant son histoire. Par ailleurs, Madelyn tenait de l'un de ses contacts au sein de la police de New York que les relevés des péages prouvaient que Rory s'était rendue à Manhattan, tard dans la nuit au cours de laquelle Keaton avait été assassiné, et qu'elle avait quitté la ville peu après 3 heures du matin.

Archer retira la bouteille de vin du seau à glace et en versa un verre à Lake.

— D'abord et avant toute chose, à votre survie ! dit-il en levant son verre. Je continue à penser que vous allez prochainement m'avouer avoir appartenu aux commandos marins et que c'est ce qui vous a permis d'échapper aux flots enragés de la rivière, aux griffes de tueurs sanguinaires et…

Lake sourit en coin.

— … et au plus abominable des cas de congélation ?

— Absolument.

— Je pense que je ne le dois qu'à ma seule adrénaline – et à la perspective de ne plus jamais revoir mes enfants si je ne réagissais pas. Mais je suis un peu triste quand je pense au bébé de Rory qui ne verra jamais le jour.

— J'ai quelque chose qui va vous changer les idées… et nous donner une autre victoire à célébrer. Je viens d'apprendre de ma productrice que Hoss a accepté un compromis. Manifestement, elle a compris que l'étau se resserrait autour d'elle et elle a décidé d'essayer de sauver sa peau. Elle a avoué que Levin avait engagé le type qui vous a suivie et a tenté de vous agresser dans Dumbo. Il semble que Melanie ait informé Levin de votre appel et il a envoyé ce type à vos trousses. Hoss prétend qu'il ne s'agissait que de vous faire peur. Quoi qu'il en soit, tout cela permet de boucler la boucle. Ça signifie également que vous n'avez plus rien à craindre. Dès que la police l'aura arrêté, vous pourrez procéder à son identification.

Lake laissa échapper un soupir de soulagement, car cela signifiait aussi la fin des interrogatoires sans fin et des soupçons quant à ce qu'elle avait raconté à la police. Celle-ci n'aurait plus aucune raison de lui demander un échantillon de son ADN.

— En fait, je ne suis pas très surprise que Hoss ait été au cœur de cette histoire, remarqua Lake. Elle supervisait tout ce qui se passait à l'intérieur du laboratoire. Mais qu'en est-il de Sherman ? Était-il de mèche ?

— Apparemment, c'est le cas.

— Et les autres employés ? les infirmières ? s'enquit-elle en redoutant pourtant la réponse. J'ai tellement peur que l'homme qui m'a recommandée pour ce boulot, Steve Salman, y soit également mêlé.

— Non, il ne semble pas que d'autres personnes aient participé à leurs agissements. C'est en tout cas ce qu'affirment les flics pour le moment.

Bien que Steve ne l'ait jamais soutenue, elle ne supportait pas l'idée que sa vie pût être détruite. Après tout, c'était le frère de son amie.

— Je m'interroge également à propos d'une autre personne, poursuivit-elle. Le psychologue, Harry Kline. Il n'est pas mêlé à tout cela, n'est-ce pas ?

Archer tordit la bouche.

— Non, je ne crois pas. Si c'est bien le type auquel je pense, il s'est montré tout ce qu'il y a de plus coopératif. J'ai entendu dire qu'il était plutôt choqué par tout ça.

Elle repensa à ce que Rory lui avait raconté sur Harry et sa fille. Le dimanche précédent, alors qu'elle se prélassait dans son lit pour récupérer de ses émotions, elle s'était dit qu'il devait y avoir une part de vrai dans cette histoire. Il était tout à fait possible que Keaton ait flirté avec la fille de Harry – plutôt que l'inverse –, et Rory avait dû considérer la jeune stagiaire comme une menace.

C'était sans doute l'assistante du médecin qui était allée trouver Harry pour lui annoncer que Keaton s'intéressait de près à sa fille. Son intervention avait vraisemblablement eu pour résultat le départ de la stagiaire. Harry avait laissé un message à l'attention de Lake durant la semaine, mais elle n'avait pas voulu reprendre contact avec lui avant que sa propre situation soit stabilisée.

— Enfin, la conséquence de tout ça, c'est que la clinique a fermé ses portes, remarqua Archer en interrompant ses réflexions. Et dans la mesure où tous ses dirigeants sont mouillés, il y a peu de chance pour qu'elle reprenne un jour du service.

Lake sourit tristement.

— Malheureusement, tout cela n'est pas d'une grande aide pour Alexis Hunt, remarqua-t-elle. Elle n'a toujours aucun droit sur sa fille.

— Je sais. Et d'après ce que le technicien du labo a raconté aux flics, les embryons d'au moins une trentaine d'autres couples ont subi le même sort. Sans compter ceux qui ont été vendus sans autorisation à cet institut de recherche.

— Quand l'information sera publiée, je présume qu'un grand nombre d'anciens patients de la clinique vont se poser des questions et paniquer, dit Lake. C'est vraiment horrible.

— Mais pensez à ce que vous avez fait, Lake, enchaîna Archer. Vous avez évité à un nombre incalculable de gens de connaître le même cauchemar.

— Oh, je n'ai rien fait de très héroïque. J'ai presque découvert la vérité par hasard.

— Vous avez fait bien plus que ça, et vous le savez parfaitement. Ah, en parlant de hasard, j'ai appris une info tout à fait intéressante. Apparemment, la raison pour laquelle le laborantin a craché le morceau aussi vite tient au fait que Keaton lui avait récemment posé quelques questions embarrassantes sur certains protocoles. De ce fait, le technicien avait déjà commencé à craindre que la vérité éclate.

Cela expliquait peut-être pourquoi elle avait vu le nom de Melanie Turnbull chez Keaton, réalisa Lake. Quelque chose avait dû lui mettre la puce à l'oreille, mais elle ne saurait jamais ce dont il s'agissait.

— Et de votre côté, du nouveau ? s'enquit le journaliste.

— Je vous ai déjà parlé des résultats de mes analyses. Et ceux du test ADN concernant le bébé de Rory ne devraient plus tarder.

— Madelyn a dit que vous vous en étiez très bien sortie avec les flics de la police de New York.

La simple évocation de cette horrible entrevue lui retourna l'estomac. La séance avec Hull et McCarty avait été plus qu'éprouvante – même si elle avait bénéficié à cette occasion de la présence réconfortante de Madelyn qui lui avait paru prête à mordre les inspecteurs au cas où ceux-ci se seraient comportés irrégulièrement.

Lake leur avait raconté la même histoire que celle qu'elle avait exposée à la police de Bedford Hills, puis, un peu plus tard, à Archer. À certains moments, elle avait craint que son récit parût manquer de spontanéité, trop bien préparé, mais, même s'ils avaient eu quelques doutes, Hull et McCarty n'en avaient rien laissé paraître. Il fallait peut-être en attribuer la raison au faible intérêt qu'ils avaient manifesté pour la clinique et les dossiers que Lake était allée examiner chez Rory – à vrai dire, ce passage avait même paru les ennuyer au plus haut point. Ils voulaient surtout entendre ce qu'elle avait à leur révéler sur Keaton et sur les motifs pour lesquels l'assistante du médecin l'avait tué. Quand Lake en était arrivée à l'épisode qui la contraignait à mentir – et à omettre une bonne partie des faits –, elle avait noté que sa voix s'était légèrement voilée. Hull l'avait alors dévisagée si durement qu'elle en avait ressenti une douleur à la tête.

Ils l'avaient ensuite mitraillée de questions, toutes centrées sur le meurtre de Keaton. Mais elle ne pouvait guère ajouter grand-chose, leur avait-elle dit. Rory avait affirmé qu'elle portait le bébé du docteur, qu'elle avait fait faire une copie de ses clefs d'appartement – qu'elle avait probablement subtilisées dans le tiroir de Maggie – et qu'elle l'avait tué. Que voulaient-ils de plus ?

Ensuite, elle leur avait révélé l'agression dont elle avait fait l'objet à Brooklyn – Madelyn avait insisté pour qu'elle le fît. Les inspecteurs n'avaient pas eu l'air très contents de l'apprendre aussi tardivement.

— On vous contraint à vous jeter dans l'East River en vous menaçant d'un couteau et vous n'appelez même pas la police ? s'était étonné McCarty qui ne s'était pas pas gêné pour lui montrer combien il la trouvait stupide.

— J'avais peur, avait répondu Lake.

— Peur ? ! s'était-il exclamé en écarquillant ses grands yeux bruns. Il me semble pourtant que c'est le fait de vous *abstenir* de le faire qui aurait dû vous effrayer.

— C'est à cause de ce que je vous ai dit quand vous êtes venu me rendre visite à mon appartement, avait expliqué Lake calmement. Je dois actuellement faire face à une demande de mon ex-mari concernant la garde de nos enfants. Il serait prêt à utiliser n'importe quoi contre moi.

— Eh bien, il doit être aux anges en ce moment, hein ? avait relevé Hull d'un air narquois.

— Cela est hors sujet, inspecteur, était intervenue Madelyn. Je vous rappelle que ma cliente est censée garder la chambre aujourd'hui, du fait de ses blessures, et qu'elle s'est néanmoins portée volontaire pour s'entretenir avec vous. Elle s'est montrée plus que coopérative. Maintenant, si vous n'avez pas d'autres questions, j'aimerais veiller à ce qu'elle rentre chez elle.

Les deux inspecteurs n'avaient pas bougé de leur chaise. McCarty s'était une fois de plus plongé dans ses notes et Hull s'était mis à tripoter un crayon. Finalement, ce dernier avait demandé, les yeux brillants :

— Il y a cependant un petit détail qui continue à nous gêner. Peut-être pourriez-vous nous éclairer à ce sujet.

Lake était restée silencieuse, redoutant sa question et essayant de respirer normalement.

— Le relevé téléphonique de madame Deever indique que vous avez eu plusieurs conversations avec elle. Pourriez-vous nous dire de quoi vous avez parlé en ces diverses occasions ?

— Bien sûr, avait répondu Lake, soulagée de pouvoir accéder à sa requête, dans la mesure où elle avait déjà évoqué cette question avec eux, précédemment. Comme je vous l'ai dit, elle m'a appelée samedi après-midi pour m'annoncer qu'elle avait rapporté les dossiers des patients chez elle. C'est à ce moment-là que je lui ai dit que j'allais la rejoindre à son domicile pour les examiner. Après cela, j'ai dû la rappeler pour la prévenir que j'allais être en retard, ayant dû attendre plus longtemps que prévu au camp de vacances où se trouvent mes enfants.

— Et l'appel *précédent* ? avait insisté Hull.

— Que voulez-vous dire ?

Essayait-il encore de la déstabiliser ?

— Elle a appelé à votre appartement la nuit qui a précédé le meurtre du docteur Keaton, avait expliqué Hull d'un ton agressif. À 2 heures 57 du matin, pour être exact.

Malgré elle, la bouche de Lake s'était entrouverte, révélant sa surprise. C'était donc Rory qui l'avait appelée cette nuit-là, en demandant si elle était la mère de « William ». Évidemment… Dans la cave, elle avait avoué à Lake qu'elle craignait déjà à cette époque que celle-ci et Keaton ne soient amants.

Elle avait alors senti le mouvement imperceptible qu'avait fait Madelyn sur son siège. L'avocate avait dû percevoir son trouble. L'esprit de Lake s'était alors mis à chercher désespérément une explication plausible.

— Oui, c'est exact. J'ai bien reçu un appel cette nuit-là, avait-elle enfin répondu en fronçant les sourcils. Je dormais déjà et il m'a réveillé. Mais, je n'ai pas compris ce que mon correspondant disait et il a aussitôt raccroché. J'ai pensé qu'il s'agissait d'un faux numéro.

— Pourquoi madame Deever a-t-elle fait ça, à votre avis ?

— Je… je n'en sais rien.

Elle avait failli broder un peu pour suggérer que Rory était tout simplement folle, mais elle s'était ravisée. Limite le plus possible les mensonges, s'était-elle ordonnée.

Et, à sa grande surprise, ils lui avaient alors annoncé qu'elle pouvait s'en aller.

— Il y a d'autres anecdotes intéressantes dans cette affaire, nota Archer en l'arrachant à ses pensées.

— À propos de la clinique ?

— Non, à propos de Rory Deever. Apparemment, son mari avait disparu de la circulation. La police a fini par retrouver Colin Deever, mais il s'était séparé de sa femme quelques mois auparavant.

Je vais tâcher d'en savoir plus, mais je me demande si ce ne serait pas parce qu'il a compris que le bébé n'était pas de lui.

Lake posa les doigts sur ses lèvres, songeuse.

— Vous savez, dit-elle, je pense qu'inconsciemment je savais que son mari était parti. Il n'y avait aucun signe de sa présence dans la maison.

— Mais ce qui me sidère vraiment, c'est que Keaton soit retourné à la clinique. Pourquoi y revenir si Rory le harcelait ?

— Souvenez-vous. D'après Rory, à ce stade, elle ne lui avait pas encore parlé du bébé, lui fit remarquer Lake. Elle marchait sur des œufs en parlant de Keaton, mais elle savait que si elle évitait le sujet, ça semblerait bizarre.

— Mais n'aurait-il pas dû s'apercevoir qu'elle ne tournait pas rond ?

— Ça ne lui a sans doute pas échappé. Maggie m'a raconté que, lorsqu'elle avait pris soin de l'appartement de Keaton en mars, elle avait constaté que quelqu'un s'y était introduit une nuit. Ç'aurait pu être Rory et Keaton le soupçonnait probablement. Mais, ensuite, il est reparti à LA et il a dû se dire que la passion de Rory s'était essoufflée. Quelque temps après, Levin lui propose de revenir et de devenir l'un de ses associés. Il reprend la température en venant une fois encore donner quelques consultations à la clinique et il s'aperçoit que les choses se sont tassées. Rory semble vivre une grossesse heureuse. Elle s'est sans doute arrangée pour faire croire à tout le monde qu'elle avait un mari merveilleux à la maison. Elle a même peut-être tenté d'oublier Keaton et de faire comme s'il n'était pas le père du bébé. Mais quand elle l'a revu, son obsession a visiblement repris le dessus.

— Keaton a dû paniquer en apprenant de qui était l'enfant, dit Archer. J'ai du mal à croire qu'il ait pu s'obstiner à rejoindre la clinique.

— Ce n'était peut-être pas son intention, remarqua Lake en regardant ailleurs.

Elle sentit que le journaliste l'observait.

— Il ne vous a jamais laissé entendre qu'il envisageait de revenir sur sa décision, n'est-ce pas ?

Oh, mon Dieu, songea Lake. Archer avait-il des soupçons ? Elle dut convoquer toutes ses forces pour le regarder dans les yeux en lui répondant.

— Non, Je le connaissais à peine.

L'espace d'une seconde, elle rêva de pouvoir se décharger de son fardeau en lui révélant son secret. Un jour, peut-être, se dit-elle, et cette pensée la surprit. C'était la première fois qu'elle admettait son attirance pour lui – son humour, sa décontraction, même ses cheveux blancs indomptables. Il lui avait apporté son soutien quand elle était en danger, mais ce qui l'étonnait le plus, c'était la facilité avec laquelle elle avait sollicité son aide. Resterait-il en contact avec elle lorsque tout cela serait fini ? Ou allait-il disparaître maintenant qu'il tenait son reportage ?

— Comment s'annonce votre reportage, à propos ? lui demanda-t-elle pour changer de sujet.

— Merveilleusement, répondit-il. J'en ai déjà un peu parlé lors de la dernière émission, au moment où l'information est sortie, mais nous sommes en train de préparer un sujet beaucoup plus conséquent. J'espère que vous me laisserez vous interviewer. Il faut qu'on sache tout ce que vous avez fait.

Lake sourit et secoua la tête.

— Je suis très flattée, mais je crois qu'il vaut mieux que je reste dans l'ombre, surtout après tout ce qui s'est passé avec la police. Et puis, je souhaite seulement que ma vie reprenne son cours normal. Oh, j'allais oublier, ajouta-t-elle avant qu'il puisse insister. Ils ont enfin résolu le mystère de la disparition de mon portier. En fait, il a cru qu'il faisait un infarctus et il a sauté dans un taxi en direction de l'hôpital, sans prévenir personne. Il ne s'agissait en réalité que d'un accès de panique.

— Ah. Et pour votre chat ? Que croyez-vous qu'il lui est arrivé ?

— J'imagine qu'il ne s'agit que d'une coïncidence, répondit-elle en prenant un morceau de pain dans la panière. Je présume que ce sont des adolescents en mal de méchanceté qui ont rasé Smokey.

Elle ne pouvait pas lui révéler que Rory lui avait avoué l'avoir fait. Il se serait demandé pourquoi celle-ci lui en voulait autant à cette époque – et la réponse l'aurait orienté vers Keaton. Elle espérait simplement qu'il avait oublié l'histoire de l'herbe à chat.

— Et en savez-vous plus sur celui qui a sonné à votre porte en pleine nuit ?

— À vrai dire, je crois avoir résolu cette énigme ce matin. J'ai aperçu à l'étage une fille que je n'avais encore jamais vue et je pense que l'un de mes voisins, Stan, a probablement une liaison avec elle – pendant que sa femme est au bord de la mer pour l'été. Il se peut donc que nous ayons à ajouter un nouveau divorce au répertoire de l'immeuble.

À la grande surprise de Lake, Archer prit à cet instant sa main entre les siennes. Le sang afflua aussitôt à ses joues, comme s'il avait attendu en coulisses.

— Je n'ai pas voulu jouer au curieux, mais la nuit dernière, j'ai cru comprendre que vous étiez confrontée à des problèmes de garde d'enfants.

— Oui, répondit-elle en soupirant. Mais le pire est peut-être passé.

C'était exact. Hotchkiss l'avait appelée le lundi précédent avec des nouvelles. Le week-end avait permis de confondre Molly et Jack, ce que son avocat n'avait pas manqué de faire savoir à celui de son ex-mari. Et puis, le mardi suivant, Molly avait sonné à la porte de son appartement et, en larmes, elle lui avait avoué avoir commencé à fréquenter Jack avant leur divorce et avoir préservé leurs liens d'amitié afin d'en savoir plus sur les intentions de son amant. Lake en avait bien entendu averti Hotchkiss dans la minute. Il lui avait dit que c'était exactement ce qu'il leur fallait et qu'ils avaient désormais d'excellentes cartes en main. Dès le lendemain, il l'avait appelée pour lui annoncer que Jack acceptait une garde partagée.

— C'est merveilleux, s'écria Archer en entendant la nouvelle. Bon alors, écoutez, j'ignore comment il faut s'y prendre dans ce genre de situations, mais j'aimerais vous inviter à dîner un soir prochain – très prochain.

Le pur plaisir qu'elle ressentit en entendant sa proposition la laissa sans voix.

— J'adorerais, Kit, finit-elle par lui répondre, mais c'est encore un peu risqué, tant que l'accord final sur la garde des enfants n'est pas encore signé. Pour le moment, accepteriez-vous de vous en tenir à une série de déjeuners désopilants mais néanmoins stimulants ?

— Avec joie, s'écria-t-il en souriant.

La serveuse arriva pour prendre leur commande. Quand elle fut repartie, Lake regarda Archer. Elle aurait préféré changer de sujet pour ne plus avoir à évoquer la clinique, mais il fallait encore qu'elle lui pose une question.

— Question, annonça-t-elle. Pensez-vous que la police aurait compris que Rory était la coupable, si elle ne s'en était pas prise à moi ?

— C'est possible. D'après ce que je sais, ils n'ont jamais cessé de penser que la blessure infligée à Keaton avait été causée par une femme.

Elle prit son verre et le fit tourner entre ses doigts.

— Oh, alors, peut-être l'aurait-il découvert.

— Mais, bien entendu, il reste encore à ce jour un mystère non résolu, ajouta Archer.

— Un mystère ?

— Keaton a couché avec une femme le soir de sa mort et rien ne laisse penser que Rory Deever aurait pris le temps de lui faire l'amour avant de lui trancher la gorge. Il est donc évident que cette maîtresse a pris la poudre d'escampette juste à temps. Par conséquent, comme je l'ai déjà fait remarquer, il y a quelque part dans cette ville une femme dotée d'une chance phénoménale.

— Oui, une chance phénoménale, murmura Lake.

Ses yeux rencontrèrent les siens et elle lui sourit.

Dans la collection
Girls in the city
chez Marabout

Embrouilles à Manhattan, Meg Cabot
Mariage (en douce) à l'italienne, Meg Cabot
L'Ex de mes rêves, Carole Matthews
Un bébé made in L.A., Risa Green
Le Prince Charmant met de l'autobronzant, Ellen Willer
Cleptomania, Mary Carter
Happy end à Hollywood, Carole Matthews
Sexe, amitié et rock'n'roll, A.M. Goldsher
Ma vie privée sur Internet, Carole Matthews
Plaquée pour le meilleur, Clare Dowling
Bimbo mais pas trop, Kristin Harmel
Le Prince Charmant fait péter l'audimat, Ellen Willer
Double Jeu, Emma Lewinson
Arnaque à l'amnésie, Caprice Crane
En finale de Fame Game, Carole Matthews
Ma vie de star est un enfer, A.M. Goldsher
Blonde létale, Kate White
Un break pour Kate, Carole Matthews
The Boy next Door, Julie Cohen
Cinq Filles, 3 cadavres mais plus de volant, Andrea H. Japp
Hot !, Julia Harper
Une petite entorse à la vérité, Nina Siegal
Cocktails, rumeurs et potins, Marisa Mackle
Amour, Botox® et trahison, Chloë Miller
Le Mystère Dunblair, Jemma Harvey
La Très Très Mauvaise Journée de Bobbie Faye,
Toni McGee Causey
Le Trésor de guerre de Bobbie Faye, Toni McGee Causey
Love Masala, Advaita Kala
Mortels rendez-vous, Rhonda Pollero

Chère lectrice

Merci d'avoir choisi ce Girls in the city
pour passer un moment agréable.
Mais savez-vous que Girls in the city, c'est une nouvelle comédie
tous les mois pour faire le plein d'intrigues pleines d'humour,
parfois policières, pour entrer dans les coulisses de la mode,
du cinéma, de la téléréalité, des magazines *people* ?
Parce qu'on a toutes en nous quelque chose de Bridget,
retrouvez-nous chaque mois chez votre libraire préféré !

CINQ FILLES, 3 CADAVRES
MAIS PLUS DE VOLANT
Andrea H. Japp

Cinq copines partagent depuis toujours leurs déboires professionnels et sentimentaux : Emma, la blonde pulpeuse en mal d'enfant, Nathalie, la mère au foyer qui vient de se faire plaquer, Hélène, la tête chercheuse qui a fait de son absence de diplomatie une arme redoutable, Charlotte, la psy qui finit toujours par coucher avec l'un de ses patients, et enfin Juliette, l'esthéticienne qui dorlote une clientèle masculine triée sur le volet.
Le jour où Charlotte découvre un cadavre enchaîné au volant de sa voiture, elle panique et appelle immédiatement ses amies à la rescousse. Très vite, elles échafaudent un plan mais se retrouvent prises dans des histoires qui les dépassent largement, d'autant plus que d'autres cadavres s'en mêlent et que le premier a disparu…

Quand la reine du crime s'attaque à la *chick lit*, autant dire qu'on s'amuse drôlement et qu'on tourne les pages aussi vite qu'on engloutit un macaron !

Andrea H. Japp est l'auteur d'une vingtaine de romans, de recueils de nouvelles, de scénarios pour la télévision et de bandes dessinées. Elle est aujourd'hui considérée comme l'une des « reines du crime » françaises.

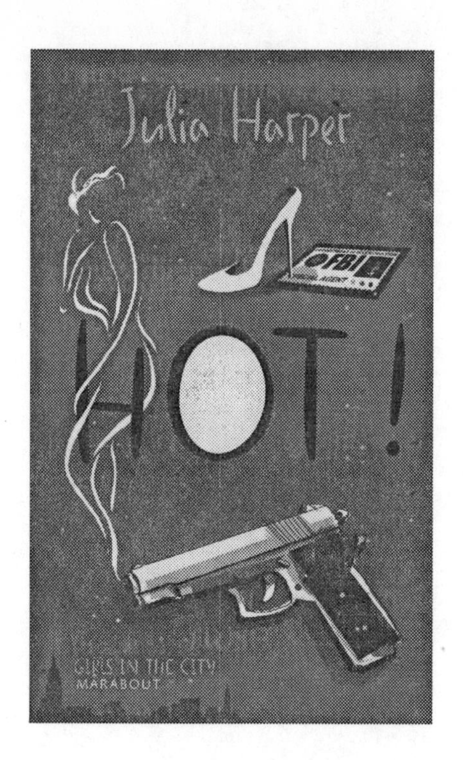

HOT !
Julia Harper

« Turner observa toute cette agitation autour d'elle, ces gens qui parlaient, discutaient en essayant de prendre un air important. Elle se dit que ce serait le moment idéal pour un braquage. Elle jeta un coup d'œil à la caméra de surveillance qui enregistrait tous les mouvements à l'intérieur de la banque. Puis elle se dirigea jusqu'au grand bureau en imitation bois de Calvin et ouvrit le tiroir central. Là, jusqu'en plein milieu, apparut une enveloppe rouge dans laquelle était rangée la clé du coffre. Elle la regarda. Elle n'aurait plus jamais une occasion pareille. Elle le savait parce que cela faisait quatre ans qu'elle attendait cet instant. C'était à son tour de braquer la banque. »

Une souris de bibliothèque qui porte des fausses lunettes, qui aime les escarpins rouges très sexy et qui lit des romans de soft-porn, il n'en faudrait pas plus pour intriguer mais aussi troubler John MacKinnon, agent très spécial du FBI.

Julia Harper est américaine. Quand elle n'écrit pas des comédies, elle publie, sous son vrai nom, des romans historiques.

UNE PETITE ENTORSE À LA VÉRITÉ
Nina Siegal

« Pendant deux ans, j'avais été considérée comme une étoile montante du journalisme, débauchée à grands frais pour écrire des articles brillants dans la rubrique Style du journal. J'assistais alors à des galas fastueux, j'étais invitée à des soirées mondaines grouillant de célébrités, je foulais le tapis rouge des soirées de première. J'avais accès aux coulisses de tous les événements les plus courus de la ville. Mais, à un moment, les choses avaient mal tourné, puis elles avaient empiré jusqu'à toucher le fond du fond. Au bout du compte, j'avais été mutée à la rubrique Nécro pour y finir mes jours à jouer les gratte-papier, des syndicalistes et autres fourmis sans identité. »

Valérie s'ennuie ferme depuis sa disgrâce, jusqu'au jour où un appel énigmatique lui apprend qu'elle a commis une grave erreur dans la nécrologie d'un artiste très en vue. Alors qu'elle enquête dans le New York *arty* et branché de SoHo, les ennuis commencent…

Nina Siegal est née à New York et a grandi à Manhattan. Écrivain et journaliste, elle a participé à la création du *Time Out* d'Amsterdam. En 2005, elle s'est vu attribuer plusieurs bourses littéraires. C'est son premier roman.

COCKTAILS, RUMEURS ET POTINS
Marisa Mackle

« Recherche : super-coloc'
Elle doit être drôle (amusante, pas flippante), me prêter ses belles fringues (pas me piquer les miennes), être jeune dans sa tête (mais surtout pas étudiante), avoir un boulot décent (et de jour), ne pas oublier d'aller acheter du PQ. Elle ne doit pas squatter le téléphone, passer l'aspirateur entre minuit et 7 h du mat', ramener des hommes bizarres à la maison, draguer mon copain (si j'en ai un, un jour), laisser des cheveux dans la baignoire. »
Alors qu'elle cherche la colocataire idéale, Fiona, vingt-neuf ans, commence un boulot dans un magazine féminin. Très vite, A.J. la prend sous son aile et lui apprend les ficelles du métier. Fiona découvre que le monde des pigistes aux rubriques Potins et Beauté repose sur des coups bas et des ragots en veux-tu en voilà, entre deux coupes de champagne. Fiona saura-t-elle profiter des bons côtés de son boulot sans s'y perdre ?

Si vous avez toujours rêvé de travailler dans un magazine féminin, vous ne pourrez pas dire qu'on ne vous aura pas prévenue !

Marisa Mackle est numéro 1 des ventes en Irlande. Elle partage son temps entre Dublin et l'Espagne.

AMOUR, BOTOX® ET TRAHISON
Chloë Miller

Fiona (architecte de quarante-sept ans, divorcée) a toujours été une femme très séduisante. Mais alors qu'elle se sent très jeune dans sa tête, son corps commence à accuser le coup et ses aventures sentimentales s'en ressentent. Sur les conseils de sa fille Shirley qui, il n'y a pas si longtemps encore, pouvait passer pour sa petite sœur, elle recourt à la chirurgie esthétique.
Fiona fait en sorte de mener de front sa carrière et ses opérations. Elle prétexte des « déplacements », une cure fabuleuse au Mexique, et s'absente juste le temps nécessaire pour qu'on ne voie pas trop les cicatrices. Très vite, le résultat est bluffant, un vrai coup de jeunesse ! À tel point que Fiona se fait courtiser par un jeune homme de l'âge de sa fille… et se laisse séduire. Tout juste si elle s'inquiète que Janus la laisse payer toutes les additions, qu'il la laisse lui offrir un loft… heureuse de faire plaisir à son nouvel amant dont la présence à ses côtés lui fait tourner la tête ! Mais Janus est-il le fils de bonne famille déshérité qu'il prétend être ?

Une comédie sans concession menée tambour battant dans la grosse pomme !

Chloë Miller vit à Paris. Après avoir longtemps travaillé dans la publicité, elle est aujourd'hui l'auteur de nombreux livres parus sous différents noms de plume.

LE MYSTÈRE DUNBLAIR
Jemma Harvey

Comment avouer à votre meilleure amie que vous n'avez aucune envie de travailler avec elle ?
« Je ne connais rien au jardinage, ai-je objecté.
— Tu n'en as pas besoin ! Mon Dieu, tu crois que je mets la main à la pâte ? Tu imagines dans quel état seraient mes ongles ? On paye des gens pour ça : des documentalistes, des assistants, que sais-je encore ? Tu es productrice, non ? Alors contente-toi de faire ton boulot. Et puis, tu seras l'invitée de la plus célèbre rock star de tous les temps, dans son fabuleux château écossais. Que veux-tu de plus ? »
Meilleures amies depuis l'enfance, Roo et Delphi tournent une série d'émissions de jardinage dans un château sur lequel pèse une sombre histoire : une future mariée aurait disparu le jour de ses noces, il y a 700 ans, dans un labyrinthe végétal…

Une comédie hilarante qu'on ne lâche pas, avec des reparties vipérines et un savoureux tableau du monde de la télé. À lire en cas de coup de blues !

LA TRÈS TRÈS MAUVAISE JOURNÉE DE BOBBIE FAYE
Toni McGee Causey

Entre sa nièce qu'elle élève et sa caravane qui prend l'eau, Bobbie Faye a bien assez d'ennuis. C'était sans compter son crétin de frère : des caïds viennent de le kidnapper et réclament en guise de rançon l'unique bien qu'elle ait hérité de sa maman, sa couronne de reine du Festival de la Contrebande.
Elle doit donc se montrer plus futée que le FBI, le milieu et un otage dont elle n'avait pas l'intention de s'embarrasser – mais qui se révéla furieusement sexy ! – pour secourir son frère, récupérer sa nièce et rentrer à temps pour le Festival.
Fort heureusement, Bobbie Faye sait se servir d'un revolver et se sortir de toutes sortes d'ennuis (de même que s'en attirer). Si seulement cet agaçant inspecteur de police, un ex-boyfriend rancunier, voulait bien s'écarter de son chemin…

Le récit décapant de la journée catastrophe d'un personnage déjanté. Une comédie… ébouriffante !

Toni McGee Causey vit à Baton Rouge, en Louisiane.

LOVE MASALA

Advaita Kala

Je m'appelle Aisha Bhatia, j'ai vingt-neuf ans et je suis célibataire.
Mon ex-petit ami est désormais un copain. J'ai deux amies, mes âmes sœurs, Misha et Anushka. Je passe mon temps à les psychanalyser et à disséquer mes problèmes personnels. Le reste du temps, je travaille dans un hôtel. Ma vie est très pleine et je rencontre chaque jour une foule de gens formidables et passionnants. Bon, là c'est de l'ironie. Ceux qui dépensent des fortunes pour passer une nuit dans un palace peuvent parfois être assez pénibles. Enfin, certainement pas autant que le minable qui me tient lieu de boss. En résumé, je supporte mon job, je déteste mon patron, j'ennuie mon ex et je passe le plus clair de mon temps avec mes amies. Ah oui, au passage, je vis sous les cieux de la deuxième puissance économique mondiale émergente : l'Inde.

La première comédie version Bollywood !

Advaita Kala habite à New Delhi où elle travaille pour *Time Magazine.* Ce livre est son premier roman.

MORTELS RENDEZ-VOUS

Rhonda Pollero

Finley se doute bien que la personne qui vient de la réveiller en tambourinant à sa porte à 5 heures du matin ne lui apporte pas des bonnes nouvelles : sa copine Jane s'agite hystériquement devant elle, vêtue d'une simple nuisette. L'histoire a commencé la veille au soir, lorsque Jane s'est rendue à un *blind date* pour retrouver un prénommé Paolo, et a pris un mauvais tour quelques heures plus tard lorsqu'elle s'est réveillée à côté de son cadavre. Si Finley sait que Jane ne ferait pas de mal à une mouche, la police ne semble pas du même avis…
Finley va devoir agir au plus vite pour démasquer un meurtrier qui semble bien l'avoir choisie pour prochaine victime.

Une intrigue drôle et pleine de rebondissements qui va vous tenir en haleine jusqu'au bout !

Rhonda Pollero, auteur à succès (sous le nom de Kelsey Roberts) de plus de vingt-cinq romances contemporaines, s'est vue décerner plusieurs prix littéraires. Elle vit avec sa famille dans le sud de la Floride.

Pour l'éditeur, le principe est d'utiliser des papiers composés de fibres naturelles, renouvelables, recyclables et fabriquées à partir de bois issus de forêts qui adoptent un système d'aménagement durable.

En outre, l'éditeur attend de ses fournisseurs de papier qu'ils s'inscrivent dans une démarche de certification environnementale reconnue.

Photocomposition Nord Compo

Imprimé en France par CPI Brodard & Taupin
La Flèche (Sarthe), le 07-05-2010
N° d'impression : 57335

pour le compte des Éditions Marabout
Dépôt légal : mai 2010
ISBN : 978-2-501-06652-5
40.5749.3
Édition 01